我吹着牧笛从山上下来
看见云端的小女孩儿
她说，你吹一只羔羊的歌曲
再吹一只青草的歌曲
我吹啊，她听啊
爱情来到了我们的面前

——皮皮

爱情句号

皮皮/著

人民文学出版社

（京）新登字 002 号

图书在版编目（CIP）数据

爱情句号/皮皮著 . – 北京：人民文学出版社，2005.7
ISBN 7 – 02 – 005260 – 6

Ⅰ. 爱…　Ⅱ. 皮…　Ⅲ. 长篇小说 – 中国 – 当代
Ⅳ. I247.5

中国版本图书馆 CIP 数据核字(2005)第 069985 号

责任校对：王玉川
责任印制：王景林

爱 情 句 号
Ai Qing Ju Hao
皮 皮 著

人 民 文 学 出 版 社 出 版
http://www.rw – cn.com
北京市朝内大街 166 号　　邮编：100705
北京新魏印刷厂印刷　　新华书店经销
字数 330 千字　开本 880×1230 毫米　1/32　印张 13.875　插页 2
2005 年 7 月北京第 1 版　　　　2005 年 7 月第 1 次印刷
印数　1 – 30000
ISBN　7 – 02 – 005260 – 6
定价　26.00 元

人 物 表

丁欣羊　一个离异的女人,走在希望再爱,希望再婚的希
　　　　望之路上。

刘　岸　丁欣羊的前夫。

朱大者　一个未婚男人,在一条独自逍遥的小路上。

大　丫　一个不结婚的女人,碰见的都是男人。

丁　冰　一个在婚姻中绝望但拒绝承认,被怀疑折磨直
　　　　到绝望的女人。

白　中　丁冰的丈夫。

谭定鱼　一个自以为能控制一切却失去了一切的男人。

马副经理　一个爱别人却无法得到爱的女人。

于水波　一个牺牲别人也牺牲了自己的女人。

老　牧　一个很晚才了解自己的独身男人。

大　牛　一个为痛苦而生的男人。

第 一 章

> 我多么喜欢那样的时间，
> 不再担心故事必然的发生，
> 而是心里清楚结尾以后，
> 从头平静地向你讲述。

　　过四十岁生日那天，朱大者百无聊赖地坐在花都商场二楼回廊上，手里握着一听可乐，思绪像一只无处落脚的苍蝇。他想起二十年前的夏天，在上海街头见到的一个男人，坐在门前的竹椅上不停地出汗却像雕塑一般安详。他不认识这个男人，无论二十年前，还是今天，但在眼下这个总是下雨的秋天里，他宁可想起某个过去生活中出现的陌生人，也不愿回想自己的生活。

　　他傻呆着，感觉像不下雨时浅灰色的天空，腻烦，脸上不露出任何痕迹。他一直喜欢那首简单的台湾歌曲，在没人的雨中更显得孤寂，但我脸上并不流露出痕迹。他知道这样的状态不对，也曾试过改变，没有结果，他觉得还不如不去改变，就这样挺着，让这糟糕的状态自己过去，像问题自己解决自己那样。每当他觉得被这状态控制时，他喜欢坐在人多的地方，看别人。

　　渐渐地，商场里的人多了起来，他看见一个女人在礼品包装柜台，皇上选妃般挑着在他看来都一样的包装纸；一对老夫妇在离那个女人不远的地方，压着嗓子吵架，表情恶狠狠的。他把目光转向一对拉着孩子的夫妻，各自张望感兴趣的东西，孩子的脑袋摇成了拨浪鼓，一会儿看妈妈的方向，一会儿看爸爸的方向，但他毕竟太小，怎么都看不出自己是父母婚姻的维系者。一对恋人胶粘着，像一条大章鱼，拱到皮具柜台，再拱到瓷器柜台。朱大者看了半天，发现自己从没对任何女人如此这般过，对此，他接下来的感觉既不好也不坏。他把目光挪回到包装柜台，刚才那个挑包装纸的女人还在挑着，他几乎觉得这是对他神经的挑战，他站起来，下楼朝那个女人走过去。经过那对还在低声吵架的老夫妻时，他说了一句你们好，吓得他们立刻向彼此靠拢，好像突然面对了枪口。

礼品包装柜台上放着一台投币电话，剩下的地方都被包装纸堆满了。女服务员已经开始不耐烦，挑纸的女人偶尔说句抱歉，再加句，我可以多买些。朱大者拿起投币电话，拨了6666，等待回应时，侧面观察那个女人。她没被长发遮住的那半边脸端庄清秀，没长任何斑点任何痘痘，让朱大者产生了既不涉及灵魂也不涉及肉体的亲切。

"对不起，您拨的号码是空号，请您查询后再拨。"电话里传来一个机器女声。他又拨了88888。

她扭头看看他，微微笑笑。他发现她的另一半脸同样端庄清秀，但他没有回应她的微笑，继续拨自己的空号。

"你到底定下来没有？"服务员问。

"马上，马上，对不起，我的确太慢了，主要是礼物太重要了。"话音刚落，她的手机便急促地响起来。朱大者不明白为什么有人把手机调成这样的铃声，像催命的。

"喂，什么？在哪儿？"她连着使用几个疑问词，然后便慌乱地收拾自己的皮包，"好的，我马上出去，西门，好的，西门，我马上。"说完，她把柜台上的几样小东西放进自己的黑皮包里，对服务员说了声对不起，便匆匆离开了。没走出几步远，她回头补充了一句，说她过会儿还回来。服务员生气地收拾被摊开的包装纸，同时找各种合体的话贬损刚才的女人。很快，服务员把柜台

收拾干净了,朱大者看见了一本蓝色仿皮封面的本子,上面用透明胶贴了一张卡片:

丁欣羊,你好!

今天是你六十岁生日,祝你快乐!

这是我为你记的日记,现在送给你作为你六十岁生日礼物。今天我三十六岁,二十四年后的今天,无论太阳是否升起,我们都会在早上重逢。

你的朋友丁欣羊

服务员回过身时,朱大者已经把本子拿到手里。他把电话里退出的硬币揣进裤兜儿,朝商场的西门走去。西门外,一个女人都没有,那个忸怩地把自己的日记送给自己的女人更是不见踪影。这么大意的女人,活到六十岁之前,说不定自己都丢了。他这么想的时候,便决定把这本日记带回家了,算是给自己的生日送一个意外的礼物。

丢了日记的丁欣羊几乎一夜无眠。对着夜里的黑暗,她想不出她的日记到底是怎么丢的?别人拿她的日记又有什么用?日记里她赤裸面对自己,最丢人最卑鄙的内心想法统统写了。于是,她恨自己想出的这个特别主意,对六十岁的生日全没了兴趣。她甚至怀疑自己这样下去,能不能活到六十岁。

早上定时的新闻广播把刚刚迷糊睡着的丁欣羊唤醒,一个毫无感觉的女声在报道国庆长假期间,商家赚了多少钱。丁欣羊坐起来一阵头晕,没睡好觉也没有吃早饭的胃口。她把平时吃早饭的时间用来冲了个热水淋浴,然后穿上那套料子最好的浅灰色套装,犹豫了一下之后,还是穿上了透明丝袜,因为今天公司要跟一个重要的客户签合同。

已经开始的十月里，北方早该来的干冷，无论突然还是渐渐都还没有踪影。阴天和下雨交替地控制着这座城市，到处充满了北方人还不习惯的凉意。时髦的女人还穿着初秋的衣裙，多数和丁欣羊一样加了一个短风衣。等公共汽车的时候，风衣下摆钻进的寒凉让丁欣羊心里直打颤。公共汽车上的一个女人说，这气候真反常，立秋了老这么下雨，好像要再回到夏天似的。另一个女人说，可惜回不到夏天了，这天气怎么穿衣服都是心里冷。

这时，坐在车上的丁欣羊开始肚子疼，接着变成绞疼，接着头上渗出冷汗。她立刻在最近的车站下去，在打车回家和找公厕的念头间，她看见了不远处的公厕标志，艰难地走了过去。

拉肚子的时候，她辛酸地想到新上任不久的市委领导，多亏他们改变了这个城市缺少公厕的局面。回到街上时，一滴雨点落到了她的鼻尖上，顿时激起满身鸡皮疙瘩。她觉得自己变成了一个凉冰冰的空人儿，浑身发抖。她还没难过的时候，泪水自己流了下来。她掏出手绢擦掉泪水，左右看看：她正在家和公司之间，决定先回家。当她站到路边儿等出租车的时候，雨点急起来，连成了雨。在雨中她手机的响声显得格外凄冷。她掏出手机，嘴发颤，这时停下一辆车，她索性没接，告诉司机地址之后，又开始肚子疼……

再一次拉肚子之后，她像一匹又沉又软的布料被扔到沙发上，虚弱得仿佛失去了知觉。迷糊了几分钟之后，她才缓过来给单位打电话。办公室说马副经理没在房间，她又试她的手机也没人接。她咬牙撑着自己去冲热水淋浴，站在热水里，刚才身体里的寒冷渐渐减退了。她委屈地哭了，恍惚中觉得自己被一种陌生的情绪控制了：三十六年来，第一次，她那么怀疑自己生活的意义。

输送热水的管道此时变成了巨大的安慰,仿佛她可以借此对付独自生活的孤寂和精神身体中无处不在的凉意。站在热水下,她幻想自己喝上了一杯热茶,吃了一个新鲜的小面包,穿着最暖和的绒衣,拉开窗帘,看着窗外雨中的玫瑰慢慢凋零,也许还有一枝高高在上怒放着,它浅粉色的花瓣像意志的化身……伴随着舒曼的"童年"。这么想着,热水混合了泪水,止住了泪水。

手机急促地响起来,丁欣羊用毛巾裹住自己,没等她说话,手机里传出愤怒的声音:"你疯了,你到底想干什么?!"

"对不起,马经理,我马上到。"她说。

"你被开除了。"电话里的声音。

丁欣羊找出一套暖和的羊毛内衣,穿上厚呢子套装。再次出门前,她为了稳定自己的情绪,打量了一番自己的家。没有舒曼的音乐,有的只是音箱上的灰尘。为了这个房子她要像昨天那样工作十五年,才能还清贷款。她在音箱的灰尘上留下了她的手印儿,想不出十五年后自己的样子,甚至五年后她都不知道自己会怎样。

丁欣羊推开公司的大门,几乎所有的职员都在大门左侧的会议室里,该发生的看上去都发生了。她朝自己的位置走去,一声怒吼从她身后传过来,因为有所准备,她只是平静地站下,转身。

"你到哪里去了?"马副经理用各种收腹收胃带捆绑着的身体明显地鼓胀,很像炸弹在最后几秒里强忍着不提前炸开。她周围的同事多少有些同情地看着丁欣羊。

"对不起。"

"对不起?小姐,你说得好轻松啊,你的这个对不起是不是太贵了点儿?八十万的生意就因为你忘了上班泡汤了,你以为你是谁啊?!"马副经理为自己不能把话说得再狠些而生气。

丁欣羊回到自己的座位,把早就准备好的文件从皮包里拿出来递给马副经理,她正站在她的办公桌前,像真正的敌人那样怒视着她,但没有接递过来的文件。丁欣羊能理解她的怒气,这是她牵线的一个项目,也许她一直盼着那笔提成,现在都飞了。

"我很抱歉。"丁欣羊似乎说不出别的。

"不必了!"马副经理抓起那些文件摔在丁欣羊的脸上。"你被开除了。"

丁欣羊看着马副经理多少有些丑陋的脸。有人说,她为了安慰经理谭定鱼那颗寂寞的心不惜弄碎自己丈夫的心。"开除"两个字舒缓了因为紧张而凝固的空气,仿佛这样就都扯平了。

丁欣羊把皮包里的一些东西拿出来,放进办公桌的抽屉。她的思绪像短路的电线进出火花,几年来的公司生活像条弧线,从她的左脑滑到了右脑,突然间,她觉得一切都无所谓了,这么想的时候,空空的胃里好像被塞进了一大块胶囊,封闭了她的感觉。她背起皮包对马副经理说:

"我正好不想干了。"说完就离开了。快走到大门口时,经理谭定鱼从自己的办公室出来,吓了丁欣羊一跳。他的办公室在会议室旁边,用乌玻璃隔离出来的空间像海底世界,他曾经对丁欣羊说过,他不愿意被观赏。

"你到我办公室来一下,我要跟你谈谈。"谭定鱼严肃地对丁欣羊说。

"不必了。"丁欣羊无意间模仿了马副经理的口气,说完从谭定鱼身边走过去,没有看到他脸上阴云般的表情。

雨,居然停了,尽管天还阴着。丁欣羊在中心公园墙外的林荫路上快步走着,可不知道去哪儿。走到前面的十字路口时,她又折了回来,继续在这条安静的路上疾走。离开公司以后的涣散心情缠着她。她脑袋里闪现出的其他念头更让她厌恶:房子,贷款,与父母间似乎永远无法缩短的距离、婚姻、未来等等,这些都像拴在她心上的沙袋儿,让她在离婚后过着似乎庄重的独身生活,如今,她把它们扒开看的时候,里面剩下的都是沉重。她想去找大丫喝酒。

大丫家里电话和手机都没人接,好像这个发誓不结婚的女人又发誓不接电话了。女朋友的好处是彼此间基本可以避免真正的伤害,但无法真正地彼此走进。

丁欣羊的手机响了。

"我是小于。"丁欣羊一时想不起来这个小于是谁。"我是谭总的秘书于水波。"她想起这个几天前调来的秘书,她文静善解人意的样子浮现在丁欣羊的眼前。"也许,我不该告诉你,所以也请你别对别人说。"

"什么事?"

"我也是听说的。因为觉得他们这样对你有些不公平,所以才想对你说一下。"丁欣羊等着她继续说。"其实那家公司是想跟别的广告公司合作,也许他们利用了今天的事。要不是这样,他们可以口头上把该谈的都谈了,合同你下午给他们送过去也行的。"

"你怎么知道的?"

"他们接触的另一家公司我原来在那里做过,一个朋友告诉我的。"她停了停又说,"我……"

"你放心,我不会跟谭经理或者马经理提这事的。"

"我可以找机会跟谭总说的。"

"我反正也不想干了。"

"你真的不想干了?"于水波认真地问,丁欣羊没有回答,只是向她道了谢。

丁欣羊最后决定回家。回家,在现在的心情下让她恐惧,但比回家更让她恐惧的是一个人去酒吧喝醉。

身体从水中慢慢浮上来的过程，是大丫游泳的乐趣所在。比如她必须为她的后背游泳但她不愿意，她是个乐趣至上者，而她认为丁欣羊正好相反，做什么事必须有意义才行。

"这年头，谁能说清楚什么是有意义什么是无意义?!"有一次，她们争论起来。"有没有意义都是嘴唇儿一碰说出来的。"

"这都是你给自己放纵找的借口。"丁欣羊讽刺地说。

我放纵吗？大丫从游泳池爬上来时问自己，回答还没想好时，她看见那个年轻的救生员靠墙站着，毫不掩饰地看着她：男人看女人的眼神儿。大丫丰满的胸部迎接过很多男性唐突黏滞的目光，对此她有足够的经验。她牢记老娘做人要宽容的教诲，几乎从没把这当回事。她想，如果她不多想，谁都没损失。但是，这个救生员类似的目光中凸现出一点不同：充满情欲的目光缺少下流。

傻×。大丫无声地说了一句，故作从容地从他面前走过去，心里却莫名地慌乱。洗澡时，她也想找丁欣羊喝酒去，可惜后者是个越喝越严肃越严肃话越少的主儿，好像每一口酒都能揭示生活严峻的本质。她曾提醒丁欣羊别因为意义破坏了乐趣，后者的回答让她气馁，就此放弃劝说。

"意义还是很重要，尽管经常找不到它。"

交还钥匙的时候大丫看见救生员走出游泳馆的大门。他年轻的体魄和体态让情场老手大丫不禁发出难得的感慨：他至少比我小一百岁。她想起一个一般五年左右联系一次的女友，虽然自己人到中年，却不跟中年男人谈恋爱。她的理论是中年男人要多少缺点有多少缺点，跟中年妇女一样，跟他们在一起叫人怎么长进?! 所以她的男朋友都是小伙子。大丫从没想自己能这样生活,就像她同样没想过自己不能这样生活一样。她内心自由的感觉是她专栏文章颇受欢迎的原因之一。"另一个原因是你生活放荡。"丁欣羊有一次开玩笑地说。大丫买了一听冰镇可乐,这是她游完泳的又一大享受。她想起眼前跟自己"放纵"的老张,算起来也有两个月没在一起了。除了偶尔打个电话说几句可说可不说的话,大丫和老张各写各的文章,"人生就是不能什么都有",这是老张的总结。

大丫开自行车锁,转身发现救生员站在身后。大丫真想开两句玩笑,比如,到陆地就不用救护之类的。

他打了声招呼,然后镇定地说了自己的名字。大牛,听起来像小名,大丫回答说:

"我没小名儿。"

"那我跟你说件事。"大牛说。

大丫看到他运动衫下健硕的身体,脑海里出现一个词——身体贩卖者。

"你有时间吗?"他又问了一句。

"没有。"大丫尽量把语气放平稳。

"那我另外找时间吧。"他从裤子兜里掏出一个纸片儿,"我的手机。你给我打电话。"他几乎命令的口气伴随着一个几乎纯洁的眼神儿,狠狠碰动了大丫快要僵死的心。她掏出自己的手机说,我现在就给你打吧。

大丫拨通了号码,但听不见大牛手机的铃声。她问他是不是放震动了。他说:

"我还没买呐。"

"行,还是你狠。我老了,玩不起酷了。"话音刚落,大丫就被对方紧紧地搂了一下。等她反应过来,大牛已经晃晃悠悠地走了。

"我靠。"冲着他电影画面般的背影,大丫一时没别的词儿。那以后的几天里,缠着她的是他身上的味道,一股她无法用词语概括的清新。好久以来她觉得自己拥有的安宁,随风走了。

第 二 章

　　每个人都做梦的。那些说自己不做梦的人，只不过是醒来后忘记了做过的梦。丁欣羊的姐夫白中对此有另外的理论，他觉得不做梦说明不用做梦说明生活简单而健康。有一天夜里他做了个奇怪的梦，他简单而健康的生活罩上了一层黑雾。他做的梦的确很奇怪，甚至在梦里的时候，他还想这么奇怪的梦自己从来没做过，以后恐怕也不会再做。

　　他梦见自己坐在一个大厅里，跟许多人一起等待一个国家总统的接见。他们每个人都戴着胸签，但他不知道自己代表的是谁。他问旁边的人，人家叫他不要说话。总统进来了，一边走一边跟每个人握手，轮到白中时，总统脱下自己的裤子交给白中，要他好好保管。白中诚惶诚恐地接过那条厚厚的像棉裤一样的裤子，发现其他人都不见了。总统是个瘦瘦的亚洲人。他对白中说，这裤子是防弹的，你别把它弄坏了，要保存好。总统说完就离开了，留下白中一个人双手托着裤子。渐渐地他觉得累了，就找把椅子坐下来。他刚把裤子放到旁边的椅子上，立刻传来一个声音：要保存好，要保存好……

　　他用手去摸裤子，厚厚的裤子居然很柔软。当他把手缩回来时，觉得手上是黏乎乎的东西。他凑近灯光，看不见手上有什么，就是发黏，他坐回到椅子上，身前身后摸摸，到处都是发黏的东西，但他看不见……可他听见了一个女人的声音：我做不到，白中，你救救我，白中，我做不到。

是妻子丁冰的声音！他醒了，猛地坐起来，脑海里反应的第一个念头是裤子会弄脏的，裤子弄脏了，也就弄坏了。接着他意识到房间里亮着灯，立刻看自己的手，手上有血迹，床边，床下，地下……丁冰坐在地上，手上和睡衣上也都是血迹。

白中觉得自己的心突然不跳了，但他自己跳了起来，像一大块没有重量的泡沫。他先拨了急救电话，然后抓起自己昨晚没穿的睡裤，把丁冰割开的手腕紧紧缠住。

这时，他才朝丁冰望了第一眼。她满脸泪水，眼神像做了错事的狗，期望着，哪怕听到责备。白中呆住了：他在丁冰的眼神中几乎是肯定地看到了对他的责备。他好像被什么东西击中了，罩住了，完全不知道该怎么反应。直到丁冰头一歪晕了过去，白中才冲过去，把丁冰紧紧抱在怀里，泪水涌了出来。

丁欣羊赶到急救室，看见白中一个人坐在走廊的蓝色塑料椅子上，头埋在手里。她在他旁边坐下来，他睡衣外面穿了一件风衣。

"脱离危险了。"他看见丁欣羊说。她的眼泪立刻流了下来，仿佛是在感谢姐姐的获救。

"我没给你父母打电话。"他疲惫地说。

丁欣羊点头表示自己能理解。

"你回去换换衣服吧，我在这里。"她说。

丁欣羊来到姐姐的床边，她仰面睡着，本来就白皙的皮肤更加苍白，已经四十几岁的丁冰，脸上依然有少女的神情。她的睡相那么安宁，仿佛是过度疲倦之后终于获得了休息。丁欣羊突然又想哭，丁冰看上去就像一具尸体，她不知道是什么推着姐姐走到了今天这一步。她们是同父异母，但彼此感情颇为深厚。但丁冰是个极为寡言的女人，因此她们的相知的来源是过去的一段共同的生活，而不是真正的相互了解。在她看来，姐姐丁冰从来都不是一个自私或者任性的女人，所以她想不出，丁冰到底出了什么事？

第 三 章

即使只有记忆

人们也会在别人的兜里

找到你折起的一切

把它像纸片儿一样打开

叠成时间本来的模样

别人的日记,对朱大者来说,看和拿是两件有区别的事。如果说拿别人日记是他百无聊赖中的无聊之举,带着拿来的日记回家之后,在这件事情上的劲头也过去了。哪怕这个叫丁欣羊的女人求他看看这日记,他也很难马上答应,不情愿。但是,在失眠的夜晚,睁眼儿望屋顶腻了之后,他还是抓过日记读了几篇。

日记中写的事情差不多都可以称得上隐私,因为总是连带着歉疚之类的情感。但他从不做道德上的判断,隐私的效果就没了。好像在大街上性交跟兴趣有关跟教养没关,总之,朱大者觉得丁欣羊属于"过敏人",不然是可以活得很幸福的。

比如:

她和一位异地有家室的先生保持了两年所谓的精神层次上的体贴关系,互相倾诉。一般是她出差到他的城市,他们在一个固定的咖啡馆见面畅聊。有一次那先生感慨地把这个咖啡馆称为他们的精神家园,把小丁感动得够呛,也把朱大者气得够呛。

14

后来这先生出差到了丁欣羊的城市，他们约好到小丁家里小聚。当丁欣羊准备好了晚餐和晚餐的气氛用品，那人在飞机场打来电话说他不来了，而且他不想解释，但希望得到理解。结果是小丁同志伤心欲绝，打电话把一个一直喜欢她的朋友找来睡了一觉，然后立刻良心泛滥，伤心变成内疚。

女人居然混乱到这种程度！朱大者生气了。

女人为什么不能不动感情地判断男人，胆小鬼就是胆小鬼，好先生就是好先生。他觉得这个丁欣羊和别的女人都还没明白，痛苦是精神夸张的产物，如果大家都像运动员感受创伤那样去感受一切，就只有疼痛，没有痛苦。

弱智。他在心里骂了一句，就把日记扔到一边儿去了。

过两天，他又捡起来看了一篇儿，看之前先骂自己弱智，但还是得承认，她的文字对他有那么点儿吸引力。

和刘岸离婚的那一年，是个少见的暖秋，入了十月，街上的女人还穿着薄裙。（正好和今年相反，朱大者的咕哝。）

第一次去离婚的地方是办手续。树上的叶子黄的黄，绿的绿，都还没落。在暖融融的天气里，行人的步履也缓慢了，仿佛一切都很舒展，享受着成熟季节里的安详。

第二次去离婚的地方是取结果。街上忽然刮起了一阵暖风，叶子被纷纷吹落，黄的，绿的。……有一片黄叶子落到了他的头上，他把它拿在手里，然后告诉我，在我的头上也有一片绿的。

我没有把它拿下来。他说，去吃饭吧，我说，不了。

当我回到那个临时租借的小房子里，看着地上还没打开的行李包和装书的纸箱，心里一点感觉都没有，居然也不痛苦，好像正在经历一件还没真正明白的事情。

第二天，刘岸来电话，他说看着我顶着那片叶子，走远了，心里很不好受。

可我不知道，什么时候风把那片绿色的叶子吹落了，从我的头上把它吹落了。

他再给我打电话是在机场。他难过的声音和机场的嘈杂声我都听见了。他马上就飞向美国，要我多保重。我说，你也要多保重。放下电话我大哭了一场：一个你无比亲近的人，一个也亲近过你的人，突然就远离了，离得那么远，远得不能再远……这感觉让我怀疑曾经拥有过的一切。

时光流逝，除了工作以外，离婚后的生活总好像还没真正地开始。情感上所发生的事只是让我更沉重进而更怀疑。下雨天，到处都是湿漉漉的，看见路边灯光明亮热气腾腾的小吃店，就更觉得自己是一个人。最后总是独自回到家里，放下滴水的雨伞，一个人瑟瑟发抖。

这最后的画面偶尔会出现在朱大者的眼前，他想，也许他会想办法认识一下这个女人；也许这根本不难，因为世界也不大。

在一个灰蒙蒙的阴天里，刘岸心情忽然静下来。刚才在朋友的办公室谈事情打听到丁欣羊的办公室就在附近，便拒绝了朋友的午饭邀请，开车到了丁欣羊公司门口。他点着了一支烟，想进去找丁欣羊之前，整理一下思路。从美国回来的这半年，张罗公司张罗房子，琐事把他架到了云上，每天处理过的事情和即将面临的事情，彼此间没了界线混在一起……刚才突然来临的安宁，让他思念日常的感觉，见见朋友不谈生意见见同行不谈艺术，等等。

他最想见的是前妻欣羊。

当他离开丁欣羊的公司时,下雨了,他坐进车里,发动车子打开雨刷,一时拿不定主意,是不是马上去她家。公司的一个年轻女人简单说了丁欣羊经历的事情。刘岸亮出前夫的身份,那女人也说了丁欣羊的住址。刚去美国时,他还偶尔给她打过电话,最后的三年多他没有任何她的音讯。即使他有过别的女人,偶尔会奇怪地想起这个惟一做过他妻子的女人。

他慢慢朝丁欣羊家的方向开过去,还是没拿定主意去不去。去办公室打个照面的心理准备他有,去家里,尤其是她自己的家(尽管她还没结婚),他多少犹豫,却说不出为什么。当他把车在公寓大门前的街上停下时,拎着购物袋回家的丁欣羊出现在他的视线中。她没打伞,湿淋淋的却走得很慢。刘岸看不下去了,他熄火,赶上刚迈进大门的丁欣羊,从她手中接过东西。

她看着他并没有多少吃惊,好像刚刚经历了太多令人惊诧的事情,一切都无所谓了。

他们一同走进客厅,丁欣羊让他先坐会儿,自己去换衣服。刘岸听到淋浴的水声,便安心坐下来,他四周打量房间的布置:简约朴实没太多的设计,因此也剔除了令人慌乱的因素。他觉得这房间像丁欣羊的笑容,让人安心。

已经换好衣服的丁欣羊端着一壶茶走了进来。她问他喝不喝茶,他说喝,然后又问她是不是新买的房,她说是。

她静静地坐到他对面的单人沙发里,像一件没有重量的东西,表情漠然。

“这几年,还好吧？听说你回来了,但没了联系方式。”

“我还那样,不好不坏。回来想做个公司,跟广告有点联系的。”

她点点头。

“我去过你公司。”他说。她回答:“是吗?！”

“另外再找工作?”他关切地问。她第一次把目光稳定地放

17

到刘岸的脸上。

刘岸也没回避她的目光。她瘦了好多,肤色黑了一些。她脸上从前有过的柔和的线条不见了,时间把一切都写在了女人的脸上。而这女人曾经是我的,他想。

"你好像……"他费劲地说。

"没什么,这段时间事情太乱。"丁欣羊收回目光,眼中的泪光还是被刘岸捉住了。他轻轻走近她,蹲在她的跟前,她终于哭了的时候,他把她的手握住,紧紧地握住。

"不知道怎么了,丁冰自杀差点死了。"她说着大哭起来。

看着丁欣羊无助的样子,刘岸心疼得要命。在她还是他妻子的时候,他甚至没这样心疼过她。他坐到地板上,把前妻拉到自己怀里,鼓励她哭出来。

丁欣羊哭累了,无声地偎在刘岸的怀里,好久没有过的种种感觉混在一起:亲切、安全、放松、疼爱,像老猫回到了老巢。

"还冷吗?"他拉住她的手。"手还是那么凉。"他说得有意无意,跟刚才比较或者跟多年前比较,他的心乱了。他突然被心中一股强烈而陌生的感觉控制了:就这样抱住她,不让她再感到无助和孤独,两个人一起走完剩下的路。想到这里,他激动地拥抱她,她先是吃惊地看看他,天知道,她从他脸上看到了什么,像落水人抓到岸边的杂草,她迎上了他的拥抱。

他把她带到床上,用身体温暖她,"一会儿就暖和了。"他说,好像这是男人应该为女人做的最恰当不过的一件事。

紧紧的拥抱似乎并没有马上引发欲望,仿佛拥抱停留在拥抱本身,又好像在拥抱无法拥抱的幻灭,所以才会那么用力地不容分说。

她感到身体的温度恢复了,便停止了拥抱,她仍在他的怀抱,羞涩地看了他一眼,好像刚刚明白已经发生的事情。她的脸颊红润起来,依然娇好的容貌,像一根无意擦燃的火柴,在刘岸

这里完成了由温情到激情的转换。他亲吻她,越来越炙热。当他把手放到她的胸上时,他问:

"你要吗?"

"不知道。"她闭上眼睛。

"那来吧。"

她搂住他的脖子,什么话都没说。

刘岸没有马上做什么,只是更加细致地吻她,温柔地爱抚再爱抚,似乎在努力把分离的时间在爱抚中粉碎。他渴望这个对他来说重新变得陌生的身体,当他从这个身体中又出来的时候,眼泪差点出来,他好久没这么对过女人了。

"我老了。"她嘤嘤地说。

刘岸的心情还未平息,随口说,对男人来说这是个问题,对爱情这不是问题。他的话音刚落,就听到丁欣羊的笑声。

"怎么了?"他问。

"你是说你还爱我?"她表情中的戏弄让他彻底从刚才的沉浸中清醒过来,觉得刚才跟自己的过去缠绵了一把。

"我也许不该这么说话。"她说。

"我们之间有什么能说不能说的。"刘岸给自己点上一支烟,猛吸两口,顿时安宁。他用一只胳膊搂过她,脑海里出现一句莫名其妙的话:

前妻就是前妻。

大丫的确费了不少力气,才忍住没给那个救生员打电话。她听说丁冰的事情之后,和丁欣羊一起吃了晚饭。那是个安静的餐吧,套餐并不好吃,但环境安静,多数客人都是来喝酒,吃饭是顺便的事。大丫问丁欣羊之后是否又见过丁冰,后者点头。

"但是见和没见差不多,她什么都不说。我问她是不是姐夫有什么问题,她也否认了。她不停劝我别担心,我说不好那感觉,心里堵得要命。我自己现在的状态又是这样,突然就觉得什么都没劲。"

在这样的状态下,大丫觉得自己惟一能做的就是引逗丁欣羊谈点别的。

"刘岸来找过我。"丁欣羊自己转了话题。

"真的,怎么样?"大丫急切地问,丁欣羊笑笑没有回答。

"伤感?"

"我们睡觉了。"

"哇塞!丁欣羊同志走到时代前面去了,你,我说,我都认不出你了。"她们碰杯之后都干了杯中酒,两个人的情绪立刻变化了。

"感觉如何?"

"最主要的感觉是下不为例。"

"太陌生还是太紧张?"大丫色迷迷地看着她。

"你快成女色鬼了。该好的都挺好的,主要感觉不是那么回事儿。"

大丫瞪眼等着解释。

"好像互相怜惜。"

"哦,太没劲了,中年人的通病,你别毁自己的心态,往年轻活,别弄得太老态。"大丫说到这里想起大牛,但胡乱扯了句别的。"还是找心动的感觉,别放弃。"

"你找了这么多年,有了吗?"丁欣羊故意强调嘲讽的口气。

"有过,而且还会再有。相信生活。"

大丫是否真的抱有这样的信念,她自己都无法证实。但她还是找到机会证实了自己心动的感觉。她和大牛再一次在游泳池外面对面站到一起时,她什么话都没说,尽量控制自己,不让内心的冲动爬到脸上:看着他清秀的面庞,浓重的眉宇,红润的阔唇,她觉得自己已经消失在幻觉中,她想亲吻这个小伙子,无论他比自己年轻多少岁;她想让他的气味把自己包裹起来,即使他比自己清新数倍……

"我想跟你说件事。"他说。

她没有回答,也许担心张嘴会泄露内心的隐秘。

"说吧。"大丫尽量把语气放平稳。

"我领你去个地方。"他拉起她一起走。

大牛把大丫带到她家楼下的花坛前,大丫依然不露声色。

"就这儿吧。"他说着坐到花坛的沿儿上。

"花都谢了。"大丫坐下。

"我无所谓。"

"那我也无所谓。"

"我有个朋友,上高中的时候坐车几乎天天都能碰到一个女孩儿。那女孩儿比他晚上车早下车,在另一个学校。他们互相注意了,但从没说过话。两年后,男孩儿考上了大学,不用再坐车了。他们最终还是没说过话。又过了两年,男孩儿在大学处女朋友了,才发现自己心里爱的是车上的女孩儿。他找到了女孩儿毕业的学校,当他在当年的毕业照上指出那个女孩儿时,一个老师告诉他,那女孩儿去了日本。"

大丫的目光落在花坛边上蹿出的杂草上,有几朵淡紫色的小花还开着。阴雨天里它们好像忘了正在秋天的末日里,被意外的雨水滋润过后,远远地看上去,也像在春天里一样舒展。

"你说的这故事,好像不是这年月里的。"大丫漫不经心地说。

"那又怎么样?"他生气地反问。

"是啊,都一样的。"

"你别让我们跟他们一样,行吗?"他说。

"你干吗找上我?"大丫开始认真地掩饰,她心里关闭的门已经被碰开了，而她无力抵挡。

"说不清楚，已经好长时间了。"

大丫点点头，随便说了一句，我回家了，便朝自己家的单元走去。大牛一句话没有，默默地跟在后面。她打开家门，他也跟了进去。大丫脱了鞋，看看大牛，他也把自己的鞋脱了。

"都踩好点儿了，是吗?"她嬉皮笑脸地问。他稍微正经地点头。

"我泳都没游成，让你给拦了。我得洗个澡。你不看日记吧?"

"不看。"大牛认真地说。

"看也没用，我不记日记。"

"有人看日记吗?"他问。

"我女朋友的日记丢了，钱包却没丢。"

"世界真美好。"大牛找地方坐下，点支烟一副心满意足的样子。大丫站到喷头下，温热的水撩拨着她情欲的细胞，她死死地闭上眼睛，好像这样就可以抵挡一切。

浴室的门被打开了，大牛裸体站在那里，像一副人体画被嵌进框里。

大牛好不容易说服了朱大者把他的装饰作品拿出来出手。他说，他知道朱大者不缺这笔钱，但他也不看好这几件东西，还不如拿出来，让他赚个代理费。朱大者于是同意了。大牛听说，谭定鱼公司接到一个大的装潢的活儿，就把朱大者的三件装饰作品摆到了谭定鱼的面前，等着后者开价儿。朱大者局外人一样远远地站在角落里，让大牛心里稍有不舒服。但他的无所谓和不屑也许都是大牛缺少和需要的，他们的交往因此保持了下来，既不频繁也不不频繁。

谭定鱼走近朱大者做的三件装饰作品，一副很欣赏的样子。

看过一遍之后,他告诉他们,可惜他的文案总监不在,她很懂艺术的。朱大者笑笑,没有任何讽刺,大牛也笑了,同时告诉谭定鱼价钱都写在后面了,为了避免谭定鱼动手翻动,他一一报了出来。

"如果把这些鸡蛋都弄破一点,让未孵化出的鸡雏都露出小脸儿,好像就更有意义了。你们说呐?"谭定鱼指着一件有机玻璃制品婉转但绝对自信地发表着看法。这件作品用有机玻璃把几个外壳不太干净的带鸡雏的鸡蛋固定在泥土里,其中一个蛋的顶端打破了,露出鸡雏的小脑袋,尤其是它两只黑黑的小眼睛,闪闪发亮。

"我不想把它们都弄破。"朱大者说。

"为什么不?都弄破强调了'都',不也强调了普遍意义吗?"

"你说的这件涨一千块钱。"朱大者小声说。

"为什么?"

"为了你对他的误解。"谭定鱼在问话的尾音里发出的微笑,对深谙世事的朱大者来说是情理之中的,所以他回答了一个看不出任何含义的微笑;对帮朱大者忙的大牛来说,意味着拿起东西走人,交易失败。但他多少有些不甘心。

"你们文案总监叫什么啊?"大牛突然问。

"什么意思?"谭定鱼敏感地问。

"我是说,也许我认识她。"

"丁欣羊。"谭定鱼不情愿地说。

这个名字在大牛和朱大者心里都有了回音。

"那这样吧,我先把这东西放这儿,什么时候我再来。今天我还有别的事。"

"为什么?"谭经理不高兴地问。

"丁欣羊我认识,我反正还找她有事。"

离开谭定鱼公司以后朱大者问怎么认识丁欣羊的。大牛老实地承认自己还不认识她,但她是大丫的女朋友。

"大丫是谁啊?"朱大者问。

"我女朋友。"大牛说得坚定而自豪,好像人生第一次涉足爱河。朱大者心里抱怨世界狭小,大牛却问他是不是特别沮丧,被一个商人如此对待一把。

"这是社会允许的。商人就是可以这样对待艺术啊。"

"你怎么从来都不愤怒呐?"大牛问。

"愤怒也没用。"

"没用我也愤怒。"大牛坚定地说。

跟离开商人的艺术家一样,离开艺术家的谭定鱼心情也不好。从前这样的时候,他都跟丁欣羊聊两句,可是眼前,他宁可放弃这习惯。她那天的面对马经理的态度,跟今天这所谓的艺术家态度多少有些相似,都让谭定鱼心里不舒服。他希望丁欣羊自己能冷静地想想,主动找他表示个态度。开除丁欣羊他从没认真考虑过,他知道聪明女人不少,但既聪明又可靠基本上懂道理的女人并不多见。即使马副经理暗示过他,如果他不支持她的决定,她以后就没法儿工作了,好像她的主要工作就是开除人。在谭定鱼这样的心境下,传来马副经理的敲门声,让他立刻想到惩罚。她也许太想敲门,所以才敲得那么胆怯。她手指落到玻璃门上的声音暧昧到了极点,以至于根本不像是手指叩击玻璃所发出的声音。公司几乎所有人都知道马副经理爱上了谭定鱼,而一想到这个谭定鱼就气得不行。他从没做过半点儿能够引起她误会的事,从没发出过任何错误的信号儿,她凭什么爱我?这是他心里偶尔发出的怒吼。但他必须重用她,因为没人能像她那样对他衷心一片。他觉得自己老婆也未必能做到这一点。

马副经理让他签了几张单子,然后就提起了丁欣羊的事,正像谭定鱼预想的那样。

"小丁的事,你决定了吗?"

"还没有,你不用再跟我提这件事,我考虑好了通知你。"谭定鱼用长期以来练就的亲切的公事公办态度把马副经理打发了。之后,他立刻给丁欣羊打电话,请她到他家里吃晚饭,他想亲自下厨房。

"你经常下厨房做饭吗?"

"我老婆不在家的时候,偶尔。"

"明白了。"丁欣羊冷冷地说。

"如果你不相信我的手艺,我还是请你出去吃吧,听说文化宫那里新开了一家俄罗斯餐厅,有兴趣吗?"

"听起来不错,可是我今晚要去看电影。"

"什么电影?"

"两部外国片子。"

"你一个人去吗?"

丁欣羊犹豫了一下还是做出了肯定的回答,看场电影总比吃顿烛光晚餐容易些,至少看电影时不用说话。心情不好的时候,她容易把什么事情都设想得很难,尤其是跟上司一起吃饭。

"我跟你一起去吧。"他说。

丁欣羊说了地点和时间,谭定鱼补充了一句:

"我还有事要跟你说。"好像这样就能避免别的嫌疑。

放电影时的光线,原来有种温柔,这是喜欢看电影的丁欣羊从没注意过的。丁冰出事以来,她常常不能全身心地集中精力,包括看电影。她用余光瞥了几次谭定鱼,他好像也很喜欢看电影,表情庄重,充满同情,看上去已经被故事感动。电影院里,丁欣羊从谭定鱼的脸上也看到了他对浪漫的反应。电影中美国女护士的爱情似乎抓住了他,她怀疑他是个电影迷。

第二个电影快演完的时候，他看了两次表，然后小声对丁欣羊说，他必须现在去车站接老婆。接着，道了再见离开了。

电影结束观众陆续走完了，丁欣羊才缓缓地站起来离开。扫地的男人开始扫地，经过丁欣羊时看了她一眼，这情形他见多了，因此觉得电影很骗人，用那些瞎编的事儿把人弄得疯疯癫癫的。

丁欣羊的心情突然就坏了。她没想到，谭定鱼问都没问她大半夜的怎么回家就走了；他连客气都没客气一下，哪怕是装样子问一句，用不用他回头接她一下；他至少可以出于礼貌说句注意安全之类的话……丁欣羊莫名其妙地委屈，尽管她经常一个人很晚回家，已经习惯了；尽管对谭定鱼她也从没有过什么特别的感觉。回到家里，她觉得自己好没道理，但仍然觉得男人不应该这样对待女人。临睡前，她想，如今好多男人都这样对待女人了，剩下的就是沮丧了。

把老婆接回家以后的谭定鱼，还残留一点看电影时的心情。他想给丁欣羊打电话，约她出去喝酒。看见老婆已经准备上床休息，便转了念头。第二天他给丁欣羊打电话，口气较为正式地提到了工作的事。

"你得考虑一下，怎么想出说法让你回来。马副经理日后还得工作，也不能不考虑她的面子，你说呐？"

"谭经理，你不用为难了，我已经说过了，我正好也不想干了。"丁欣羊说完放了电话。过了好半天谭定鱼才放下手里的听筒，他觉得今天发生的所有的事，都他妈的不对劲儿。给他五万次机会，他也猜不到，丁欣羊的态度居然跟他少问的一句话有关。

"到底哪儿不对了？"他在心里问自己。当他老婆问他明天谁去给女儿开家长会时，他正在浴室的镜子前观看自己。自信心空前低落的时候,他依然从镜子里看见一张好男人才有的脸:稳重智慧可靠表情坦然毫不苟且。对自己的脸跟对自己的生活差不多,谭定鱼基本满意。除了肤色多少有些苍白,五官很大气,眉骨突出但不是过于突出,就像他的眉毛也不是过于浓密一样。他把脸更凑近镜子,想看清楚是不是因为喝酒也有了酒糟鼻时,他真切地看见了自己日渐繁密的皱纹,细细地刻在眼角周围。快五十了,他想得有些夸张,入冬后他才满四十六岁,按联合国的规定,算是步入中年的第一年。他把牙膏挤到牙刷上,最后又从镜子里瞥了自己一眼,而且有所发现,比如,他更愿意一个人呆在浴室里,尽管他一点也不讨厌跟妻子一起躺在床上。他抖了抖头,喝了一口漱口水,开始刷牙。

"要保持良好的心情。"他在心里嘱咐自己。

离开大学十几年来,丁欣羊第一次处在这样的状态下:既不是休假更不是休病假也没有最终失业。她知道,如果能稍微妥协或者婉转,她不会失去公司的位置。一个新手代替她意味着什么,谁都清楚。但她忽然不想妥协哪怕是稍微的婉转也不想,姐姐躺在病床上的样子,使得她开始怀疑自己的生活,她的日子因此有些悬浮。

她去银行看了看自己的存款,心情更混乱。多年来的经济基础此时此刻给了她一点安慰。留出一年的还贷和基本生活费,她还有钱旅游一趟,比如去东京以外的日本,一个有温泉人不多的地方。这是她多年来的愿望,下周就可以实现,如果她愿意。可惜,她还不知道自己愿意干什么,惟一清楚的是,站在十字路口上的她必须决定朝哪里去,但她眼下什么都决定不了。

她放上比吉斯兄弟的歌儿,开大音响甚至希望能打扰邻居一下。入住以来她像一只悄然的猫,总是缩着,现在她希望每个角落都雀跃。她把所有的床单被单窗帘台布都扯下来,换上那些她多年来陆续买的新单子。这些单子她一直舍不得用,总想有一天再结婚时可以用。今天,结婚对她来说变成了一个毫无感觉的概念。

> 什么时候,山谷里没有阴影
> 什么时候,你变成我心中的阳光

她从浴室到厨房扫荡了一遭,把所有陈旧的东西都扔到垃圾袋里,过期也好没过期也好,反正没一样是新鲜的就像她的生活。她要驱赶这陈旧的感觉,列了一张庞大的购物单子,临出门前她又撕掉了它。

买回来,它们还会再一次变成旧的。

走在大街上的丁欣羊步履从容稳健,在冷冷的秋风里,她刚刚变得尖锐的沮丧退隐了。她觉得自己出生时就被安装了防止发疯的保护装置,以便一切好的,不好的,不好不坏的都能在她这里继续继续继续。在去看丁冰的路上,她心底里浮现出一个解放自己的愿望,可她又无法确定,这解放和发疯有什么不同。

丁冰依然躺在床上,丁欣羊和白中都还没来之前,她用没受伤的手在日记本上写下了几行字。

> 没人能说出我内心的模样,那里有一片黑暗。当它们来罩住我的时候,怀疑也罩住了我。我找不到这怀疑的出处和理由。这是说不清楚的感觉,你不能证实也不能证伪,必须有人经历这样的折磨吗?难道我被选中了?
>
> 切开手腕以后,我只明白了一件事:我不想离开白中,不想离开蒙蒙。别的,也许我都想错了;也许我病了,也许我不正常吧。

合上本子丁冰呆坐在床上,脑子里空荡荡的。过了一会儿,她拿起电话拨通了白中的办公室,她没有说自己是谁,对方说白中今天没来。她再次看表是四点半,二十分钟后,白中和欣羊一起走了进来。

　　白中进厨房把从饭店买来的东西加热,丁冰起来和妹妹一起坐到沙发上。丁欣羊轻轻碰碰丁冰吊起的左胳膊,问丁冰是不是还疼,她微笑着摇摇头。丁冰的脸色苍白和神情忧伤,一切没见任何起色,丁欣羊心里很沉。她刚要开口说话,丁冰搂着她的肩膀压低声音嘱咐丁欣羊先不要再提这事。她说,白中很受刺激,她希望能弥补缓和一下。

　　"欣羊,你摆桌子好吗,马上就可以吃饭。"白中在厨房里大声说。

　　"好的。"欣羊同样大声应了一句,然后又压低声音对姐姐说,"可我想跟你谈谈。"

　　"等我恢复以后,我们再谈吧。其实,我自己也不知道是怎么回事,突然就那么想了。"

　　白中端着两个盘子进来,丁欣羊立刻慌乱地去整理桌子。白中几乎是没有表情地等在一边,对丁欣羊的道歉,他只是微笑一下。吃饭的时候几乎是白中一个人在说话,偶尔丁欣羊也谈些单位的事,但没提自己的状态。饭还没吃完丁冰出了好多虚汗,便躺到床上去了。她要欣羊早点回去,她先睡了。丁欣羊一边帮姐夫收拾饭桌,一边询问丁冰的健康状态。

　　"大夫说她太虚弱,毕竟流了那么多血。"白中说。

　　"应该给她吃些补品,炖些汤之类的。"

　　"是啊,可我得上班,不行的话,去饭店买吧!"

　　听姐夫这么说,丁欣羊心里很不舒服。加上刚刚吃了一顿买来的难吃的饭菜,她就没再说什么,决定自己过来给姐姐炖些补品。她推开卧室的门,丁冰闭着眼睛。丁欣羊向姐夫告辞。她没想到的是,白中要送送她。

白中提议在离家不远的一个快餐店坐下来,好像他已经累得不想再多走一步路。他们每人要了一碗豆浆,但没胃口喝,都用勺子在豆浆碗里搅来搅去。丁欣羊喝了一口豆浆,然后看着姐夫继续搅动豆浆。

"我不知道该怎么说,其实也没什么好说的。"白中终于说了一句话,丁欣羊什么也没听出来,但她感觉到他想谈谈。

"是啊,她没对你说什么吗?"

"几乎没有。大部分时间她都在睡觉,我觉得她后悔了。可我还是有点害怕,我不知道她为什么这么做。"

"她的解释呐?"

"有一次她说,她脑子里经常很乱。"

丁欣羊盯着白白的豆浆,忽然一个黑色的小东西掉进碗里,随后立刻沉了下去。

"你爱她吗?"丁欣羊漫不经心地问。

"我当然爱她了。"白中多少有些气愤。他的情绪提醒了丁欣羊,她觉得自己没道理根据自己的感觉去猜测白中,他已经很不好受。

"蒙蒙知道了?"

"我打电话跟她说了。"

"是吗。"丁欣羊不觉得有必要让孩子知道这件事,尤其她人还在国外。

"我也怕她担心,但我更担心她打电话跟她妈妈说话时,感觉到什么,乱猜更不好。蒙蒙很敏感。"

"你觉得丁冰在蒙蒙面前不会掩饰吗?"

"她肯定想掩饰,但你姐不会掩饰,除非她不说话。"

"是不是因为这个,她说话才那么少?"

"唉。"白中听了丁欣羊的话似乎很气馁。

"蒙蒙说什么?"

白中没有马上回答,继续低头搅动豆浆。碗里的豆浆看上去像某种化学药剂,让丁欣羊感到反胃,她想让白中停止那可怕的搅动,最后还是忍住了。

"她还小,不太懂事。"他说。

"她怎么看?"他的态度引起了丁欣羊的好奇。

"她觉得丁冰这么做不公平,有事大家可以谈,这也是我一直希望的。可她这么做,带给谁的都是阴影。"

丁欣羊没说话,心里真切地感到了害怕。

"你姐什么事都放在肚子里,蒙蒙在家的时候,也总感到压抑,她偶尔也跟我说起过,还希望我能开导她妈妈。可那时我没觉得丁冰有什么不正常,她性格内向,有很多人都是这样。有时,我也问过她,是不是有什么事? 她总是说没有。再加上她搞那些古画鉴定研究也都是安静的事,慢慢的我习惯了她的性格。有时,我想你们家当年对丁冰态度也许给她留下了阴影,可是很多孩子的童年都会遇到类似的问题,也没什么大不了的。同父异母,同母异父,这种家庭多了。"

丁欣羊的豆浆碗里又落进了一个黑东西。她对自己姐姐的了解也许并不比姐夫多,但她很爱这个同父异母的姐姐。丁冰上大学前一直跟奶奶住在另外一个城市,大学第一年因为走读搬过来。丁欣羊还记得她父母为此大吵了一架,她也是从那时开始鄙视父母的计较和小气。最后丁冰住到了她的房间,一年时间的相处,她觉得跟姐姐比跟父母更亲近,虽然丁冰看上去有些冷漠,但在心底,她是丁欣羊见过的最自觉的人,绝不会因为自己打扰别人,更不要说伤害。

可是,往往这样的人,在生活中缺了一点幸运,比起那些伤害别人自己连感觉都没有的人,生活应该给丁冰另外的解释。

第 四 章

在某一天里认识丁欣羊,对朱大者来说已经是一件很肯定的事情。偶尔他还会读上一篇她的日记,就像不抽烟的人偶尔要烟一样。至少看上去优哉游哉。

他对自己常常有很不好的感觉,可是,一旦面对别人的时候,他总是充满信心。对他来说,即使别人代表着这世界,他也没道理把自己设想成最差的那一个。读丁欣羊的日记,让他看到了自己想象力的局限。他向自己承认,男人真不能像女人那么了解女人,尤其像丁欣羊这样的女人,认真理性和过度敏感构成的矛盾人格,活着就是在制造复杂。

她曾在日记中写了跟一个同事之间的"交往",朱大者不知道这个人现在是否还是她的同事。用丁欣羊的话说,"他身上有好多离异男人所没有的庄重,而这庄重丝毫没有妨碍他的平易亲切和随和"。在某一天傍晚,他们一起去了丁欣羊的家,吃了晚饭喝了啤酒,聊得很投机,当那同事起身告辞时,丁欣羊看表已经快十二点了。这之前,她"给了这个男人可以留下来的暗示",但他还是走了。那个晚上,她沮丧得必须吃安眠药才能入睡,让她十分不理解的居然是"男人为什么这么复杂"。看到丁欣羊这么写的时候,朱大者笑出了声儿,男人复杂吗?他们肯定不比狮子老虎更复杂。后来,一个偶然的机会丁欣羊听说这个男人跟许多女人有过"床笫之事",而且都是他主动的。她的情

绪突然恶劣,那个男人离开公司以后,她才在日记中如此分析了自己:

> 如果我知道他的真实情况,决不会给他任何暗示。但我先给了人家暗示,知道他是什么样人之后,我为什么不感到庆幸,反而觉得受伤,有时,甚至觉得自己不如那些跟他上床的女人。哪个我是真实的?也许哪个我都挺烦人,难怪刘岸跟我离婚,我也不喜欢自己。

至此,朱大者找到了丁欣羊对他构成一定吸引的原因:他们都喜欢跟自己过不去。

老牧是朱大者熟人中走动比较少的一个,假如前者不主动找后者,后者绝不主动联络。老牧隔两三个月找朱大者一次。作为一般朋友,这是让人舒服的频率。他让朱大者去的地方和参加的活动也都还有意思。朱大者对老牧保持好感的另一个原因是,无论多时髦的场所和活动,老牧都是个随和的参加者,但能同时表现出局外人的姿态。这姿态好像是他天生的本能,让朱大者很佩服。

今天老牧给他打电话提议去参加一个非妇联非团委主办的单身聚会时,朱大者突然想,他不喜欢和老牧走得很近,也许就是因为他三十六七没结婚也很少交女朋友,跟他靠色。

单身聚会提醒了朱大者,这之前他不觉得自己是单身,就像他也不觉得希望结婚一样。可是,长大以后人就逃不出这两种可能,任何标新立异都没意义。路上老牧向朱大者发表了如此的看法,朱大者说,标新立异他早就不想了。

聚会的地方是个俱乐部,在一个外表朴素的旧式小二楼里,门口挂的牌子是"职业联谊会"。朱大者问老牧,职业是什么意思？老牧也笑了。门脸不大，进门是走廊，走廊两侧是房门紧闭的办公室，每个办公室的门上都钉着牌子，依次是办公室一，办公室二……很有点神秘感。但是上到二楼立刻出现一个大通堂，懂点建筑的朱大者怀疑靠那四根大柱子是否能真正承重。不过即使房顶掉下来，聚在四根柱子周围的人也能把它托住。人很多，而且都是单身。

朱大者曾经对各种舞会聚会很感兴趣，连着几个月泡在里面，以为能搞出个行为艺术什么的。经过充分了解之后，他怀疑自己的想法只对他自己有意义。那些在各种废弃的单位礼堂举办的舞会，走廊里挂着的女式大衣都很俗气，男式大衣都带着油渍；这些衣服的主人跳舞时的表情也是一般人不敢恭维的；男人喜欢谎称自己单身，女人爱说自己不幸福……但他无法把这些表面上的低俗跟骨子里的乐趣分离开。他不得不承认的是：这些跳舞的人和那些在 Party 上出丑的人都高兴得不得了。对此，艺术家应该表现的是什么，他们的乐趣还是他们的低俗？他想起布努埃尔的一个电影，结尾时男主人公冲着街上反对外国侵略的游行队伍大声喊，感谢生活，感谢生活。

"哎，老朱，你走神儿了。"老牧对朱大者说。

"我在想今晚会有多少个诗人到场。"朱大者搪塞地说。老牧要为朱大者介绍一个人，朱大者让他先在远处把那几个人指给他看看。老牧不解地看着朱大者，后者才发现对方误会了。

"我是说已经认识的，就不用介绍了，免得你尴尬。"朱大者说。

"那好，我先过去跟他们说话，你可以在远处看看，也许你都认识呐。"老牧说完融到了人群中。朱大者心里想老牧真是个好人，但目光却没跟上他。他靠墙边坐下，大厅像一幅被长焦拉开的画面：轻柔的拉丁味音乐，让穿着各异的人们看上去轻飘飘的，即使背影都在显示个性。拉丁味儿的音乐被空前重视也许跟王家卫的运用有点关系，朱大者却因此不想再看他的电影。

大厅四周都是空着的椅子，人们几乎都站在大厅中央由条案围起来的两个"小岛"的周围，热烈地聊着，好像彼此早就相知颇深而且有半辈子没见了。门口是一个长长的条案，上面摆满了饮料和小吃，有两个女孩子在收钱，所以不是免费的。条案周围的人有的也许是累了，索性坐在条案上，有的回到墙边的椅子上舒舒服服地坐下。整体气氛轻松和谐，偶尔从什么地方爆发出笑声，女声高过男声。如果女人能这么响亮地笑，估计就不是在取悦男人。朱大者看见正在聊天的老牧，其中的一个女人丰满得近乎肥硕，首先吸引了朱大者的目光，然后，他看见了这女人旁边的大牛，最后看见了丁欣羊，她把散开的长发盘了起来。朱大者不由得想到了冥冥中的某种神奇力量。

"正好你过来了，我给你们介绍一下。"老牧搂着朱大者的肩膀说，"这是丁欣羊，我大学同学；这位是大丫，丁欣羊的好朋友；这是大牛，大丫的好朋友。这位是朱大者，谁的好朋友也不是。"老牧说完，大牛大笑着问朱大者是不是承认这点。

"承认。这说明我跟布莱希特①　是好朋友。"

"也许你能当所有人的好朋友呐。"大丫笑着说。朱大者看了丁欣羊一眼，她没有表情地看着这一切。他又看了她两眼，跟他想象的略有出入。

"这就是你不了解我朱哥了，他要是能成为所有人的朋友，我肯定能成为所有人的敌人。"他说着把大丫拉近自己，对朱大者说，"我再介绍一下，这是我女朋友。"大丫解嘲地笑笑，大牛立刻问她，笑什么，大丫说笑他像外交部的发言人。大牛还想再说什么，一个瘦高的中年女人冲过来搂住大丫的肩膀对大家说：

---

①　布莱希特(1898—1956)，德国表现主义戏剧大师和诗人。

"嗨,同志们,好久不见了。"除了大丫大家都不动声色地看着她,大丫立刻介绍说,她是电视台的红红,"晚上好"栏目的制片。大家互相看了看,似乎没人看过这个节目。

"大丫,你就毁我吧,我办的栏目是'早上好',这该死的大丫老是惦记'晚上好'。"

"你不是在筹办'晚上好'吗?"

"是筹办啊,可电视台的事要像你决定一辈子独身那么简单就好了。"

"哎,别把我独身的决定想的那么简单,你肯定做不到的。"大丫说话的时候,大牛盯着大丫看,可她没注意到。

"结婚、独身哪个更难?你可别搞错。保尔举枪自杀又打消了念头,是因为活着比死去更难,所以我才结婚的,我是喜欢有挑战的人。"红红说完大家都笑了。朱大者看到丁欣羊的笑容很隐蔽,至少这个吻合他对她的想象。

"哎,你们看见那个穿粉红毛衣的了吗?"大家随着她指示的方向看过去,一个轮廓不错的女人正朝另一个圈子走过去。"她是个女克林顿,长相一般,但很有特点吧。好多男的都跟她有过一腿或者两腿甚至几腿,最后都跑了。"

"为什么?"大牛颇认真地问。

"都说她胃口大得惊人。"她不期待大家的反应,立刻接着说,"生活很公平是不是啊?"红红说到这里点了一支烟,然后对丁欣羊说,"你长得跟我一个朋友特像。"

"我常听人这么说。"丁欣羊不冷不热地说。

"但你不觉得悲哀是不是?"

"我为什么要觉得悲哀呐?"丁欣羊说这句带刺儿的话时,口气却很缓和。

"这么说,你愿意跟别人一样?"红红说完开始朝别处张望。朱大者心里不得不承认,这个叫红红的女人十分聪明。

"你们电视台的人好像都这样。"老牧对红红说,他似乎在为丁欣羊抱不平。

"哎,你长的跟我们电视台好多人很像。"红红开玩笑地对老牧说。"好了,同志们,我得走了。回头见。"红红说完离开了,丁欣羊也立刻说她要看看有什么喝的,老牧随她去了。他们三个人立刻转了话题,朱大者问大丫,她的女朋友丁欣羊是不是也独身。她回答说离过婚,现在还是一个人。

"我知道。"朱大者含混地咕哝了一句。

"你知道还问我。"大丫和大牛都笑得颇有意味。

丁欣羊买了一杯啤酒在一个角落坐下来。老牧半路上被一个瘦子拦住聊天儿。那个瘦高的男人让丁欣羊想起一本看过的侦探小说,叫《瘦子》。她看着眼前飘来飘去的人们,觉得自己被吸引的同时,又被排斥着,无法真正地融入。她本想跟大丫聊聊,没想到大丫又有了新男友,连自己都还不知道。

老牧走过来问她怎么了,她发现自己没心情跟老牧聊天。作为朋友她非常信任老牧,但只局限在具体的交往上。心情平和人数超过三个以上的郊游聚会饭局,老牧都是最佳伙伴。但她从没有过跟老牧深谈的愿望,也许对她来说,老牧是个太现实太和谐的人,似乎从没有任何问题。他当记者开饭店义务做环保工作等等,无论什么他都能基本上没问题地做下去。

"我挺好的,就是今天热情不高。"

"什么时候去我饭店吃饭?"

"好啊。"丁欣羊想,她并不喜欢老牧这样的朋友,但她感觉她需要他,这样的朋友可以提醒她,她还不是一个人,哪怕是在最后的困境中。另一方面,老牧向她表示过的情感都是友谊的,没有任何是男人对女人的。大丫曾经开玩笑对她说,老牧是个同性恋。

"今晚，你好像想一个人呆着。"老牧说。

丁欣羊笑笑没否认。

"好吧，回头我再来找你。也许晚一点，我们去我那里吃顿夜宵。"老牧说完离开，留下丁欣羊一个人坐在角落里，看上去安静忧伤。

那天晚上，老牧没再找到丁欣羊。宽容的老牧也没因此沮丧，高高兴兴地把大丫大牛和朱大者分别送回家。路上，大家奇怪丁欣羊没打招呼就溜了，只有朱大者不屑地笑笑，大丫问他笑什么。他说，友情有时也跟爱情差不多，关心他人胜过关心自己。

"这肯定是讽刺。"大丫说。

假如换个心境，丁欣羊也许不会这么久留在这个角落里，也许不会在乎大丫这么久都没过来跟她说说话，也许就不会真正地注意到眼前正朝她走过来的男人。

他手里也端了一杯啤酒，当他坐到丁欣羊旁边时，冲她举举杯，喝了一口然后说：

"你好像挺喜欢这个角落。"

"哪儿都一样吧。"她心里的感觉同样无所谓。

"要是哪儿都一样，人也应该差不多吧。"他的声音不高不低，普通得差不多丧失了特点。丁欣羊因此扭头看了他一眼，心里立刻异样地跳了几下，尽管她还不明白世界上怎么会有这样的事！你第一眼看见一个人就能感到那么强烈的亲近，你已经可以投入他的怀抱跟他有更多的肌肤之亲，仿佛那亲近属于前生或来世，只是不属于当下。

"不能这么说吧。"丁欣羊发出一个可以称得上灿烂的笑容。

"那就不这么说吧。"他温和地附和着。接着他们都沉默地看着面前的其他人。丁欣羊开始在脑子里回忆这个人的长相，但什么都没想起来。他戴眼镜吗？好像不戴，他鼻子什么样……这时一直在他们旁边聊天的一对男女突然提高了声音，女的说：

"干吗大家非得骗来骗去的？"

"因为大家都有良心。"男的回答说。

"别逗了。良心才不是为了骗人才长的。"

"肯定是。"男的自信地说。在他的话音里丁欣羊扭头去看身边的男人，他也正好扭头看她，好像他们有一个共同的理由，就是都没记住对方的长相。

丁欣羊记得是他先建议出去走走。丁欣羊让他先走，她说自己还要跟一起来的朋友打个招呼。结果招呼没打，一个人又傻坐了一会儿。后来那男人告诉丁欣羊，他站在一盏路灯下，几乎相信她不会出来了。他刚迈出一步，路灯就灭了。他决定离开，就在这时丁欣羊站到了他旁边。

他们默默地一同往前走，似乎又都开始回忆对方的长相。天凉了，丁欣羊裹紧大衣，男人靠拢些，他们走上一个铁路桥。丁欣羊扶着桥栏往下看，铁轨在灯光下闪着奇异的光，蜿蜒地伸向远方。她心里忽然堆积了那么多浪漫的感觉。

"小时候，我常和大人路过这里，每次我都要等到一辆火车。如果他们有急事不想等，我就拼命哭。后来，他们就绕着这地方走。"她说。

他站在她后面听着，没说什么。

"长大以后，我常一个人晚上来这儿，看那些由远道来的或者去远方的客车。明亮的窗口，还有那些坐在窗口边上的人，我也不是羡慕，人在路上的样子，总是让我心情怪怪的，好像眼前的具体的生活被拉开了距离。"

"然后呐？"他说着把手放到了丁欣羊的肩头。

"然后我就回家该干什么干什么了。"

他扳过她的身子,亲吻她,一辆货车开过来,撼动着破旧的铁路桥。剧烈的摇晃带来更紧的拥抱,温软的唇,脆弱的心情……没有明亮窗口的货车终于消失了,他们结束了拥抱和亲吻,像两个做了错事的孩子,低头站着,谁也不看谁。

也许他们都在考虑要不要把对方带到自己家去。毕竟他们都不再是孩子,男人问女人喜不喜欢水。女人说喜欢。男人说前面不远的地方有个水利研究院的小宾馆。

一个男人和一个女人的故事

她在靠窗的椅子上坐下来,他忙着开所有还没打开的灯:床头灯、落地灯、台灯、壁灯、夜灯……

她说,这个宾馆真高级,有这么多灯。

他看看她,起身去关灯,一个一个,最后只剩下夜灯。她说,都关上就太黑了。他又打开了床头灯,然后坐在床上,摆弄着床头柜上的小东西。她连喝了几口茶,也无法压下心里的声音,走吧,离开这里,离开。

他依旧不说话,不再摆弄那些东西,双手拄着床,后仰看着天花板,仿佛那里有下一步的行动指令。

她说,我想我还是走吧。

她站起来,他坐直,用手势拦住她。他说,他不知道该怎么解释,但他真的不想伤害她。她微笑地站在地中央,不知道在这样的情境下,到底什么是伤害。

你没有伤害我。她说,我想走了。

我……他好像什么都没想好。

你想听实话吗?她问他。

他困惑地看着她,仿佛在想,在这两个陌生人之间实话意味着什么。

今晚,我觉得格外的孤独。但这跟你没关系,所以,你没伤害我。

她说着穿好了大衣,然后对着坐在原地的他轻声道了再见。在她开门前的瞬间里,他跳起来,脱下了她的大衣,把她紧紧地抱在怀里。

对不起,请你听我解释,然后再走。我不知道怎么了,我也许疯了。我承认,我不孤独,也不寂寞,跟你不一样。我正在爱着一个女人,我非常非常爱她,为了她我已经离婚了。可是,她却不能离婚。今晚,当我看见你的时候,就想把你带出来,我怎样都不能控制自己。我脑子可能都乱套了,我什么都搞不清楚了。如果你怪我,我也能理解。

他看着她,昏暗的灯光下,她觉得他脸上的所有表情都是真的,慌乱、难过、渴望、犹豫、悔意。她为他难过,因为他在为爱受苦,即使爱的不是她。她想,他一定好久没见到那个女人了。可这些都不关她的事,她该走了,的确该走了。

她捡起地上的大衣,再次穿上,忽然不想离开了。她渴望投进这个男人的怀抱,不管明天会不会再来。这绝望般的渴望促使她看了他一眼。他从她的眼神中读到了什么,再次拥抱了她。拥抱的时候,他平静地对她说,我们一起过这个晚上,我们谁也不伤害。

那以后,当她想起这个晚上的时候,总是先想起他说的这句话:我们一起过这个晚上,我们谁也不伤害。她觉得他说的谁也不伤害也包括了他们自己。她知道这样的晚上将是她记忆中惟一的,再也不会出现。她甚至不担心记忆中的事情失去了本来的面目。这是她可以任意篡改的晚上,因为是她的。

她说,把灯都关上吧,这样我们可以是任何人,也可以任何人都不是。

41

黑暗中,她能感觉到他慢慢地放松,仿佛所有的沉重都留在了刚才的灯光里。他们赤裸裸地面对时,居然也没有窘迫和陌生。他突然起来拉开窗帘,月光慢慢照进来,他看着她,好像她是全世界最美的女人;她抚摸他的身体,仿佛爱过了很久,亲切熟悉,安静得像在冥界。他们开始亲吻,从容不迫,好像两个人都看见了心中燃着的欲望之火,因为他们将有一个奢侈的整夜,他们不自觉地控制着,不让欲望的火苗燃起来,也不让它熄灭。

我不在意,你把我当成某个女人,或者任何一个女人。她说。

我把你当成你。他说。

他躺在她的身旁,他附在她的身上,他看着她,他用脸颊厮磨着她的脸颊。她感觉到的是他,而他不是某个先生某个男人,只是他。他们已经如此认识了,在他们还不认识的时候。

他把手放到那个特定的位置,抚弄着,轻慢地离开又回来,好像那里曾是古老的家园。她觉得熟悉的神话在眼前绽开了,她变成了一条小小的船,顺着一条弯曲的小河朝尽头飘过去,但是没有尽头。她跃上他的身体,也许是想传达着蜿蜒的幸福。这也许是她的第一次,如此般的温柔几乎融化。她觉得眼前的他仿佛在消散,便紧紧地抱住他,宛如拯救:让他们还留在欲望的崖头,不落进深渊,至少现在不。

他进入她依然轻慢如刚才,好像他们只有无限漫长的柔板。他把握着旋律和力度,月光不见了,在灰蒙蒙的黑暗中,她觉得自己变成了连绵的云,遮挡了刚才的月光。他们不约而同地割断了这身体的连接,但是两个刚刚分开的身体忍不住又扑向对方,似乎他们再也无法习惯瞬间的分离。当他们重新在对方的怀抱中安顿好自己之后,都从对方那里感到了婴儿般的纯净,渐渐睡去。

过程迈着矫健的步伐,把一切引向结束,就像月光引来天光。他们忽然同时醒来，那么绝望地看着对方，没有什么能留住时间，而夜晚已经不在了。他做了最后的，不再有任何温柔，只有力量和疯狂，在几秒钟里她像融化的雪，感觉不到自己的身体，它好像随着那股力量飞上去，什么都没留下。

只有死一般的寂静。

她知道接下来该发生的，她要求躺在一起睡一会儿。他从后面搂着她，他说，好的。

她醒来时看见枕边的便条，上面写着：

> 你好，其实光说你好不够表达我现在的感受，但我找不到别的，请你原谅。电话名字地址似乎都是无法想象的。我只希望一件事，永远不要让我碰见你，大街上，人群中，无论在哪儿。
>
> 不然，我将无法忘记。

她起来洗脸，心情像嘴里说不出来的那股怪味儿，所以她也刷了牙。她又看了一遍便条，然后拿起一根散在茶几上的火柴，在落地灯的铁座上划着，烧掉了便条。临出门时，她还奇怪，火柴盒子哪里去了。

第 五 章

如果有人问谭定鱼他最看重的是什么,他也许会说是责任感。而他说的责任感可以具体到一句话上:把握住你已经拥有的一切,否则,他会怀疑人是否还是所谓的高级动物。每当他看到圈里的猪羊鸡之类的随便给人拉出来宰了,心就像一口钟猛地给人敲了两下,疼得异样。

谭定鱼常常觉得自己还算幸运,离开部队经商并没像他想的那么惨烈。到如今,公司的业务稳步发展,下属通过加薪之类的手段也基本打消了跳槽的念头。老婆孩子健康而且有着落。一次他坐在车里,看着她们的背影,在心里问自己,她们是不是快乐?没有答案,因为他接着又问了另一个问题:我自己快乐吗?同样没有答案。

也许这都是不需要答案的问题。

有时,他觉得自己的生活缺点什么;有时又觉得什么都不缺。丁欣羊的"辞职"让他意识到自己的一个习惯:愿意什么事都跟她说说,不一定是商量,就是说说。而这些事从没传出去过,这信任渐渐地变成了他工作环境的一部分。他曾经提议让丁欣羊当副经理,但她不愿意。他又想到丁欣羊电话里的态度,心里立刻很烦。他克制自己不给她打电话,一方面照顾马副经理的情绪,另一方面他希望丁欣羊能反省自己的态度,那毕竟是所有男人都不喜欢的态度。女人不要太硬气,即使是该硬气的时候也不要这样。

在这当口,于水波进入了谭定鱼的视野。

于水波娇小秀气在哪里都不太显眼,办事很利落,总是一副懂事的样子,亲切可人。经常有人当面夸她懂事,搞得她很懵懂,到底什么是懂事。最后她发现被夸成懂事是没被当回事。人们只看她做秘书如何,没人关心她作为于水波如何。

可惜,她不能设想自己是个不懂事的秘书,特别是给谭定鱼当秘书。

谭定鱼的老婆有一次问他,为什么从不谈新来的秘书。她觉得这个小姑娘很聪明。谭定鱼心不在焉地说,秘书有什么好谈的,再说也不是什么小姑娘,都二十七了。谭定鱼的老婆从来不是好奇的人,她喜欢看 NBA,却从不跟人说她过去短暂的职业篮球生涯。

于水波被谭经理注意,是在两次内容拖拉的会上。会议由马副经理主持,谭定鱼被折磨得必须精神溜号儿。这时他捕捉到了于水波注视他的目光。如果他看她,她便恢复端庄的样子,随便把目光躲开。在马副经理发言的时候,他几次长时间地看着她,直到再次碰到她的目光,然后出于礼貌移开自己的目光。渐渐地他从于水波对他的注视中感到了某种他不是很在意也不是不在意的安慰。于是,在他老婆又出差的晚上,他有了进一步了解于水波的愿望。

那天晚上,公司人都走了,只剩下他和于水波。他嘱咐她早点回家,不然她父母该着急了。她说,她父母在外地。

"男朋友呐?"

她低头整理办公桌上的东西,过了一会儿才说,他们一年前分手了。谭定鱼为自己的唐突道歉,于水波摇头时的表情里除了宽容还有几分顺从,使得谭定鱼的心情很荡漾。

"那我请你吃饭吧。"谭定鱼建议。

"吃什么?"于水波问得有点风情,谭定鱼就把她带到了波西

45

西餐厅。他吃西餐的原则是在嘴不馋肚子不是很饿的前提下，带上一个跟工作跟家庭不相干的女人。

正餐上来之前，服务员打开了冰凉的白葡萄酒，灯光昏暗，烛光摇曳，谭定鱼朝于水波举杯。

"为了什么？"于水波笑着问。

谭定鱼突然打住，他得想出一句跟工作没关系的话，不然就违背了他吃西餐的原则。

"认识你很高兴，就为这个吧。"说完他喝了一大口，放下杯子时，发现于水波喝了半杯。

"你很有酒量啊。"

"还行吧，我从小就开始喝酒。"于水波腼腆地说。

谭定鱼靠到椅背上忍不住笑起来，转眼间，于水波变成了另一个女人，开朗风趣。她的面容在烛光下泛着红光，一改在办公室里的苍白。

"我爸爸是酒厂厂长，我们全家都喝酒。"她解释得那么坦然，让谭定鱼看到了她性格的另一面。

"什么酒厂啊？"

"葡萄酒。"

"要是白酒，估计你也考不上大学了。"

他们再次举杯，正餐上来之前，半瓶酒没了。谭定鱼又点了一瓶酒，接着上来正餐，他第一次感到，西餐也能让他胃口大开。他几叉子就把盘中的鱼块儿吃完了，于水波盘子里的大部分东西还没碰过。

"你不喜欢羊肉？"

"喜欢。我不太饿。"她说着叉了一小块儿切下的羊肉放到嘴里，然后抬起目光看着谭定鱼。他用餐巾擦嘴，移开目光。可是于水波还那样看着他，很深情。谭定鱼顿时豁然：自己明白晚了。他装出无知的样子问，没事吧。

"没事。"她甩甩头,爽快地提议,再干一杯。谭定鱼立刻响应。倒酒的时候,谭定鱼回味着于水波刚才那充满爱意的目光,心想,要是丁欣羊能这样对我就好了。当他重新沐浴在于水波充满爱意的目光中,短暂的烦乱和走神儿都被荡涤一空。

让人心安的女人。他想。

"你为什么没再找男朋友?"谭定鱼仿佛决定放开自己不再回避什么。

"我应聘的时候,也有别的公司,条件甚至更好些。"

"是吗,我希望你没后悔。"

"我好像不喜欢后悔。"

"那就好。"

"你不想知道为什么吗?"于水波说话时定定看着谭定鱼。谭定鱼没说话,心里沸腾了。

"因为我第一眼看见你的时候,就爱上你了。"

"可我结婚了。"

"我知道你结婚了。"她说得那么坚定,听得谭定鱼有些害怕,好像他的婚姻根本不值得一提。

谭定鱼的一只手放在桌子上,眼睛看着饭桌,却什么都没看见。他好久都没再说话,心仿佛被扔到了遥远的地方,不在当下。他很激动,但这激动立刻变得虚幻,让他无法把握什么是确实的。

"你生气了?"她问。

"对不起,我说话太直了。"她说。

"你希望我离开,是吗?"她又问。

谭定鱼想做出反应,但他不能。他看着于水波起身离开,他听见门口的礼仪小姐说,谢谢光临,欢迎下次再来。他又喝了半杯酒,心里七上八下的,他想把最上面的那个感觉抓住。可他接近的时候,那感觉就下去了,取而代之的是另外的感觉,他眼下根本不想要的感觉。他接着喝酒，服务员奇怪地看了他一眼，他抬头去看电视。电视里在放电影，他喜欢看电影的。电影里传出的一句话说到了他心里：

"晚去巴黎比早去天堂好。"

他笑了，喝光了杯里的酒，付了饭钱，走到门口的时候，心情豁朗，不带半点疑惑。这心情他好多年没有过了，这心情让他真切地觉到了快乐。他把车留在原来的地方，一个人走到中心广场。在他模糊的记忆中，于水波住的地方应该离那里不远。

他给于水波打电话时，喉咙发紧，堵着冲动，好像刚被分派到一部真实的电影中，饰演一个去冒险的角色，除了兴奋还是兴奋，再加一点不顾一切。

据说，有些女人到了中年以后，也很愿意或者说更愿意跟同龄的女人聚会，到一起喝什么都能醉，包括茶。也许大家都醉给了心态。

女人把心态用嘴唇吐出来，男人们却把它们落实到跟女人有关的行动上。有的女人因此更瞧不起男人，但没妨碍男人喜欢女人。看起来，男人也有男人的可爱。

大丫跟丁欣羊在"无月"茶楼用去年的龙井把自己给灌醉了。两个人越胡说越高兴，大丫激动地唱了起来。

"我们都是半老徐娘，没有子弹也没有敌人，我们都是半老徐娘，哪怕山高水又深……我们……"

丁欣羊笑得喘不过气，不停地打手势让大丫别唱了。

"笑坏了肠子，你赔啊?"她说完还是忍不住笑。

"大肠儿还是小肠儿?"

"你不能这么缺德。"丁欣羊笑得更厉害了。

"是，我知道，缺德不好。我不缺德。你真别笑了，我看你至少有几年没笑了，真还别笑坏了，别说肠子，笑坏了哪儿都不好。"大丫的神态开始了丁欣羊新一轮的大笑。

"哎,我前两天看了一个东西,"大丫决定不开玩笑了。"有个女的写的,说男人只是在射精的时候说爱我。当时把我给笑坏了,笑过之后,又觉得挺瘆人的。现在流行用身体检阅。"

"那肯定也是个境界。"丁欣羊刹住了笑。

"可你不许把它想的太好。"

"为什么我不许?"

"因为你最多能成为一个理论工作者。"

"是啊,实践的难度太大。"丁欣羊仿佛因此看见了自己的损失。

"得了,这是世界上最不复杂的事情之一,无比简单,主要你没天赋。"

"你帮我后天补补。"

"先用眼睛,把对方'叼'出来,通过交谈稳住,如果继续有感觉,就分别找个理由离开大伙儿,最后街口汇合。"

"要是两个人单独在一起呐?"

"那就互相异样地笑笑,有点窘迫,有点暗示,还得有点不太在乎。不在乎是留出后路,即使不成,离开时也不必难过。要是已经在吃晚饭了,就说,去我那里喝点咖啡吧;要是已经在喝咖啡了,就说,去我家拿那本书吧,或者去拿个盗版碟什么的;要是……"

"打住!"丁欣羊说,"这段路我走过。结果就是站在门口,不是家门口就是饭店房间的门口,手里拿着那本书,要不就是个盗版碟,嘴里不停地说,那好吧,就这样,再见了,再打电话吧。那书你不用还我了,别,别,没关系,我还找得到,那谢谢你了,好,就这样,再见了,回去吧,再见了,好,再见,留步,好,再见……"

她们又笑成了一团。大丫一边笑一边嘲笑丁欣羊居然会搞成这个样子,好像别的女人搞成的都是别的样子。

"最后我惟一的感觉就是永远都不想再见到那个人,那本书,那个盗版碟。"

从茶楼的窗户望出去,街边的树木都是疲惫的样子。叶子要么落了要么变黄了要么还带着苍老的绿色,仿佛都在期待着冬天,来做最后的了结。

丁欣羊期待晚年以便放下对感情的渴求。大丫还在东拉西扯,似乎不甘心过早结束刚才的开心。

"你还记得那个编导吗?跟我分手前他嫉妒得跟什么似的。我跟修车的说两句话,他跟我吵,说我看上那人的鼻子了,雅典式的;我跟门口收发的老头笑笑,他说我笑得暧昧,说我觉得那老头成熟。最后,我跟他分手没几个月,他就跟个演员结婚了。男人,大智若愚,懂吗! 你只要搞清楚他们的目的,就不至于老那么伤心。你不妨这么劝劝你姐。"

"你对什么都能开玩笑吗?"丁欣羊小心地试探。

"我希望那样,也愿意努力。"

"大牛呐?"

"最后大不了还是个玩笑。"大丫笑嘻嘻地说。

"我们真是半老徐娘,什么都是一半儿一半儿的。想得到的似乎得不到了,又不想彻底放弃;想放弃的,又下不了狠心放弃,一切都是灰土土的。有点恶心是不是?"

"挣扎准确点儿?"大丫不开玩笑了。

"要是彻底老了就好了,彻底了。"

"所以现在我们惟一能干好的事就是……"大丫故意停顿,然后模仿广东普通话说,"玩点俏皮。"

"你真烦。"丁欣羊说着喊服务员加水。

"茶不醉人人自醉。"大丫说。

"什么呀,乱七八糟的。"

"欣羊,说心里话,我觉得自己老了,没锐气了。不是说帮自己,连你我也帮不了了。我不能帮你把日记找回来,我不能让你姐乐观起来,也许我可以帮你找个工作,但依你的能力,根本不用我帮忙的。除了开开玩笑让你高兴高兴,我其实为你做不了什么的。那些你听过无数次的安慰话,有用吗?你回家一个人,心境会像皮筋一样,再弹回去。欣羊,当我意识到这一点的时候,我就不觉得孤独了,因为孤独是绝对的,你抗争不过的。我可能早就投降了。"

　　丁欣羊哭了。她用手捂住脸,也没捂住哭声。服务员过来,大丫攥走了她。她看见欣羊的一只手朝她伸过来,便把它握在手里。欣羊的手又凉又湿,大丫的眼前突然出现一个画面:欣羊打开家门,打开门厅的灯,放下手里的包,朝屋里望一眼,昏暗的空空的。然后她没有任何表情地脱鞋……想到这里大丫的眼睛也潮湿了。她坐到欣羊的身旁,用自己温暖的身体抱住她。她希望她多哭一会儿,因为支撑了太久,也为了更久地支撑下去。这么想的时候,大丫觉得什么都没意思。

　　于水波无法再大度地面对马副经理对谭定鱼的感情关注,尽管马副经理永远也成不了她的情敌。她能听见谭定鱼在办公室打的所有电话,并能准确地判断出哪些约会跟公事无关或者说关系不那么直接。

　　"我是谭定鱼,是啊,那今天呐? 好吧,几点? 好的,两点,无月茶楼,我知道。"她听见谭定鱼在隔断里面整理东西的声音。她看看电脑上的表,还差二十分钟两点。她不知道无月茶楼在哪里,但估计他该动身去了,于是赶紧调整自己的心绪。

　　谭定鱼来到她的办公桌前的时候,她刚来得及把习惯了的职业微笑挂到脸上。他看了她一眼,表情严肃,没有半点亲昵甚至亲切也没有。停留了几秒钟,用跟平常一样的口气,吩咐有事给他发短信,然后便离开了。随着玻璃门轻轻合拢的声音,于水波的视线被泪水蒙住了。

他后悔了。她想。

我被骗了。她又想。

电话响了,她抹去泪水说喂,但没能把公司名字也说出来。

"请问谭总在吗?"一个女人的声音。

"他刚刚出去了,请问您是哪里,需要他给您回电吗?"于水波觉得对方的声音耳熟,但想不起来是谁。但她十分肯定,谭定鱼刚才的电话是打给这个女人的。

"不用了,谢谢你,再见。"

喜欢一个男人,跟他上床了,这人碰巧是你的老板,这没什么大不了的,她在心里对自己喊着,傻的是你当真了。

她的确当真了。当她回忆跟谭定鱼在一起的情形时,无论她怎样怀疑,都觉得那是她生活中最真实的部分。这是她自己无法做主的事。

那个晚上……

一个男人和一个女人的故事

他听着手机的指引,经过几辆放在楼门前的自行车,摸索着上楼,经过一个又一个长走廊盘旋地上楼,经过各种晚饭残留下的余味儿,最后走进一扇敞开的门。她站在门口,穿了一件鲜红宽松的羊毛连衣裙,让人对裙子下面的身材充满猜测。

"你好。"她依然通过手机说话。他看着她,手机也贴在耳边。他关上门,有点不知所措。

"好找吗?"因为距离太近,他听不太清手机里她的声音;但他的另一只耳朵能清晰地听见她的声音。刚才在广场时的冲动又控制了他。手机放到衣袋里,走近,轻轻地拥抱,她羊毛裙柔软的质地让他感觉无限舒坦。她忽然紧紧地贴上他的身体,多年来一直控制他的理智关闭了,随之而来的是各种感觉的复活和碰撞。他好像被最有力的混乱主宰,再也感觉不到自己的存在。他亲吻她的嘴唇脖子,粗暴地拉扯她的衣服。她立刻脱去了衣服,瘦弱的裸体让他愣怔了一下,马上又扑过去,拥抱亲吻。他觉得自己所有神经都绷到了最紧,但没有丝毫的恐惧,反而期待着最后的爆发把自己消灭干净。

他把她抱进卧室,放到床上。当他脱自己的衣服时,看着床上刚刚与之分离一秒钟的身体,红润的唇,细细的脖子、手臂和小而结实的乳房,更加饥渴,以至于他觉得脱几件衣服用了他半辈子的时间。他越着急脱得越慢,最后把衬衫扣子扯坏了。

他把自己火热的身体贴上去的时候,脑子里想的还是亲吻亲吻,仿佛不这样他就记不住前一个亲吻。他必须记住这亲吻的感觉,必须!他从这亲吻中得到的感觉是崭新的,好像他从没吻过任何嘴唇和乳房。

她开始轻柔抚摸他的脸,渐渐疏缓了他的疼痛般强烈的冲动。她把他的手放到下面,他碰到了温热的泉眼,缩回了,但立刻又伸过去。他的手在那里探寻着,好像什么都不想发现,又好像要发现一切。

"我可以做吗?"他问。

"不可以。"她轻声说。他立刻惊恐地看着她。她朝他送上自己的嘴唇,在他脸旁说:"今晚不可以,但明天早上上班以后可以,在你的办公桌上,在这条裙子下面,我可以再加件大衣,行吗?行吗?"

他疯狂地把她压身下,几分钟后他从她的身上滚落下来,结束了他的欲望之旅。同样的身体,刚才给他的是力量,现在是重量,身体沉沉地坠着他的脑袋,现实慢慢地回来……

当她再次把手放到他的脸颊上时,他立刻从消沉中清醒过来。他拥抱她，她光滑的后背像一匹属于他的锦缎，再次给了他实在的感觉，好像温暖的安慰充满了他，驱散了刚才突然占据他的虚幻。他看着她的脸，宁静甜美，眼神中充满了依恋。他搂过她，把她的头埋到自己的胸口，心里有了迟到的怜爱，他似乎从没对任何人产生过这样的情感。

"你爱我吗?"她深情地问他，然后从他的抚摸中挣脱，那样看着他，等待着他的回答。他也只能看着她，一时间脸上没有任何表情，好像正在回忆刚才她说的话。当他和她期待的目光相遇时，不知为什么他感到内疚，而他讨厌这样的感觉。

她的一只手从他的肩膀上滑下来，她脸上期待的表情弱黯下去，像黄昏的光线。

"今晚我能留下来吗?"他的口气中甚至有强迫，也许他觉得这是对他刚才迟疑的最好补偿。

"假如你爱我的话。"

"我当然爱你，我非常爱你。"这么说的时候，他没觉得欺骗，尽管他的爱情并没有在这个晚上开始。

第 六 章

> 绝望的力量那么真实！我已经死去就像
> 我刚刚一无所有地活过来。在情感的田园
> 里，我不再有自己，但还可以像风一样爱啊，
> 轻些，再轻些……不要管我接下去的飘零，随
> 风就风，如风如尘……

在晴朗的天气里，烈士陵园虽然肃穆，但不压抑，彼岸的生活仿佛也跟天气有关。丁欣羊和丁冰终于找到了单独在一起的时间，后者提议到陵园。看门的老头问丁冰是不是还看那个这里埋着的大爷。丁冰点点头，老头颇为恭敬地把她们让了进去，恭敬表达了他对瞻仰烈士的赞赏。

丁欣羊贪婪地看着陵园四周的松柏，这里是抗美援朝烈士陵园，当年种下的树苗，随着烈士的安眠苗壮起来，把陵园和外面隔成两个世界。即使有鸡鸣狗吠传过来，宛如幻觉中。

"你经常来？"妹妹问。

丁冰点头。

"但没有亲戚？"

丁冰摇头笑了。

她们往深处走，村子里的声音远了，陵园里越来越安静。丁欣羊想到自己上小学时去过的家乡的烈士陵园，想到自己朗诵悼词，想到大家在仪式之后高兴地吃面包喝汽水的情形……接着和姐姐一起在纪念碑的台阶上坐下来，心里感激丁冰的提议。

"你怎么会想到一个人来这里?"

"这里空气好,还安静。"

"那你干吗不跟姐夫一起来。"

"他总是在上班。"丁冰说得很干脆,妹妹于是没问,周末不行吗?

一阵风吹过来,把丁冰围巾下的细汗吹凉了。安静的烈士们带给她的同样安静的心境,两个人不约而同地沉默了。

"姐夫有外遇吗?"过了一会儿,她们在墓碑丛林间慢慢踱步时,丁欣羊忍不住又问。

"我不知道。"丁冰老实地说。

"你感觉呐?"

"怎么感觉,也许没有吧?"

"他对你在性方面有兴趣吗?"丁欣羊尽量模仿专家的口气,丁冰的脸还是红了。她又想了想,然后点点头。

"你有高潮吗?"

丁冰看着妹妹,点头。

"他平时做家务吧? 钱他管着? 下班基本上准时回家,偶尔晚了也会打电话,对吧?"丁欣羊连着问了一串,看着姐姐直到她再次点头。

再也没什么好问了,丁欣羊拉起姐姐顺着齐整的小路走出了陵园。

她们绕着陵园的高墙继续朝旁边村子走去。天边的火烧云把傍晚的光线变得更明亮,丁冰的思绪又飘回墓地。她并不为再也不能站起来的烈士惋惜,有时,她想,人死了,就不再有困惑,不再有怀疑,不再有对怀疑的怀疑。为这个人不值得死吗? 天堂该是一个没有疑虑的地方,不然它就不是丁冰的天堂。

丁欣羊从侧面看着姐姐,想起一个朋友说过的话:人只能通过两件事改变自己,爱和死亡。爱远远超出了亲情和友情。看着姐姐受折磨,她明白了大丫的话:只有无奈,因为你无法帮助。

住在乡村的朱大者常常觉得,他和这世界彼此忘记了。能画画的时候,画画,不能画的时候就躺在床上瞎想,进城的念头越来越少。傍晚,他心情突然很好,就到外面的田野上走走。秋天有让人愉快的假象,那些忙着收割的农妇远远看上去,像是从画上甩下来的多余人,在辽阔的田野里,丧失了结构的意义。他眯起眼睛,把眼前的景象拉成一幅画。这还是他能做的事,把看到的塞进画里,强迫它们属于他,强迫它们寄托他的精神,强迫它们延续他的生活。他曾想过,这或许是他还必须画的意义,跟人,他早就不能建立这样的联系了。他周边的人都活得很热闹,他觉得自己最好不去打扰。每个人的生活可能都是前世注定的。尽管这样,他还保留着寻找的兴趣,希望发现和自己相近的人,哪怕只是观赏。

丁氏姐妹和朱大者在火烧云的余烬下,在村头的空地相遇,丁欣羊和朱大者因为意外,对彼此的笑容,在丁冰看来有些神秘。丁欣羊给丁冰介绍时,把朱大者说成是大丫的朋友。

"跟老牧更熟些。"他说。

"你怎么在这儿?"丁欣羊问。

"我住这儿。"

"我们来散步。"丁欣羊说完,朱大者便邀请她们进去小坐一会儿,顺便看看村子。丁欣羊犹豫了一下,担心丁冰不愿意,这时,丁冰已经答应了,没有任何勉强和窘迫。

朱大者带着两个女人,在村子里兜了一圈。太阳完全隐没之后,村子立刻暗了下来,黄昏和夜晚连了起来。他们经过一个又一个院落,朱大者觉得她们很亲近,在他的交往中这是很少出现的感觉。他们路过一个带高墙的院子时,朱大者悄声告诉他们,里面住的是一个心理医生。姐妹两个互相交换了一个眼神。最后他们进到朱大者的院子里,丁欣羊问朱大者,他家是不是这里第二个带高墙的院子,朱大者首肯。但建这么高的墙并非他的意愿,包工头以为他和心理医生是同样的人,以为一样的人肯定也会有同样的要求,他过来发现时,墙已经砌完了。

"那你和心理医生是不是一样的人啊?"丁欣羊打趣地说。

"我也很想知道,但我还从没见过他。"他说。

朱大者院子的东西院墙前各种了三棵笔直年轻的白杨树,树前的杂草刚刚经历了夏天的葱郁,看上去像人一样困顿了。丁欣羊觉得这高墙里面的另一种生活,跟农民没有任何瓜连,像高粱地上的浮云,令人怀疑。

"我把城里的一套房子租了出去,顶这里的房租。"朱大者一边解释一边把她们带进屋里。

丁欣羊最先看见地中央的火盆儿,立刻凑过去。朱大者递给她一个小凳,然后把丁冰让到一把憨憨的木椅上,自己去沏茶,然后坐到丁冰旁边的木椅上。

"你从哪儿弄炭啊?"火盆的热力走进了丁欣羊,仿佛瞬间驱赶了她身体里的寒意。

"涮火锅的那种。"

"奢侈。"

"别的方面我没什么花费。"

"这都是你自己做的?"丁冰指着木椅以及屋子里和木椅风格一致的"沙发",条案形的桌子,火盆旁的茶儿。朱大者点头。丁欣羊看见丁冰脸上居然多了几分坦然,心里不免诧异,再加上自己烤火烤得无比惬意,很想多留一会儿。

"火盆跟暖气空调不一样。我烤了一会儿就觉得心里不冷了。"丁欣羊说,"姐,你要不要烤一会儿?"

丁冰却提出了一个另外的要求:在朱大者的院子里照张照片。丁欣羊担心光线太暗,朱大者反应一下,立刻说没问题,有闪光灯。朱大者在院子里为丁冰拍了几张照片,忽然起的一阵微风,吹下墙头上的几片叶子。丁冰用手去接其中的一片,但没接到。站在门旁看着的丁欣羊,心里一阵难过,没有缘由的。

他留她们吃了晚饭。围着火盆,晚饭吃的从容漫长。朱大者和丁冰彼此聊得很坦率。丁冰说了自己的职业,文物鉴定,朱大者觉得这工作像做银行职员,看到的摸到的都不属于自己。

"钱好用但不好看。"丁冰说完问了另一个问题,"你得靠画画活着吗?"

朱大者摇头,心里想这也许正是他的问题所在。

"那就没什么还能折磨你了。"丁欣羊插话。

"可能这就是我的折磨。"他说完,丁冰看了看他。

"我基本上是废人,倒不是我有多差,主要是我没什么愿望,也不想较劲。"他颇为诚恳地说。

丁欣羊本想嘲笑一下朱大者这么说话是想装酷,但看见朱大者和丁冰脸上露出的认真,便没说什么。

"有两种人的类型,一种是在乎很多,根本上却是无所谓的;另一种是好像什么都不在乎,其实什么都在乎。"朱大者说完看看丁冰,后者立刻问为什么看她。

"你好像是第一种人。"说完他请求原谅,都是瞎说。丁冰没说话,丁欣羊问他是不是会算命,他认真点头。她把手伸给他:"麻烦你。"

"你性格有点优柔寡断,又太认真。你经常被一些不值得认真对待的事情折磨,这样妨碍你找到自己真正需要的东西。"朱大者故意装出算命先生的口气,丁欣羊被说中了。

"没想到你还真会算命。"丁欣羊掩饰自己的吃惊,"也许你说的对,也许我还不知道自己到底要什么。"

"找个好男人,爱一次,再嫁一次。"丁冰替妹妹说。

"听上去是这么回事,但好像又不是这么回事。"丁欣羊说。

"别说了,再说就乱了。活得糊涂些没什么不好。"朱大者害怕女人思维泛滥,赶紧刹住。他用别人放在他那里的一辆旧吉普车把姐妹两个送回城里,跟丁欣羊告别时,他问什么时候还能再见面。她说看她姐什么时候有时间,她觉得朱大者想约的是丁冰。

"我们两个不能单独见面吗?"他坦率地问。

"啊,我,是这样,我看看吧,等我工作定下来,我给你打电话吧。"丁欣羊回家之后立刻给丁冰拨了一个电话,问她为什么想在那个院子里照相。

丁冰说,她好像在梦里去过那个院子。

脸朝大丫安详睡着的大牛,像睡在自己家里的孩子。熟睡中,埋藏的单纯堆在他的脸上,仿佛失去了对这世界的主张。从他的脸上大丫看到了他五岁时的样子:听话的神态预示着所有麻烦将集中在他长大之后,由他独自担当。

午后强烈的光线透过窗帘在他的皮肤上抹了一层光泽,引得大丫忍不住抚摸。跟大牛在一起大丫体会到的是一种尖厉,穿透一切,容不得半点虚伪的彻底。她被这感觉控制着,像受虐者被刀子割开皮肤,同时存在的是疼痛和快乐。

但是,一旦大牛不在她视野时,她就无视内心的感受,故意把他们的关系想得轻率,不停提醒自己是情场老兵。她不知道自己能否承受这一切,更不知道她能被推到哪一步。这也是她不愿和丁欣羊多谈大牛的原因,她甚至希望所有的朋友都把大牛看成她有过的男友中的一个,或迟或早会变成过去时。换男朋友比跟一个人厮守容易,多次感情打击失望之后,她觉得自己不会再爱什么人,生活因此平静下来。从她第一次把大牛带回家,这平静的状态动摇了。

大牛拉开她浴室门之后的情形,在她脑海里闪过多次。她沉迷大牛带给她的不同而强烈的感觉;另一方面她害怕。

他们互相看对方,光着身子的大牛没像其他男人那样带着自信或者窘迫去接近同样赤裸的大丫。他一动不动地看着大丫,目光中没有温柔也没有好奇,仿佛面对的身体他早已熟悉。大丫渐渐地失去自信,几乎要垮下来。当她看见他的呼吸变化和肆无忌惮的勃起时,有了得救的感觉。

大牛依旧用那样的目光看着大丫。

"你疯了?"大丫尽量保持常态。

大牛没有任何反应。

"我想,最好还是你离开。我们互相理解错了。"大丫努力使自己不走进那个约定。

"你吻我。"他命令着。

"为什么?"

"吻我。"口气更坚决。

"然后你就离开?"

"吻我。"

"你搞错了,还是痛快走吧。"激情冷却了。大丫恢复了从容。她经过大牛,去拿自己挂在门上的浴袍,心里骂自己倒霉,碰上个精神病。

大牛突然夹住她的双肩,继续要求——"吻我。"

大丫定定地看着他的脸。他一动不动。她忽然从他发狠的脸上看到了孤独和挣扎。那是一张纯真也认真的脸,却过早出现绝望的影子。他的年轻不仅没帮他反而打扰他,他因此受苦。大丫变硬的心软了下来,一种难以言传的牵连让她送上了自己的嘴唇。

她想象一个象征的吻,这她很容易做到,她亲吻过太多的嘴唇。

　　但这个比初吻来迟了二十年的亲吻，把她拉进一个约定中。

　　他柔软的唇，承受着大丫的亲吻。当她想收回自己时，感到比这亲吻更美妙的吸引。她寻找着吮吸着，好久无法离开。在他们吻了好久之后，开始拥抱：充满敌意、轻慢，忽然转入怜爱，充满渴望……

　　那一天亲吻开始了一切之后，他们没再交谈，也没有做爱。两个人疯魔一样纠缠着对方的身体，亲吻爱抚，再爱抚再亲吻，直到皮肤有了痛的感觉。在这过程中他们忘记了自己，仿佛已经了解对方几十年，仿佛自己已经迷失在对方的身体中，便抓住另外的身体，寻找自己。

　　大丫不敢想这就是爱。

第 七 章

　　谭定鱼赶到"无月"茶楼时，丁欣羊已经开始喝茶。谭定鱼很感慨她没迟到，但她今天没心情跟谭定鱼逗着说话，便问谭定鱼喝什么茶，他说跟她喝一样的就行了。丁欣羊拿过旁边的杯子，给谭定鱼倒茶，希望能马上开始正题。最近她格外讨厌跟男人那样聊天，听上去机灵实际是浪费唾沫。

　　"谭总，你找我有事吗？"丁欣羊的一本正经打消了他想跟她认真谈谈的念头。他想到了于水波，调整了心情，叫服务员加了两盘干果。

　　"谈谈你工作的事，总拖着也不是办法。"谭定鱼慢慢地呷了口茶，切入了正题，却不急谈完。

　　"我不想干了。"她老老实实地说。

　　"你又找到新工作了？"他问。

　　她摇摇头。

　　"要是我请你回来工作呐？"丁欣羊笑笑，好像不相信这请求是发自内心的。

　　"何必呐，找我这样的不是很容易，但也不是很难。"

　　"好吧，我们不兜圈子。我先道歉，事情发生之后，我没有马上给你打电话。其实我从没想过你不在公司工作的可能性，但我还是利用了这件事，希望你能改变一下自己的态度，所以……"

　　"什么态度？"

"有时你太死硬了。"

"这妨碍过工作吗?"

"当然没有,但作为朋友,我也觉得该跟你说说。"

丁欣羊扭头看窗外,心情颇为起伏。他说的不是不对,可改变却是她做不到的。她曾经多次劝过自己,活得马虎些,放松些,结果是越活越紧。

"窗外的景致如何?"他试着调节气氛。

"我想,你说的对。但是改变是很奢侈的事,需要很多条件。我想我变不了了。"

"其实这样也没什么不好,谁都有自己的活法。只是,我比较年长些,还是个男的,也许能看得清楚些。你这样,在跟异性交往上会碰到困难。男人都害怕心里要强的女人。被这样女人吸引的男人大多数都是自身有问题,他们需要帮助。一旦这样的阶段过去了,他们就会离开。"

"谢谢你关心我,我会想的。"丁欣羊忍着不让眼泪流出来。

谭定鱼道歉。丁欣羊还是哭了。

"还是回公司工作吧。"他说。"我也是刚刚知道你姐姐的事情,很抱歉。现在没事了吧?"

丁欣羊擦干眼泪,表示感谢,接着表示自己会考虑。谭定鱼笑了。她明白他笑的意思之后自己也笑了。

"结婚对你来说真的很困难吗?"他突然真诚地问。

"你刚才不都说了吗? 没人愿意要我这样的。"

"不开玩笑,你们到底想要什么?"他把你换成了复数。

"感情。"

两个人不约而同地伸手去拿各自的杯子喝茶,让刚才的话随着空气离开。

"刘岸对你没感情吗?"他突然说。

丁欣羊愣住了。

"他来找过我。一方面是希望建立些联系，也算同行。再就是谈了你的事。"

丁欣羊离开茶楼，一个人来到城市南面的滨河公园。秋日把午后晒得发暖，可惜风却很大。河边漂亮的小路上少有行人，她裹紧大衣朝顺风的方向走去，希望能把眼前的心情走掉，把眼前宁静的景致装进心里，带回家里。走了很远之后，孤寂依然跟着她。

她找了一个长椅坐下来，看着河面上被风刮起的涟漪，想起上大学时，大家抄写的一句话：人道谁无烦恼，风来浪也白头。

但是，她总是无法说服自己，人人都活得像她一样，如此累，如此孤独。

刘岸居然能找一个自己不认识的男人帮助前妻。这让她感到意外。她回忆和刘岸曾经有过的共同生活，并没有刻骨铭心的篇什。那时她在一个文学杂志工作，不用每天上班，经常在自己的屋子里试着写小说或者偷偷地画点儿画。刘岸去租来的画室画画，晚上一起做饭，晚饭后刘岸看电视她看书，或者刘岸出去见朋友，有时他们也一同去。那时她梦想当个作家，有一次半开玩笑地对刘岸说了这个想法，刘岸的回答她现在还记得：不错，你写吧。

那是她第一次想，刘岸不爱她。那以后她也放弃了写作的尝试，就像放弃了某个景点的一日游，放弃买一件几百块钱的毛衣。

现在她想，当年他们彼此并没有走进对方，他们有的只是无法经受任何考验的平和，就像平静的水面，任何一粒小石子都可以结束它。

风大了，她离开滨河公园进城想回家。路上，她在一个面包店喝了一杯热巧克力吃了一个羊角面包。身体暖起来后心里也开始发暖,感觉随之好些。

她给刘岸打电话,两人约好吃晚饭。

丁欣羊和刘岸又一次面对面坐到一起的情形,从旁观者的角度看起来没什么值得羡慕的。两个不再年轻的男女,用努力的微笑掩饰着各自内心的不适感。丁欣羊决定不提刘岸见谭定鱼的事。

刘岸的心情同样复杂,上一次的亲密行为变成了今天的障碍,他无法再对她做出类似的亲近举动,但又希望跟她在一起,哪怕就谈泛泛的话题也好。他舍不得的是这份亲近。

谈点什么。

你公司现在如何,最近有没有旅游的计划,去香港天天有特价哎,口蹄疫怎么防呐,今天不点肉菜吧,不行,没肉吃,我就会觉得缺乏动力……这里的菜还可以啊,没想到,我是第一次来,你点吧,你来过?我吃什么都行,今天在外面跑了一整天,回家……

他们就这样东拉西扯地聊着,把这顿晚饭进行到底。刘岸等着付钱,前后左右东看西看,好像准备把这个饭店盘下来。

"谢谢你,刘岸。"丁欣羊认真地说出了吃晚饭的目的。她说的诚恳认真,刘岸心里都明白了。今晚过后,他们将各就各位,一切越位的举动都不再是可能的。他发现丁欣羊还是从前的丁欣羊,什么事不说清楚就活不了。这么想的时候,刘岸心里一阵伤感。

"跟我复婚怎么样?"他说。

她一点也不吃惊,也许她并没当真。她微笑地看着他,脸上闪烁着美好的神情,仿佛在向求婚致敬。

服务员给刘岸带来账单,他说先不结账,再点一瓶红酒,要店里最好的那瓶,然后便专注地欣赏着前妻脸上的温馨表情。

“这是法国的波尔多,五年陈的。”服务员又回来。

“打开。”刘岸心情突然好得不能再好,好像刚才的题目就是好心情的酵母。“然后去法国度蜜月,我们还没度过蜜月呐。”他端起斟了红酒的酒杯。

丁欣羊也举杯,心情像一团醉了的复杂,混杂着她三十几年来的人生经验。她依旧像刚才那样笑着,心里也有笑意。

他们碰杯,各自喝了一大口,好像在为法国喝酒。

“这跟你和我上床一样,都是一时兴起吧?”丁欣羊笑着。

“要不要我替你说出来?”刘岸说。

“说什么?”

“你还有话没说完。”

“好啊,再喝一口,我就有胆子把话说完。”她说着猛喝一大口。“你希望我答应你,这样你就可以从一大堆说不清楚的感情中纵身一跃,跳出来。同时你又害怕我答应你,因为你不爱我。”

“因为什么我提出复婚?”他好像在向自己提出问题,同时,想到田如,但又把她从脑子里赶出去。

“我说了,一时兴起。”她给两个人的空杯子倒酒。

“你不生气?”

丁欣羊摇头,向刘岸送去一个发自内心的微笑,仿佛在说,我们有另外的,无法命名的无法表达的……

“前两年开始,我偶尔会有幻觉。眼睛看着一个地方,脑海里慢慢出现另一个地方,好像是一个村子的地头,是夏天,到处是庄稼,一个人也没有,我也不出现。”刘岸缓慢认真地讲着。“这个地方,在我的幻觉中出现好几次了,隔几个月有时是一年,我有种感觉,也许我会死在这个地方。”说完他点烟。

“你相信这些东西?”

他不置可否地笑笑。她问最近一次。

“在你家,你去泡茶我一个人看你过去画的那副小画的时候。”

“墙上那幅画秋天的？”

他点头。

“今天呐？”

“今天没有。让复婚的事给闹的。”刘岸打趣儿地说。

“我估计我这辈子结不成婚了。临死的身份弄不好还是你前妻。”

“别这么说，你挺好的。”

“你还能结婚吗？”

“也许。虽然我对婚姻的看法很悲观，但人都有弱点。我这个人，哎，怎么说呐，挺喜欢看自己家窗口的灯光，哪怕我不喜欢点灯的那个人。”

丁欣羊忽然大笑起来，越笑越厉害。

“笑吧，这的确好笑。”刘岸说。

“对不起，我不该笑的。对不起，刘岸，我真的不该笑。”她说着抓起刘岸的手，“我也有同感。”

“但你不想光为窗口的灯光结婚，对吧？”

“对。我不能。”她说。

“我们走吧。”他抓起酒瓶，“一边走一边喝。”

他们一同走进晴朗的夜晚，像情侣一样挽着胳膊。眼前的一切消融着她内心的积雪，积雪化尽了，那个尖利的想法还像路牌一样立在她心口：婚姻过去没让他们彼此走近，现在也不会。这将是他们最好的结局，保持前夫前妻的界定，不越雷池半步。

“晚上好舒服。”她说。

她的心绪感染了他。他停下拥住她。

“我突然觉得你好陌生。”他充满情欲地凝视着她。她看见恋爱时的刘岸的目光，心里好感动。

他吻她。她迎接他的亲吻。

"我想要你。"他在她耳边喃喃低语。

"然后我们回到三年前,各过各的生活。"她压着被唤醒的欲望。

"为什么?"

"因为我有感觉,我们往前走不会有好结果。"

"好吧,我答应你。从今往后,只做好朋友。"

"好好对待你女朋友。"

"你怎么知道我有女朋友?"他推开她,愣怔地问。

"谁都知道。"她笑嘻嘻地说。

他在瞬间整理了自己的处境,心里的激动稍微平息下来。他握住她的手,久久不放开,仿佛放开之后的一切都将是崭新的,所以他不愿放开,不愿。

被污染的大气层,挡住了很多星星。城里人渐渐习惯没有星星的夜晚,从前看星星的人都去看电视了。

各种香水的气味,在他们迈进商场大门时,一股脑地冲进他的鼻子里。他像一个突然被治愈的鼻塞患者,畅快地闻到了所有的气味。是否喜欢这混合的香水气味他说不准,但它的强烈让他心里有了活力的感觉,这也是生活的一部分。白中扭头看看走在身旁的丁冰,她的表情几乎没有变化,茫然地看着周围的一切。白中拉起她的手,问她要不要买一瓶香水。

"你知道我不用的。"她安静地说。

他们上到二楼卖女装的地方,他几乎是强迫她试了两件衣服,都很适合她,但她拒绝买下来。他问理由时,她说:

"我过去的衣服现在都能穿,何必再买呐?"丁冰诚恳地说,"我不买时髦的衣服,所以它们也没有过时的问题。你不觉得这就是我的风格吗?"

白中跟丁冰离开卖女装的地方,他还在想丁冰的风格,在想那几乎无法察觉的风格当年怎样吸引了他,现在又怎样在不自觉间成了他的心理负担。他们拉着手与其他行人擦肩而过,他心里突然累得不行,好在他们已经走出了商业区。经过一个小广场旁边站着的一男一女时,他们无意中都听到了那男人的话:

"有什么不行,哪条法律规定不准离婚?"

"说不行就是不行,不信邪,你试试看。"

白中扭头看丁冰,她笑笑,但他不知道他们是不是还有默契。

"你笑什么?"他没有把握地问。他最近常常觉得,他并不了解她。

"你看我我才笑的。"

"你能想象我们两个也离婚吗?"他半开玩笑地试探。

"能。"她马上回答。

"能什么? 能想象还是能离婚?"白中站住,认真了。

"离婚的事经常发生,例外都是偶然的。"

"你没发烧吧?"白中说着摸摸她的额头。"我从没想过跟你离婚,无论发生什么事。"他坚决地说。她那样地看着他,好像他说的两句话里至少有一句是值得怀疑的。白中第一次被老婆的目光吓了一跳。

"这么说你想跟我离婚?"虽然这么问了,口吻很自信。丁冰搂着他的胳膊拉他往前走,一边走一边说:

"我不能跟你离婚。"

听了她的话,他又找到了他们之间一贯的感觉,搂上她的肩膀,然后用力搂了几下。

"我饿了。"丁冰说。

"我们去老四川吃吧。"他提议,丁冰点头。"人少吃饭没意思,不如把欣羊也叫过来。"他说完,她又点头。

接到姐夫电话之前,丁欣羊一直和朱大者在一起。他约她去朋友家看了一部安东尼奥尼的电影:《流浪者》。这位朋友家的视听室十几个平米,效果一点不比电影院差。看电影时,丁欣羊不停地流泪,好在她和朱大者坐在后面。电影演完开灯以后,丁欣羊看着前面开始互相交谈的男女们,低声请求朱大者带她离开。他点头站起来让丁欣羊先走,自己去跟朋友打个招呼。

"你这家伙不是谈恋爱了吧?"他的朋友打趣说,"马上还放另一个呐。"

"我消化功能不好,看一个正好,我们再联系。"朱大者边说边往外走。他的朋友对着他的背影说,这回努点儿力,别又弄得没结没果的。

他们一同走上大街,像散步的情人。丁欣羊问朱大者是不是因为她过早离开生气了。他摇头说能理解,电影的确很动人。

"我喜欢彻底的爱情。一个人只爱另一个,不可替代的。"

"所以那个男的死了。因为他再找到的都是女人,不是爱人了。"

"你这么说,我又想哭了。当他跟别的女人在一起,不由地喊自己妻子的名字时,我心都碎了。可他妻子却跟别人好了。你说,我怎么碰不到这样的男人呐?"她傻乎乎地问。

"因为你不是个彻底的人。"

"电影里的那个妻子是吗?"

"是。所以她才能那么坚决地离开自己的丈夫。"丁欣羊停住脚步,惊诧地看着身边的朱大者,仿佛刚刚认识这个男人。

"我说错了?"

"没有,你说的很对,好像也说中了我的问题。"

他们继续向前走,比好感更多的某种感觉在她心里迅速增长着。所以接到姐夫邀请吃饭的电话,没多想就问能不能带个朋友去。

"哦天呐,太抱歉了,我还没问你愿不愿意去呐!"

"去哪里?"

"我姐夫和我姐,一起吃饭。"

"那就去呗。"他爽快地答应了。他的态度搞得丁欣羊莫名其妙地烦,随口提醒他还不认识她姐夫。

"因为你姐我很想认识你姐夫。"他的话惊得她直张大嘴。

"如果你记日记,写得最多的肯定是被误会错觉折磨的烦恼。"

"你怎么知道我记日记?"

"女人不都记日记吗?!"

她怀着混杂的情感,既情愿又不情愿地把朱大者带到了姐夫面前。她拿不准他到底对谁更感兴趣:对丁冰还是对她的自杀企图,还是对她丁欣羊。朱大者好像读到了她内心活动,快到饭店时,趁着过马路的机会,搂着她的肩膀快走了几步。这情形被坐在窗边的白中看到。当一个个头不高但很健壮的男人和丁欣羊一起站到他面前时,他想,他不喜欢这个男人,但愿自己的小姨子别落到他手里。

"我姐呐?"丁欣羊和朱大者坐下,白中猛地反应过来,丁冰去厕所的时间已经不短了。他说自己去找,丁欣羊马上阻止了他,给他介绍了朱大者,然后离开去找丁冰。

朱大者轻松地跟白中聊丁氏姐妹,并告诉他他们在村头相遇过。白中间他跟欣羊相处是否容易。朱大者故意夸张地摇头,白中的话因此多了起来,他甚至问朱大者认不认识刘岸。

"他是什么样人啊?"

"心里能藏住事,人不坏,但还是把欣羊狠狠伤了一下。"

"因为去美国离婚的事?"朱大者说完之后才意识到这是他从日记里看来的,本不该说的。

"谁信他是因为去美国才离婚的?"白中发现,妻妹和眼前这个男人已经很了解了。

朱大者没说话，白中补充了一句：

"除了丁欣羊谁也不会相信。"

"她为什么不问问真正的理由？我想，如果她坚持问，刘岸会说的，毕竟是男人吗，不至于连事实都不敢说吧？"朱大者说。

"那就不知道了，她很少谈起这件事，就说离婚了，感情不和，刘岸去美国了，别的很少听她说起过。离婚后，她换了工作，然后就忙得要死，好处是离婚这事好像很快就过去了。"白中停顿之后又补充说，"她们姐妹都够奇怪的。"

"你说，他们家这方面是不是遗传？"朱大者突然提出的问题使得白中半天没反过神儿来。

"你说谁家？什么遗传？"

"她们姐妹好像都不喜欢刨根问底儿，是不是丁冰也这样？"听了朱大者的话，白中没有马上回答，他尽量掩饰内心的慌乱，尽管他还不清楚自己为什么慌乱。

"我听欣羊说，丁冰心里更能装事。几乎是什么都不问。你是不是得开导开导她？"

白中笑了笑，敷衍地说了句话，朱大者没听清楚但也没让他重复。这时，她们姐妹回来了。看见朱大者，丁冰表现出少见的热情，白中和欣羊都看在了眼里。白中发现简短的谈话之后，他更不喜欢朱大者了。

"我们刚才去看电影了。"朱大者主动对丁冰说，丁冰笑得很安慰，目光似乎在赞赏他们的交往。朱大者看看丁欣羊，后者也看到了一切，刚才的烦恼消散了，她差点把心中感受说出来。

"点菜吧。"白中的一句话结束了他们的目光交流。

第 八 章

"晚上七点,你来'升起'酒吧。有很多摇滚演出,你不用找我,我能找到你。"

大丫从冰箱门上取下大牛留的字条,又看看字条上面手画的地图,判定是她过去常去的那个酒吧,只是那时不叫"升起"这个名字。大丫进门给自己泡了杯茶,把路上头疼时的一个想法记到笔记本上。冲淋浴之后舒服地躺到床上。如果不是为大牛,她绝不会在外面奔波半天后再次出门。在这个茫然的城市里,她越来越喜欢呆在家里,甚至不明白为什么从前喜欢荡在外面。

她把大牛的枕头扣到自己脸上,身体有冲动。她禁不住回忆肉体沉浸在彼此之中的细节,怀疑他们的灵魂是否也曾这样接近过。现在,她明确地感觉到,自己被大牛迷住了,无论他做什么,即使是偏激的不讲道理的,都能让她生出疼爱。她加倍温柔地对他,使得他常常为自己的某些行为后悔,然后更加投入地关爱她。渐渐大丫不再是个成熟理智漠然的女人,看到大牛就想跟他缠在一起,亲昵再亲昵。从前她碰到这样的男人时,总是很烦,现在才理解他们为什么这样。她觉得大牛已经把她的理智拨到了0。每次做爱,她都能看到那股把他们紧紧系在一起的绝望的力量,但并不害怕,哪怕这力量真会把他们带向灾难。

大丫惟一和从前一样的表现是,仍然不喜欢和大牛在公共场合表现过分的亲昵,好在他们都喜欢呆在家里。

"升起"果然是大丫过去常泡的那个酒吧，门面装修都还是老样子，像贫穷衰老的妇人碰到了更吝啬的主子。门口居然有把门的让大丫买票，票价三十，卖票的小姑娘还告诉她，今晚有三个乐队演出。大丫说，换老板之后升起来的只有票价。小姑娘诡秘地对大丫笑笑，可惜大丫不明白小姑娘暗示的是什么。她推开第二道门，音乐像匹被惊吓的马，迎面横扫过来。大丫找到一个角落安顿自己，听出在放的是她过去喜欢的"政党"乐队。她注意听了几秒钟，曾经的亲切来到了心里。那时，她喜欢摇滚，现在几乎不听了。突然她的双肩被人从后面钳住，几乎被举了起来。她以为是大牛，便没挣扎，于是被推到一张坐了好多人的大桌前，至少有三张面孔是她非常熟悉的。

"你居然还活着，居然在还活着的时候出现了！"把大丫夹过来的红背心儿搂着她的肩膀说，"你啊，太不得了了，居然有人间蒸发的本事。"大丫推开红背心儿，他得到红背心儿的外号是因为他发誓永远不穿红背心儿。除此之外，他每天必须说十次以上"居然"两个字，除非他一整天都在睡觉。他对此的解释是，居然这个词太他妈的必须了，每个人都是让你意外的奇迹。

大丫应和大伙儿的起哄，有人说欢迎决裂的大丫迷途知返，有人说把今晚命名给大丫回归之夜。大丫坐下微笑着，这些她从前熟悉现在也不陌生的气氛，牵起缕缕黄昏般的心绪：这是你拥有时想摆脱失去时又怀念的生活阶段，惟一确切的是你不能再次涉足其中。大丫看着他们像一群开空头支票的大款，富有的感觉来自一无所有。现在，这依然是让大丫心动的东西。

"听说你改头换面了，把自己关在家里，给太太杂志给先生杂志写专栏，"长发老六说，"安慰完太太，安慰先生。"大丫听完微笑着，决定今晚一直这样微笑下去。红背心儿拍拍大丫的后背，这已经是第三次，好像他曾经跟那个部位有秘密约定。

"消灭了明天，今天才会清晰，活得才会容易。"红背心儿一边说一边让服务员给大丫拿啤酒。"这是今晚那帮傻×要唱的歌,年纪还轻居然能发狠了,世道啊。"他说完大丫朝门口看了一眼,立刻有人大声说,大丫今晚居然在等人。

"大丫,你不能变得太多了,居然开始往门口东张西望,走得太远了吧?"红背心儿说,"过去你多好啊,谁也不等,哪里都去!"

"挺丢人的,是不?"大丫敷衍着,不自觉又朝门口看了一眼。

"你出来跟大伙儿一块瞎侃,后半夜回家做梦,第二天下午起来写诗,你那时候诗还写得挺好呢,忘了?"

"行了,别说我了,打住。"大丫打断红背心儿,"现在活得挺丢人的,过去我也没觉着体面,没进步没退步,今晚谁先唱啊?"她说着往舞台旁边的帐子里看了一眼,有几个留长发的人在里面。

"把头伸给我,害什么怕,我能干的,就是给你理理发。"红背心儿说,他们唱的全是这玩意,听多了挺恐怖的。这时四个小伙子走上了舞台,大丫吃惊地睁大了眼睛,主唱居然是大牛。他站在麦克前,动动斜背着的吉他。

"第一首大事大。"

这是一桩大事吗?
我们给它起名儿叫抛弃
男人抛弃女人,摔给几张票子
女人抛弃男人,留下几句埋怨
把良心掖好,这事每天都发生
时光像风一样过去
两手空空的时候
连风都抓不住……

爱情

爱情和希望

毒品和犯罪

都是远处的东西

要么接近和要么回避

一路下来，累得不行

第二天和昨天一样

要么跟明天一样

都没劲没劲

想想爷爷奶奶想想爸爸妈妈

想想自己也要变成他们

心里一发堵

就想给自杀者打敬礼

死，是解脱

但是啊，但是，

爱情也是解脱

爱情也是他妈的解脱

爱情，爱情，爱情……

　　大丫看着舞台上的大牛，忘记了身在何处。大牛几乎麻木地唱着，大丫仿佛看到了从他歌声中逃逸出来的幻灭飘到浓浓的烟雾上面，慢慢地让她赤裸，似乎在逼着她也掏出自己心底的幻灭，与之交换。她站起来推说头疼，然后迅速离开了"升起"酒吧。

　　回到家里躺到床上，更加清晰地看见了拉紧她和大牛的那个东西就是痛苦。痛苦的感觉让他们接近更接近，但是她不敢相信这同时也存在着拯救的可能。她缩到被子下面，仿佛看见自己滑向一个美丽的沼泽，所有的经验都无法阻止。

夜晚也像阴影一样压了过来。

大牛演唱结束后立刻宣布不跟大家一起喝酒，而这是他们的老习惯。他按住大丫的门铃不松手，就像他心里的那个东西也不松开他一样。

"你觉得我的歌唱得怎么样？"大丫刚打开门，他就抓住她的胳膊问。她想挣脱回到床上去，他便拉得更紧，直到大丫觉察到他的敌意。

"你从没对我说起过你还是歌手。"酒吧里就有的预感现在完全笼罩了她。

大牛冷笑了一下说，"你也没对我说起过你还是个婊子。"

大丫重新坐在床上，脸上没有半点表情。大牛坐到床边，紧盯着大丫没有表情的脸好像透视着她漫长复杂的过去。

"好，我们先不说这个，你觉得我的歌怎么样？"

"你的歌就是你的歌。"大丫故作平静。

"你的感觉呐？"大牛问。

"我好像找不到感觉了。"大丫希望冷静能让他们避免一场争吵。不知为什么她害怕跟大牛吵架。

"时间到了是吗？"大牛问。

"什么时间？"

"你向我亮底牌的时间。"

"你什么意思？"

"你是个不错的女人，为什么不结婚？像你这样的找个男人过日子并不难的。但是你不要，你只想玩儿，玩弄男人对吧？你跟今晚贴着你的那些狗东西都睡过，对吧？"大牛盯着大丫，她的脸在他的视线里模糊了。他好像看见自己渐渐偏离，失去控制。

"请你走吧。"大丫说。

"别跟我说'请'！"大牛一边说一边脱衣服。当他凑到大丫近旁,双手触摸到她的身体时,他心里闪过一个温柔的劝阻。他想告诉她,他唱歌的时候,心里想的都是她。如果大丫没有再一次带着冷静厌烦的表情企图挣脱,如果他再多一点控制力,让他心里的爱直接表达出来,这将是个温馨的夜晚,他们将相拥躺在一起,醒来迎接崭新的一天。

"放开我!"大丫愤怒地说。

"为什么?"大牛嘲弄地看着大丫,仿佛在看着一个妓女。

"因为结束了,永远。"大丫惟一能确定的就是大牛要侮辱她,她必须反应。大牛突然紧紧地抓住大丫的双肩,扑到她身上。他开始在她丰满的身体上乱抓,大丫的反抗让他更发疯。大丫说自己被弄疼了,大牛恶狠狠地说:

"你看见他们以后就要跟我结束,对吗?!你真的是个婊子。"大牛话音刚落脸上就挨了一个耳光。接着大丫试图把他翻到地上去,大牛被自己心里突发的凶狠攫住了,其他的都从他的脑海里消失了。他坐到大丫的肚子上,一只手按住她的脸,"你在酒吧里跟他们说的每句话我都听见了,现在还能背下来,要不要我背给你听听,你这个烂女人!"

大丫突然停止了挣扎,闭紧双眼像死了一般。大牛把这理解为对他的蔑视。他更加恶毒地对她说,"我把你弄疼了,是吗?告诉我那几个谁没把你弄疼,说啊,说啊!"他说着继续在她身上抓挠,而且更加用力,在大丫白皙的皮肤上留下一道道红印儿。"告诉我那几个傻子里,谁把你操得最舒服?"大丫慢慢地睁开眼睛,大牛愣了一下,立刻接着说,"告诉我那些渣滓里谁最好,我替你扮演他们,让你再享受一下过去的糜烂。"大丫再次闭上了眼睛,大牛更抓狂。他试图进入她,被大丫一脚蹬开。她下床只穿着薄薄的睡裙坐到沙发上看着挣扎爬起来的大牛。她的目光充满了同情,但空气改变了这目光的意味,大牛从中读到的依然是蔑视。

他走近拉起大丫把她摔到床上。在她和床碰撞的瞬间里，她本能发出的呻吟提醒了大牛。他几乎要住手了，他心里甚至期盼她能在这时对他说一句温柔的话或者抚摸他一下，他会立刻跪在她面前，向她认错，他会因此永远爱她，像奴隶一样爱她。

大丫仰在床边，绝望得要死。只要她对男人动了真情，结果永远是不幸的。她蔑视自己这么快就交出了自己。

她挣扎着起来。

大牛的心里也做着同样的挣扎，她不该那样看我，她是我爱的女人，为什么要那样看我，没人能那样看我，因为我不喜欢别人那样看我，她不是别人，为什么要那样看我，我会跟那样看我的人玩儿命的……我爱的女人那样看我。

"你滚吧。"大丫轻声地说。

大牛没动，大丫自己朝房门走去。大牛赶上拉住她，她挣脱时胳膊肘重重地撞在了他的鼻子上。当他感到黏糊糊的东西从鼻子里流下来的时候，挥起了拳头。

他看见大丫脸朝下倒在地上，顿时清醒了。他跪下去扶大丫，大丫死命地扣在那里，艰难但坚定地说：

"请你离开，不然我们都死。"

大牛抱着自己的衣服离开了。他不怕死，在冷飕飕的楼梯上穿衣服时，他害怕大丫死。他像小孩儿一样哭了。他给朱大者打电话，请求他来看看。他说，找丁欣羊行吗？因为大丫快死了。然后，他像被人一脚踢出去的皮球，在午夜的大街上滚着，最后到了他心爱的摩托车旁。

虽然失眠，朱大者还是不高兴接到大牛求救的电话。当他开着别人的旧吉普进入城市的时候，仍然觉得这些恋人之间的纠纷甚至是武力，非常丑陋。如果换个跟女人动手的男人，他不会理睬，更不会半夜进城去调解。但是大牛就是大牛，他不喜欢这样的人,但他能为这样的人做点什么,原因自己也说不清楚。

　　路上他又给丁欣羊打电话,要她等着,顺路接她。当他们敲大丫的门时,里面没有任何动静。丁欣羊慌了,要报警。

　　"不会有事的,她可能就是不想见人。"朱大者平静地说。

　　"不一定吧,她会不会有什么危险?"

　　"她肯定在里面。"朱大者说。

　　"大丫,你开门,不然我们就撞了,想想邻居。"丁欣羊对着门缝说,声音不低但也不敢太高。没有回答。

　　"你想一个人没关系,让我看你一眼,我就走。"丁欣羊又说,仍然没有回答。

　　"我撞了。"朱大者说完使劲撞门。他撞到第二下的时候,门开了。

　　穿着睡袍的大丫站在门厅昏暗的灯光下,愤怒地看着他们,好像他们是世界上最讨厌的不速之客。看着大丫的样子,丁欣羊哭了,刚要过去拥抱大丫,被朱大者拦住了。他对大丫说:

　　"你没事就好,我们走了。"

　　哭着的丁欣羊被朱大者拖出了楼门来到了大街上。朱大者让丁欣羊上车,丁欣羊趴在车上继续哭。朱大者拉过她,把她拥到怀里,任她哭了一阵,然后把她安顿到车里,慢慢朝她家开去。

　　他一边开车一边照顾停止了哭泣但直直发呆的丁欣羊,心里盼着这个倒霉的夜晚快点结束。每当看到类似的事情,他都心烦,对他来说,恋爱的痛苦是被重复最多的无聊把戏。尽管这样,他还是劝慰旁边的另一个女人,大丫脸上的伤伤了丁欣羊的心。

　　"她最难受的事不是脸上的伤,是心里过不去。也不是什么小姑娘,心里没主意,需要安慰。她四十岁了,什么都是自己选的,她难过的正是这个,她得为自己的选择负责任。"

　　"可我从没见过大丫这个样子。"丁欣羊多少平静些,"一个男的跟女人动手到这个地步,太过分了。"

"你别太担心,我仔细观察过,她的鼻梁骨没事就没事。"朱大者说完丁欣羊睁大眼睛看着他,然后小声说了一句,"你真是冷血。"

"也许吧。事情已经这样了。"说完他打大牛手机,有人接但没人说话。"你在作死。"他说完听到对方挂机。"大牛不是那种随便动手打女人的主儿,对他,这点了解我还有,他现在肯定更惨。"

"那他现在动手打人说明什么?偶尔为之?"丁欣羊讽刺地说。

"也许他真的进去了。"朱大者没心思继续这样的聊天,他只想把这个女人送回家,顺便也把这个该死的夜晚送走。可是丁欣羊邀请他进去小坐的时候,他居然答应了。他更没想到的是,丁欣羊在厨房里烧上热水,屋子暖和起来,她煮了喷香的咖啡,温暖的气氛弥漫开来,淹没了这个晚上的烦恼和不幸。这温暖虽然不是家庭式的,却属于两个人。只有两个人才能建立这样的温暖,几乎可以对抗让人感到孤独的世界。

所以上帝说,人怎能独自温暖。

"喝咖啡你还能睡觉吗?"她陷在自己的思路中,两个小时以来的心理起伏,让她对眼前这个男人生出许多依恋。

"如果我能睡觉的话,喝什么都能睡;不能睡的时候什么不喝也不行。"他说。

"喝酒呐?"

"哼,"他笑笑,"喝多可能会有效果,可我喝多会闹事的。"

"闹完之后再睡觉?"

"也许吧。"

"闹什么?"

"上一次,我把自己的院墙拆掉了一大截。"朱大者说完,丁欣羊笑喷了,嘴里的咖啡居然喷到了朱大者的袖子上。"你也喝多了。"朱大者笑着说。丁欣羊又笑了一阵子,然后突兀地陷入了沉思。朱大者问她有没有喝醉过。她脱口说没有。他在心里笑她撒谎。她好像看见他在嘲笑她,便补充说喝醉过,折腾得很难受,发誓以后再也不喝了。这一来一去的对话把夜说淡了。

"多奇怪啊!"丁欣羊看一眼对面的人,更加肯定了自己的感觉。"在大丫这么倒霉的晚上,你却给了我一个奇怪的感觉。"

"什么感觉?"他知道自己明知故问,也许是想缓冲。

"算了,不说了。也没什么。"

"你不用太为大丫担心的,她只能靠时间帮忙。"他又说了一句没用的话,也许是为了下台阶。

"谁知道呐。"

"没有问题是值得解决的,解决一个还会再出现一个。最后在你永远闭上眼睛之前,还能看见最后的问题挂在墙上。"朱大者瞎说出来的哲理,把丁欣羊的表情都弄庄重了。她好像真的下了决心,他好像也看出来了。

"所以,我解决问题的办法就是把它们放到一边儿,让它们自生自灭。"

"你能想象我这样的人有一夜情吗,而且是跟一个陌生人。"丁欣羊好像没听见他的话,径直往下说。"那个夜晚有段时间总在我脑子里转,我原以为六十岁的时候想起来也能挺激动的。可是没过多久感觉就不一样了,懒得再去想了。以前我还希望那人能给我打电话什么的,虽然我没给他留电话,但希望他能想办法找到我的号码。现在,我的感觉是如果他找到我,我会不费劲地拒绝他。"

"你怎么把什么事都支到六十岁去啊,好像你的生活六十岁才能开始似的。"朱大者想到她的日记,差点笑出来。

"我经常提到六十岁了吗?"

"太经常了。"他口气随便，懒得再加小心。

丁欣羊看着厨房的瓷砖，心情荡漾。她不看朱大者，接着就把下面的话说出来了。

"你想跟我碰碰运气吗？"她问得小心，好像已经有预感，怎样都是伤自己。

"我没告诉过你吗？"朱大者故意夸张地说。

"什么？"丁欣羊惊奇地看着他。

"我阳痿。"

李圣咖啡馆，离丁欣羊工作过的"方圆文化设计公司"五百米，这里是原法院的旧址。丁欣羊按照跟马副经理的约定去李圣咖啡馆的路上，在公司大门的高台阶前站了一会儿。在她工作的时候，无数次走过这台阶，几乎没什么感觉，除了偶尔感到气喘。马副经理在电话里问她是不是真的决定不干了，如果这样，她帮助了解最后的事项。丁欣羊离开原来的法院，过马路进入一条安静的小街。小街的两侧是粗大的白杨树和外表简朴的被粉刷成各种颜色的三层小楼。李圣咖啡馆在一幢灰色小楼的一层，十五张古铜色的小桌，一律没有台布，配上米色的墙壁，给很多人的第一印象是温暖亲切。

丁欣羊在突然的决定面前有些茫然，一转念，正确错误也都无所谓了，因为已经决定了。所以她拉开门看见李圣平静的笑脸，心情也亮了很多。

上午下午都坐在吧台后面的咖啡馆老板李圣，很像他的吧台，没有格外明显的特点，但总是吸引人过来。尤其心情差的时候，人们在这里坐一阵儿，肯定觉得找对地方了。

这里中午和邻近傍晚人稍多，有临时雇来的服务员帮忙，否则里外都是李圣一个人忙。下午两点多是李圣安闲地坐在吧台后面抽烟听音乐的时候。

"给我放的。"丁欣羊发现他放的是 JAMMY SCOTT,便笑着打招呼,顺便往里面看了一眼,有两对情侣分别在两个角落里倾谈。李圣微笑地点头,并没接丁欣羊的话继续开开玩笑。

从不跟女人开玩笑的李圣,却让许多女人喜欢,她们对他的一致评价是亲切,人好。

"估计你该来了,好久没来了。"丁欣羊在吧台前的高凳上坐下后,他温和地说。

"我的事你肯定都听说了。"丁欣羊心不在焉地说。李圣点点头,又像他并不想知道什么。对丁欣羊来说,这个四十多岁的西北人是个谜。他憨厚的样子无法让人把他和开咖啡馆联系起来,但他对咖啡、酒和音乐的了解无可挑剔却从不多说。丁欣羊喜欢跟他说话,没有在男人面前的紧张,气氛总是信任放松。

李圣在给丁欣羊做咖啡,他说这是昨天来的豆子,味道很好。丁欣羊随口问他老婆来了没有。他说来了又走了。

"是我好久没来了,还是她呆的时间太短了?"她开玩笑地说。

"都有点儿。"李圣的西北口音不浓,令人舒服的是他并不掩饰。"在这儿喝还是……"

"我得进去,马副经理约我来的。"丁欣羊说着做了一个鬼脸儿。李圣庄严地点点头,把她的咖啡端到还空着的那个角落上。这时,马副经理进来,她迎着李圣走过来的时候,他说,马上也把她的咖啡端过来。

马副经理坐下后立刻问丁欣羊有没有烟,脱下外套后她脸上的憔悴更加显眼。丁欣羊举起并拢的食指和中指朝李圣摆动了一下,老李端来咖啡时也带来了自己的烟。他告诉她们烟比较冲,马副经理抽出一根,李圣立刻为她点上了。她深吸了一口,又舒缓地吐出去。

"我至少有三年多没吸烟了。"她说完,李圣把烟盒推到她眼前,离开了。

马副经理这才正儿八经地看了丁欣羊一眼,之前她既慌乱又窘迫。丁欣羊真诚地微笑着,心里想象着这个女人可能遭受的痛苦,从前对她的反感几乎消失了。

"你最后决定了?"马副经理再次认真地问。她给丁欣羊的电话里至少这样问过两次了。丁欣羊突然庆幸自己还没老到把工作看成命一样。但她没有马上说话。

"如果你改了主意也没关系,我让财会部再做回去就是了。这点特权我还是有的。"马副经理说。

"我原来还想,你会反对我回去工作的。"丁欣羊说完这话有些后悔。

马副经理又点了一支烟,猛吸几口之后,目光散着,平日里她一直撑着端着的那股劲儿泄了。她涣散的样子更难看,但人却显得亲切些。丁欣羊甚至发现马副经理有很多聪明女人才有的风度。

"我想跟你好好谈谈,所以才给你打电话。我先说实话,"马副经理说着先笑了。"先说实话,接着就得说假话了。你能想象我是什么样的女人吗?"她突然那么伤感地问丁欣羊,从她坦诚的眼神儿里,丁欣羊仿佛看见一个曾经可爱的女人的影子。"我都不知道从什么时候开始,我变得这样了。惨,是不是?"

丁欣羊觉得自己最好是倾听。

"你是公司里最好的一个,我指各方面,工作为人等等。但我从没承认过你。我一直排斥你,原因你知道的,就是因为谭定鱼对你的好感。我知道你不会跟他怎么样,但我还是嫉妒。"

"不说这个好吗?你刚才进来的时候,我心里已经明白了。我们都是女人,不用太……"丁欣羊的话被马副经理的一个手势打断了。她说,"小丁,你很爽快,我想跟你说说我的心里话,肯定也没找错人。"

"像我这样的女人爱上了谭定鱼,情形谁都能想出来。他根本没把我放在眼里。今天我们在公司外面吵了起来,他终于说了实话。"

"你别太在意,他可能一时冲动。"丁欣羊也给自己点上了烟。

"你不用担心我,如果我不是彻底醒悟,也不会敞开谈。虽然这样,我还是不会对别人说。"她又给自己点上一支烟,接着说。"我得说,他没犯过什么错儿,从没给过我任何暗示,我就是毫无理由地爱上了他。但是我的忠诚,对他来说却是应该的,因为他是我老板。

"他不把我当女人,我难过,但没话说,这不是能要求的。但他已经不把我当人了,我……"马副经理说不下去。丁欣羊把自己的纸巾塞给她,过了一会儿,老李端来了一杯热水。给哭着的女人端热水,也许是流传了几辈子的好经验。

"你今天和他出去了?"丁欣羊问。

"我们一起去办个事情,在他车里,我提醒他和于水波的事,他就火了,然后我们就吵了起来。"

"他和于水波?"丁欣羊一时想不起来那个女孩儿的样子,但还记得她电话里甜美的声音。

"也许别人还不知道,但我看出来了。我什么都能看出来。"马副经理愤怒地说。丁欣羊心里有种不祥的预感。

"现在我没什么可在乎的了。我丈夫因为我伤透了心。他有一次气急了,在家里骂谭定鱼不过是个要饭的。也许他说的对。"马副经理沮丧地自语。

"你别太多想,我想,他肯定会向你道歉的。"丁欣羊说。

"没必要了,我心都死了,什么都死了。他把我伤到那个分上真是没道理。我没功劳还有苦劳吧。不是每个女人都能长得那么好看。"丁欣羊把热水杯推到马副经理手边,劝她看开些。

"我都看透了,还有什么看不开的。虽然我和谭定鱼之间什么事都没发生,但我还是伤害了我丈夫。如果他不原谅我,我就离婚;如果他能原谅我,后半生我会好好伺候他。"她的泪水再次涌出来,丁欣羊眼睛也湿了。但马副经理最后的话不免让丁欣羊为所有陷在感情池子里的人担忧。

"他在毁自己。"马副经理说这话的时候,脸上浮现出丁欣羊平时熟悉的某种表情。接着,这个难过到了极点的女人扬手要买单,丁欣羊想阻拦,但又打消了念头。

"谭定鱼也有买单的那一天。"马副经理付钱时对丁欣羊说。李圣听见这话和丁欣羊交换了一个眼神。她离开咖啡馆后,老李对丁欣羊说出了自己的看法:这个女人能这样爱,也能这样恨。

拿着马副经理带来的信封,丁欣羊神情恍惚地往家走。信封里的一万多块钱明确地了结了她跟谭定鱼公司的最后瓜葛。自由后她有被"闪"的感觉。她用马副经理所受的折磨安慰自己,还是陷入了一片窒息的茫然中。痛苦是无法替代的,自己的是自己的,别人的是别人的。

快到家时她害怕打开家门,仿佛家里飘着多年的尘埃,会把她闷死。她想到了妥协,给谭定鱼打个电话,继续回去工作……

坐在家门口的楼梯上她问自己现在怎么办?

去日本。她回答自己。

今晚怎么办?她再次问自己的时候已经有即将失眠的预感。

找个人出去玩。决定以后,她想到大丫和老牧,还有刘岸。最后她鼓足勇气打开了自己的家门,一个人流着泪开始了这个夜晚。

丁欣羊先收拾了一通房间之后打电话叫了一碗海鲜面。等面的时候,她给大丫打了电话,大丫仍然不想见任何人。

"包括我?"她问。

"包括你。"大丫坚决地回答。

"你疯了?"

"我想,我以前疯了。以后再聊吧。"大丫挂断了电话。

面来得比平时慢。丁欣羊很烦又给丁冰打电话,没人接,她也没留言。她想象姐夫照顾姐姐,但同时觉得他做的还不够,或者说他不愿意做到底。她有一次把这感觉告诉过朱大者,他说,丁冰无言中散发出的拒绝是对所有人的,似乎也不需要缘由。她问他到底什么意思,他说,丁冰很绝望。

"那她不更是需要帮助吗?"她还记得自己的话。

"这很难。你姐夫肯定想帮她,做得到做不到,就是另一回事了。"

"你觉得我姐还会自杀?"丁欣羊的思绪忽然粘黏到丁冰身上,想起不久前姐夫电话里跟她说,丁冰拒绝看医生也不吃抗忧郁症的药,便决定明天去看丁冰,不再打电话。

面条终于送来了,送面的却不是平时的小月。送面的河南姑娘告诉丁欣羊小月走了,看着面条上油乎乎的荷包蛋,她问大厨是不是也换了。河南姑娘立刻大声说,你咋知道他俩私奔了呢?!

河南姑娘的口音把"私奔"两个字压进了丁欣羊的脑海里,搅动的都是羡慕。吃面时她关于私奔的想象异常丰富,眼前居然出现小月在什么地方打工时的笑容。

如果我能找到个私奔的男人,我也毫不犹豫。她在心里对自己说,说完上网查看去日本的旅行团队。札幌五日游照进她的眼睛,她决定第二天去办去日本旅游的手续。然后嘲笑自己,找不到私奔的人,去日本旅游,这也算生活的公平吧。

去日本的念头并不能带来真正的安慰,这个寂寥平常的晚上,丁欣羊继续努力把自己从眼前的处境中拔出来,希望彻底换个心境:找个新工作;拿出时间和耐心跟男人相处随和不挑剔;多陪陪大丫等等。最后的念头停留在朱大者和他乡村院子里的白杨树,好像那是她改变生活的必经之路。他毫无负担地告诉她自己阳痿,听上去像假话又像实话,对此,她仍然愤怒,却说不清楚愤怒的理由。她不想再主动跟他联系,可是他也不跟她联系,这让她多少有点受伤,觉得自己对人家来说是个无足轻重的人。

该放下的放不下。

她一冲动拨了朱大者的电话,问他有没兴趣也去日本。

"有兴趣,所以去年我去过了。"他说。放下电话,她的眼泪涌进眼睛,又被她使劲瞪了回去。

过了大约十几分钟,电话响了。丁欣羊估计是朱大者便没接,免得再受伤。

"你有兴趣聊聊天儿吗?"朱大者在记录器上留言后等着,没得到反应。"明白了,没兴趣。多保重。再见。"

"死去吧。"丁欣羊骂人的目的是表达困惑,为什么会有这样的人?!

这时门铃响了,把她吓了一跳,她想到了大丫。她打开门,两个保安站在门口,其中一个递给丁欣羊一个信封:

"大姐,这是白天一个男的送来的,要我交给你。但我给忘了,对不起啊。"

她看着空白的信封问了两次,他们有没有搞错。两个人非常肯定地说不会错,但没说他们此外还收下了两盒万宝路烟。

信很短:

最近我常想,如果那个晚上你怀孕了,今天你我所面对的事情可能会变得简单。我知道这很疯狂,但还是想说出这几天几乎每分钟都伴随我的念头:假如我们再找个晚上,让我们变成必须对一个新生命负责任的两个人,为此重新考虑一切,重新开始一切,在虽然陌生的基础上,靠着人内心最基本的善良,会迎来一个未来吗?!

又及:如果你有回信,请交给保安。

没有回信!看完信丁欣羊实际得像块石头。外面突然开始下雨的时候,她把家里所有带酒精的饮料都翻出来,准备把自己喝晕。

他和那个已婚女人的关系遇到了麻烦,痛苦得不行,抓我当垫背的。我干吗要跟一个男人因为善良养个孩子?善良是个什么东西?!

太烦了,真他妈的烦!

丁欣羊一次也没想那个男人是如何找到她的,也忘了刚才让她羡慕激动的私奔,为自己的处境激愤不已。她想出去走走,但雨声提醒她,那太像电影,只好打消这个念头。她一个人继续喝酒,明天不用起早去上班,这个好久以来的愿望终于实现时,她却害怕,好像自己在一个深坑中不停下坠,却永远到不了底。

雨,越下越大,雨声变成惟一能听见的声音,难过也变得无滋无味。如果不是老牧深夜来访,酒意已经在丁欣羊的墙上勾勒出朱大者的嘲讽,在她朝那里随手甩点什么过去之前,拯救的门铃再次急促地响起来。

门铃响了好久,丁欣羊才过去拿下对讲话筒,是老牧。被雨淋得透湿的老牧出现在她眼前时,她开玩笑说,第一次看见老牧这么湿润。老牧没有回答站在客厅的中央,脚下汪了一汪水。丁欣羊关好门觉得自己的玩笑不合时宜,建议他先去冲个澡,换上干衣服。

丁欣羊把刘岸过去的一套睡衣找出来,想了想,又把它们拿回卧室,然后把自己一套肥大的运动服放到浴室门口。

"衣服在门口。"丁欣羊说完又把一条纸内裤放到衣服上面。老牧还在淋浴,就像他刚才淋雨一样。丁欣羊看着那条纸内裤,把它揣进自己裤兜。这时淋浴声音停止了,她又慌忙地掏出纸内裤,放回去。然后跑回自己的沙发上,所有的酒意都散开了,惟一希望的是老牧别再带给她坏消息。

老牧喝了口丁欣羊端来的温黄酒,看看她,接着喝干了杯中酒。

"你到底怎么了? 干吗这么虐待自己?"丁欣羊这么问的时候仍然不相信从没痛苦的老牧会痛苦到这个地步。"你慢点儿喝,酒剩得不多了。"

"你们考虑结婚找情人,从不会想到我,是不是? 你们从来都只是把我当朋友,是不是?"

丁欣羊本来想开两句玩笑,但看见老牧一脸认真,便加了小心。

"我爱上了一个人。"老牧终于说了。丁欣羊立刻又给自己倒了一杯。为了老牧的爱情,为了这么多年跟老牧的友情,尽管他们之间并没有真正的理解,但信任从没动摇过……为了这一切丁欣羊决定马上跟老牧一起喝醉。

"干杯!"她朝他举杯,但他没有响应。"这么多年第一次听你说爱情,你不喝也没关系,我先干了。"

"你今晚好像很高兴。"丁欣羊喝干了之后,老牧悠悠地说,脸上没有高兴的表情。

"你干吗这么奇怪地看我,你没爱上我吧?"

"爱上谁了?"她又问。

"我的合伙人。"老牧不知停了多久才说出这句话。

"大姜?"丁欣羊几乎是喊着说出了这个名字。

"可他是男的啊。"她又耳语般咕哝了一句。

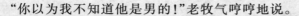

"你以为我不知道他是男的!"老牧气哼哼地说。

"哦,老牧。"

"他想离婚。"老牧说完抓起酒壶,一口气喝干了。

"现在好了,什么酒都没了。"丁欣羊说完倒在沙发上,像一只任凭摆布的娃娃,被掀翻在地。

第 九 章

　　爱情没有自白。

　　我在毁灭上再跳一次舞，舞台的尽头无限飘零，以至于我无法判断，我飘着，我落下，我消失在所有的界限中。

　　冬天终于结束了这个多雨的秋季，第一场雪下过之后，人们心里被雨惹起的腻烦消隐了。接着连下了三场雪，或大或小，新雪盖上积雪，再变成积雪，冬天稳定住了。

　　大丫跟家里说进修，把自己关了一个月，每天看书看碟睡觉，找了个阿姨买菜，一篇东西没写。和丁欣羊见面时，她第一句话就是别提不该提起的人。她们谈所有的话题，除了感情。最后丁欣羊感慨地说，人不能什么都有。

　　"这是好话。"大丫轻描淡写地说，丁欣羊仍能看见她心中的隐痛。只有时间能愈合爱情的创伤，时间也让爱情现出最后的那张脸，让人明白自己爱的是什么。这些感受她现在不敢对大丫提起。

　　"老牧找到了自己。"丁欣羊挑起了一个新话题。

　　丁冰坐在角落里，用两面墙紧紧地挤着自己，感觉踏实些。

　　电话又响的时候，她没再接，已经接了两次都没人说话，她因此知道自己不是对方想找的人。一个人想找到另一个人，总是可以找到的。

最近，梦很多。有一次她梦见在一个黄色的电话亭给女儿打电话，刚说完"我和你爸爸决定分开"时，电话就断了，好像电话自己切断了自己。她想知道女儿的想法，于是再拨再拨，电话总是占线。另一次她梦见白中内疚地提出离婚，她却冲他微笑，拿不准自己要不要感谢他多年的陪伴。她看着白中鼓励她说话的手势，便一句话都说不出口，于是再微笑转身离开了……

梦中，她能清楚地看见自己离去的背影，但她不想看，只好转过身，接着又看见转身之后的背影。她开始害怕，拼命躲自己的背影……最后躲醒了。

电话再次响起，很固执地响了好久。丁冰拿起听筒等着对方先说话。

"喂，是我，蒙蒙。"

"啊，蒙蒙。"

"你接电话怎么不说话啊，怪吓人的。"蒙蒙的抱怨使得丁冰更慌乱。当她接着问爸爸在不在的时候，丁冰又被另一种说不出的难过魔住了。她说不知道他在哪儿，然后她问女儿好不好。

"挺好的。你呐？"蒙蒙的声音很遥远。

"我也挺好的。"

"妈，我跟你说件事。"蒙蒙说，丁冰想，她本来是想跟爸爸说的。"我认识的一个女孩儿昨天晚上回家的路上被人杀了，也是刚来的一个留学生。"

丁冰呼吸突然急促，她记得自己问了那女孩儿被害的原因，但没听清女儿是怎么解释的。

"你不用担心我，我会加小心的。"蒙蒙说。丁冰觉得自己快要死了，她居然没为也在加拿大的女儿担心。

"我怎么了?!"她差点在电话里喊出这句话。这声音在她脑袋里轰鸣着。

"你干吗不买个计算机?"蒙蒙换了话题。丁冰说用不着，也没兴趣。

"也许我爸有兴趣呐。"

"我问过他,他说没多大用。"

"他当然会这么说。"蒙蒙有怨气。

"我不明白……"

"他在你面前很难说心里话。"

"为什么?"

"你老是那么忧郁,让人担心。你干吗不能高兴点儿,咱家生活有什么不好?"

丁冰慌乱中叫了两声蒙蒙,可是蒙蒙说她得上课去了,以后再打电话吧。晚上,丁冰告诉白中蒙蒙来电话的事,白中看看时间,立刻给女儿打电话。他们在电话里你一句我一句说的很愉快,最后,白中嘱咐女儿无论如何得注意安全,安全永远是第一位的。

"好死不如赖活着。"老话不能不信,说完白中结束了越洋电话。

丁冰呆呆地看着丈夫,后者问她是不是不舒服,她摇头,好像在说,她无法走进女儿和丈夫的世界。她愿意跟他们融合,但找不到路。

丁欣羊为自己的冬天日本之旅买了一套适合的衣服。回到家里比试的时候,她发现自己从未在冬天出门旅行过,去日本因此变得更加特别,心里有点悸动,像开始喜欢什么人那样的不安。她开始幻想路上碰到一个讨人喜欢的男人,把日本之旅加一抹浪漫色彩。丁冰的电话打断了她的想象,像梦被现实打断一样,人们都习以为常,打断就打断了,渐渐地也懒得去想象了,仿佛越想象越不真实。

"如果我变成一个酒鬼,你会怎么想?"丁冰突然问她。

"我不会怎么想。"丁欣羊笑嘻嘻地说,隐下半句话没说:总比试着自杀强。"想喝酒了?"

"我想问你的就是这个,你有时还能喝醉,我怎么就喝不下去那东西呐?什么酒我喝第一口都想吐。"

"姐,你得先在理论上重新认识喝酒,把它当成享受才行。你得慢慢喝,别忽视步骤。刚开始喝的时候,你和酒之间还是陌生的;喝过两杯之后,你和酒互相安抚,你抚摸酒杯,酒在肚子里面抚摸你;接着再喝,你开始软了,好像倒在了酒里。这时,你害怕没有酒了害怕酒会离开你,但你还有酒啊,所以你继续喝,你会感到身体变轻了,变软了,觉得自己能把自己折叠起来。那些烦你的东西都飞了出去,你什么都不在乎了,因为你觉得自己什么都没有了,像个贫穷的章鱼,只剩下柔软……"

当丁欣羊带着去日本旅游前的轻松细说喝酒的妙处时,丁冰被吸引了。她找出一瓶白酒喝了一口,立刻呛得咳嗽起来。她爬到床上等白中,随手又拨一下他的手机,仍然关机。

丁冰想象自己喝醉了,朝漆黑的屋子伸出手去,几秒钟后又无力地落回了原处。妹妹电话里描述的状态紧紧地扯住了她。她起来,把浴缸放满热水,躺进浴盆之后,她开始发抖,好像躺进了冷水中。她浑身顿时揪得紧紧的,她用手试水,知道水很热。

她努力放松,手臂却不听话地箍到胸前。她常常一个人经历的黑暗和无助,像水一样漫过她。她再次向自己肯定,无论她怎样努力,都无法摆脱这黑暗的折磨,而且没有任何人能够帮她。我什么都不信,我不想再这么累……她对自己咕哝着,开始回想丁欣羊说的话,眼前出现喝醉酒的神态步态,摇晃摇摆,什么都不确定,信任毫无意义,人在摇摆中自由了。然后睡去,一点点地打消知觉……再也没有痛感和无助感,自己不需要帮助就能平衡,想着想着,丁冰感到自身的重量小了,感觉放松了,箍紧的手臂落进了水里，刚才还堵在胸口的东西散开了。

她甚至有美好的感觉，当刀片切开她另一只手腕时……

白中帮一个朋友办完事已经精疲力竭，拐到办公室取皮包时，收发室老头告诉他，他老婆来过，白中心里立刻慌了，因为丁冰绝少来他单位的。他抄起电话给家里打，电话记录器启动后，他叫丁冰的名字，没人。

"她就是顺路问问你在不在，好像没什么着急的事。"老头不明白白中干吗着那么大的急。白中坐在出租车里，心里慌得直发抖。所有的事都赶到了今天！他在心里慨叹，强烈的预感让他不停地大口喘气。

他打开家门比平时用力，发出了很大的响动，脑袋里想的只有一件事，把老婆紧紧地抱进怀里，无论她在干什么，她在哪儿！

他害怕。

卧室和客厅都没人，卫生间的门关着。白中没有马上去推门。

"阿冰？"他等等再喊。"阿冰，你在里面吗？"他还想再喊一声，但是手已经搭到门把上。他不再喊，门没锁，他没必要问没必要喊，因为门没锁。

他轻轻打开卫生间的门，腿一软，抓住了门的旋把，才没倒下。

粉红色的浴盆。

丁冰眼睁睁地看着他，像做错了事的孩子。白中慌乱中扑过去，把丁冰从粉红色的洗澡水中拖出来。他抓住她流血的那只手腕，用身边的毛巾紧紧缠住，然后用浴巾裹住丁冰，把她抱到床上用被盖好，开始拨急救电话。这过程中他听见两次对不起。他突然对丁冰大喊：

到底为什么啊？！你逼死我吗？！

丁冰脸色惨白,既无辜又不幸地看着他,一句话也没有。白中觉得自己不在了,身子一软,坐到床上。他抱住丁冰大哭,丁冰晕了过去。

第 十 章

　　从热恋中滑出来,对女人来说,常常是骤变:某一天,或者阴天下雨或者万里无云,心情突然很坏,具体事情中寻找理由,恍然之后发现,对方不爱自己了,或者不那么爱了,爱得不如从前了:热恋就此宣告结束。

　　当然恋爱继续,一字之差而已。

　　有人开玩笑说,差多少算多,说得有道理,不在差多少,关键是差了,有差别了。

　　于水波谭定鱼在两个月里频频利用下班后到十一点前这段时间见面。在必须藏匿的前提下,两个人的室内亲昵很快涉及了爱情。当然还有另一个前提,就是谭定鱼一开始提出的不能离婚的前提。在他的性迷恋和性狂热稍微平稳之后,他开始引导于水波跟他一起探索性的奥秘。他们一起看黄碟,做爱叠着做爱,彼此说爱对方时的表情已经证明,他们都没撒谎,他们在互相爱着,在一个简陋的屋檐下,在一张满是临时窘相的床上,在只有两个人的世界里,在灯光和昏暗中……

　　直到有一天,谭定鱼的老婆曲今在他迈出卧室的卫生间时忽然问他,最近你怎么了？他才打了个冷战,从和于水波的恋爱中拔出一只脚,回过头瞥了自己一眼。

　　"你要我离婚吗?"某次做爱之后,他感觉好到极点,如此问过。

　　"你不是说你不能离婚吗?"她反问。

"的确是这样,但我爱你,不想失去你。"

"你不用离婚,只要你爱我就行了。"当时于水波说的是实话。元旦时,她的想法变了。

节假日对许多独身的人来说,都是难熬的日子。男人喜欢出去会朋友找乐子,哪怕回家后心里更烦,他们也不愿一个人对付那看不见摸不到的孤寂。类似的女人相对少些,她们更愿意逛街浪费点钱打发这样的心境。元旦过后的一个晴天儿里,吃完早饭的于水波不幸被这样的情绪逮住了。

她和谭定鱼已经两周没单独在一起,他没有解释也没有暗示。放假前,她想公司的事情太多;放假后,她想,他被家里绊住了。只能等待,不能要求和追问。这期间,他们的身体交流只有两次短暂的办公室拥抱。当他的手隔着衣服肆意抚弄她的乳房时,于水波感到了他的情欲,但他没时间。有个晚上,谭定鱼请她吃晚饭,快吃完的时候,他接了一个电话,之后就一脸无奈地握着她的手说改天吧。他付了账,告诉于水波打车回去。

她一个人慢慢地伴着泪水往家走,偶尔有迎面的行人特别看她一眼,惹得她想大喊:没见过眼泪吗?!回到家里,眼泪流尽了,也把脑子清洗了。她一直下意识地回避他的家庭。现在,她忽然明白,她继续认可现在的处境,就真成了谭定鱼的后宫:退让和妥协,将构成她的全部生活。

第二天元旦假期的最后一天,她出去买早点。四周刚刚苏醒的节日气氛再次击垮了她。一起买菜的夫妻,领着孩子的父亲,营业的市场商场和仍然休息的酒吧饭店,一切都按着秩序运转着,好像都在对她说,哎,人就该这样实实在在地活着。她没多想就钻进一辆出租车,十多分钟后来到了谭定鱼家的绿典花园的大门前。

这是全市最好的地段。公寓大门前是条僻静的小街,即使在冬天,密集的树木都秃了,人们也能把这里的夏天想得很完美。小街的对面是体育彩票捐赠的健身器材和一小片新开垦出来的绿地，偶尔驶过车辆留下的安静的声音，把这里居住环境的优越凸突出来，一时间让靠在双杠上的于水波蓦然，住在这里，人的感觉该是怎样的？有人从公寓的大门里走出来，有时有车开出来，于水波拿不准自己是不是希望看见谭定鱼一家人走出来。她想看见这样的画面，又害怕看见。她能看见谭定鱼家的落地窗，阳光普照。她曾经和马副经理来过一次，知道落地窗里面的陈设。忽然，谭定鱼走近窗户，好像还穿着睡衣，但一晃又消失了。于水波心紧紧的。她命令自己离开，双脚却生了根。

谭定鱼的妻子穿着一件宽松的黑毛衣走近窗户浇花，看上去安详随和。上次她在谭定鱼办公室给于水波留下的印象是过于冷漠。一个文静的女孩儿走过来，于水波立刻认出是他女儿。母女交谈着。谭定鱼给她看过放在钱包里的女儿的照片，于水波记得问过他，为什么不放老婆的照片。他反问她，是否有那样的男人。

"其实，男人钱包里除了放钱就不该放别的。"她记得谭定鱼说这话时的口气和他接着做出的解释：男人对女人承担责任的最佳途径就是多挣钱。她记得她当时的回答，说自己也能挣钱，他说意义不同。他的话那时安慰了她，现在却引发了愤怒。

她无数次命令自己离开，结果是坚定地留了下来。她觉得自己快冻透了，她希望就这样冻死在这里。

谭定鱼和他妻子终于出来了。他们在公寓楼前交谈了几句之后，他妻子一个人拐到街上，快步走着。谭定鱼随后把他的帕萨特开出了绿典花园的大门。他开车赶上妻子停下，他妻子俯身跟车里的丈夫说了几句话。于水波看见她重新站直时脸上挂着的笑容，对她来说，那是一个女人满意时才能发出的笑容。当这一切都从她视野里消失之后，那辆黑色的帕萨特还留在她的眼睛里。他们不止一次在里面缠绵，久久分不了手，在这里，在那里。现在她只想对着那辆车呕吐,发誓再也不迈进那辆该死的车。她招呼一辆出租,恨不得立刻回到家里。

但是绝望中的她,仍然希望,这个上午,谭定鱼是为跟她幽会出门的。

手机没有任何显示。于水波在镜子里又看到自己泪流满面的样子,疯狂地发誓,今天绝不给谭定鱼打电话。她找出适合这个季节的最好衣服,精心地化了妆,决定去新开张的春天广场,看看那些她现在买不起将来很可能还买不起的时装。她走在大街喧嚷的人群中,觉得形单影只的自己看上去很不和谐。那些跟她年龄相仿的女孩儿几乎都有人陪着。她拿出手机又放回去,打消了约个朋友出来的念头。她不敢肯定谁是她的朋友。为了甩掉这感觉,她立刻走进一家时髦的青春风格的小店。她把一件藕合色的衬衫比试到自己身上,卖衣服的女孩儿立刻走过来告诉她,这颜色非常适合她。于水波也发现镜子里自己被映衬得很娇嫩。她瞄了一眼价格,两百八十元,便装做不经意地说,她还想再看看。

"这件你穿挺好。"店里另外两个年轻女人中的一个说。

"小蜜们才穿这风格呐!"另一个回答说。于水波偷偷看她们一眼,两人打扮长相都很亮丽。

"那不是挺好吗?"

"好个屁,我自己挣钱,买小蜜风格的衣服,我有病啊?"

"你本来就有病。谁让你去挣钱去了,人家要养活你,你不是不干吗?!"

"自己挣钱有自己挣钱的好处,想怎样就怎样,不受委屈。"

"那我也不想自己挣钱,不然我白长这么漂亮了。"

"行了,算你运气好吧,要是大君不跟你结婚,你还能这么硬气?"

于水波几乎是逃开的。这两个女人所说的话,钻进了她一直极力掩盖的内心死角中。跟男朋友分手,进修外语,参加健美班,换工作,两年来,她不停地给自己的生活添色彩,却忘记添衣服。我自己挣钱,但我对自己并不满意。于水波想着那个为自己挣钱而感到骄傲的女人,心情更坏。她觉得自己的生活到目前为止只有失败。

晚上,谭定鱼终于给于水波打电话时,已经快九点了。陪了一天客户,他问现在能不能去看她。

"对不起,谭总,我病了。"

"你怎么了?"谭定鱼着急地问。

"也没什么大不了的,头疼,恶心,吐。"

"那你去医院了吗?"

"去了,"于水波撒谎,"医生说没事,主要是没睡好觉。"

"你真的不要我去看你吗?"

"不用了,明天我再给你打电话。"于水波的眼泪再次盈满了眼眶。她希望这个男人什么都不问,径直开车过来,把她紧紧地抱住。

"那你答应我,明天一定给我打电话。"

"嗯。"她不敢说话,怕自己哭出声音。

"今晚有什么不好也给我打电话,我不关手机,好吗?"

"嗯。"

掐断电话谭定鱼转了方向,疲惫爬进了他的每一根神经,他几乎想吃了眼前长长的街道,立刻回家泡个热水澡。当他终于把自己泡进浴盆,神经因此得到放松以后,才又想起有病的于水波。他听见她电话里叫他谭总,觉得有点不对头,但累的感觉又上来了。他截断思绪,决定明天好好解释!这几天跟妻弟谈合作的事,已经让他精疲力竭,他想放自己一马,今晚不想烦事。他擦干身体,穿好睡衣,走进卧室,舒舒服服躺到床上,曲今的一只手和睡意一同放到了他的脸上。他不想破坏自己已经建立的秩序王国,于是也把手伸向妻子依然丰满的胸。

在丁欣羊张罗办各种手续的过程中,去日本,像她生活中的一片人造阳光,虽然不能温暖她的心,却带给她兴致。她的日常生活因此变得雀跃。丁冰再次自杀未遂,丁欣羊把这次旅行转让给老牧,她不会因此有任何抱怨,但是一片心情死了。她心里惶惶的,在这么短的时间里,她两次走进同一家医院,甚至是同一间急诊室,她无法再相信生活是美好的。她看着病房墙壁上的一块污渍,像是藏在医院里冤屈的幽灵,勾引人们拖着被割破的手腕进来,再走出去,回到从前的生活中或者彻底从活着的状态下走出去。她开始想丁冰的命运,否则她已经找不到理解丁冰的可能性。

白中无法再隐藏心中的怨恨,他不停地问丁欣羊,他做错了什么,生活为什么这样对待他。她能理解眼前这个男人的心境,主动提出把姐姐接回自己家住一段。

"这日子没法儿过了。"他愤怒地说。

"你想离婚?"丁欣羊的话听上去像指责。他们对视看了一下,谁心里都清楚后果是什么。

"我想给你爸打电话,让他把阿冰接回去住一段。"

"你知道她跟我们家里的关系,你也知道我跟父母的关系,他们应该算是自私的老人,结果你现在也能想到。"

"我什么都知道,我也不想这样,可我没办法了,我受不了了。"

"我能明白,你只不过是她丈夫,不是她爸爸。"丁欣羊冷冷地说,心被失望紧紧地塞住了:"至少她爱过你,可能现在仍然爱着你。"

"欣羊,她不用爱我,只要不吓我就谢天谢地了!"白中火气大得不行。

"她愿意这样吗？她也许有病，没人能帮助她，你不觉得我姐挺惨吗？"她激动得有些语无伦次。

白中忽然泄了气，像一团软东西落到了椅子上。他让欣羊先回去，自己留下。明天我带她回家，白中说完，丁欣羊哭了。这之前她忘记流泪了。

那个晚上，丁欣羊坐在急诊室的走廊上，快十二点的时候，走廊空了，像上一次丁冰出事的那个凌晨，偶尔才有人走过去。离丁欣羊不远处坐着一个中年妇女，在默默地吃一块面包。这个瞬间，她看见了另一个真理，人也许应该相信生活，但却不会因此获得安全。从未想过自杀的丁欣羊突然从另一个角度理解了：有一天，人觉得够了的时候，便没有什么还是重要的，然后，死不过就是一念之差。

这时，一群人闯了进来，其中的一个男人背着一个年轻的姑娘，跟随的人们大声呼喊着大夫，仿佛大声呼喊就可以救这姑娘的命。她服了过量的药，刚才吃面包的女人问丁欣羊是什么药。丁欣羊摇头时候，想起一句从前朋友对她说过的话，顿时起了一层鸡皮疙瘩。

"雨点没落到你头上，是偶然。"

这句话让丁欣羊克服了种种心理障碍，打电话叫来了朱大者。看见他几天没剃胡子的面孔时，她投进了他的怀抱。他紧紧拥抱她，抱了很久，直到白中站到他们跟前。朱大者让白中回家休息，自己陪欣羊守到天亮。已经坚持不住的白中默默地走了。

丁欣羊和朱大者依偎着坐在丁冰的床前，睡去醒来，一直到第二天黎明。当他们被走廊的喧闹声彻底弄醒时，她心情豁然许多，觉得自己的力量大过了眼前的困难。他们一起来到走廊，一个浑身带血的男人被送进了诊室。丁欣羊下意识地再次靠近朱大者，后者示意他们回观察室。他们进去，丁冰已经醒了。她疲惫地看看丁欣羊和朱大者，又闭上了眼睛。

朱大者定定看着丁冰，眉头拧着。丁欣羊很少在朱大者脸上看见鲜明的表情，心里出现一团复杂的感觉。她悄悄地朝旁边挪了一小步，跟朱大者拉开一点不显眼的距离。他根本没留神她的反应，看着丁冰毫无血色的脸，他能觉到切肤般的疼痛。这疼痛对他来说，跟男人女人间的情感无关，因为自己的经历，他能体会丁冰所受的折磨……

——一个被关在自己生活外面的人。

第十一章

你始终盯着傍晚的细雨
我记着你的孤独
左脚轻触右脚
我感到了暖意
于是，再握紧双手
为了走到一个明亮的地方

一个专门表达内心愤怒的英国作家格林在小说《一个自行发完病毒的病例》中写到：在人的一生中常常有一段时间，只要他有一点演戏的才能，就会把自己也欺骗过去。

大丫通过关闭自己，再加上看书，以为自己解决了中年以后尊严和感情的矛盾。尤其她看的几本大部头著作：《欧洲风化史》、《古拉格群岛》、《战争与和平》等等，给她增加了沉重感。在大牛再次出现之前，她给自己或别人的印象是她选择了保存尊严，跟爱情对立的尊严，从而理智体面地生活，即使工作只是安慰先生安慰太太。这期间她不再像从前那样经常回味所经历的事情，也很少想到未来。假如每天都这样慢慢滑过，老之将至，死之将至还有什么可怕的？人也许可以和谐地渡过生死，大丫觉得自己也能一直这样生活下去。

男人遥远了，生活平静了，爱情被忘记了。

除了跟丁欣羊见面，她破例见了电视台的红红，因为她在电话里告诉大丫她又要结婚了。大丫想不出，她还能跟什么人结婚。她丈夫已经是电视台的副台长,红红在大丫看来是个颇势利的女人。

"你跟谁结婚?"大丫和红红约好在劳动公园散步,红红刚露面,大丫立刻提问。

"一个出租车司机。"红红挽起大丫的胳膊幸福地说,好像大丫是另一个司机。

大丫惊诧极了。

"他是我中学同学,但不是一个班的。上学时,我暗恋过他好长时间。毕业时,他父亲去世了,他没参加高考就业了。他有一个弟弟一个妹妹。可以理解,对不对,不是每个聪明人都有机会上大学的。"红红停下不说了,看着四周被一场新雪刚刚盖上的松树,开始赞美大自然的生命力。

"没了?"大丫忍不住问道。红红兴奋地跳了起来,说终于把大丫的酷劲给比了下去。

"我有什么酷的?"

"我一直觉得你酷得不行,男人不管怎么换,动心动脑不动感情,自己不受伤。"听了红红的话,大丫咽了一口苦水。她还想知道那个司机的事。

"没什么了。他现在开出租,老婆下岗了,有个女儿上高中。他老婆同意离婚,我得说,我很敬重那个女人。她给我打过电话,她说,她同意离婚不是对丈夫不满意,她觉得这个男人从来就没爱过她,条件有了,分手可能更好。我帮她开了一个蛋糕房,她好像干的挺好。"

"你丈夫这边呐?"

"对我们两个来说,天底下最容易的事就是离婚。他早就花得认不出模样了。哎,那些女主持人,除了年纪大的,除了我,他几乎都泡到了。利用职权,挺没劲的。"

"你们过了多少年?"

"十多年。"

"孩子呐?"

"给他。"

"你有信心吗?开始一个新生活不像你想的那么简单。"

"大丫,如果你失去的只是锁链,你就没什么好在乎的。这些年,我从来没踏实过,在家里在外面,总在表演,表演无所谓,表演看透了一切,表演调侃,表演一点点幸福。我越演越累,碰见阿年,我才踏实下来。我都这么大年纪了,不想装了。"

"爱情让人踏实,是不?"大丫问。

"我看能这么说。现在大伙儿都被感情伤得不轻,都懒得谈爱情,我看,这是两回事。"

大丫感慨万千,使劲拍了拍红红的后背,好像那里是未来的问讯处。

"什么时候打车,碰到那个最有魅力的司机,一定问他是不是我丈夫,估计你不会看错。"红红最后自豪地对大丫说。

在一段即将开通的高速公路上,大牛坐在自己的摩托车旁,已经在抽第三支烟。今早他五点起床,在这条路上兜了六圈。在几次加速的时候,他觉得自己像风,似乎可以飞起来。在一个拐弯的地方,他看到前面还没油漆的护栏,刹车两个字不是浮现在脑子里而是在眼前。他在最后的瞬间里刹住了车子,车的前轮离护栏只有一尺远。他平静地走到护栏边,下面是尚未清理的建筑垃圾。冲下去也就冲下去了,他这么想的时候,心里仍像废墟般寂静。天性敏感的大牛为驱赶这感觉,能干的都干了。他上女人的床,把女人带上自己的床,都没躲过心里死寂的折磨。对他来说,这是心死,而他宁可身体先死。这没有感觉的感觉,是他无法承受的。几次想到大丫,都是窒息般的难过,然后他又被撞回到没感觉的寂静状态。

烟抽没了,他看着附近还没完全苏醒的原野,高速一通,城市很快会延续到这里,像吞噬。

"我为什么要刹车?!"他忽然大叫一声,斩断了脑海里穿插的牵挂。我恨她,再也不会见她,我希望她已经死了。他在心里对自己狂吼着,跨上摩托飞快地离开。路上,风从他耳边擦过时,他想起昨晚那个女人对他说的,这是他今天早早起来跑到这里飙车的原因之一。

"但你不能不爱那个女人。她是谁啊?"一个比大牛大十几岁瘦骨嶙峋的年轻女教授,整天不停地抽烟。无论她脸上有多少皱纹,她都是大牛能长久敬重的女人。他们住了几年邻居,偶尔能长聊一次。她忽然提出想跟大牛上床,说自己有点寂寞。大牛犹豫的时候,她说,我不会比那些女人更差。

"我犹豫是因为你跟那些可以随便上床的女人不同。"他们做爱之后,大牛对她说。

"我跟你爱的那个女人也不同。"女教授说。

"你丈夫呐?"大牛不想跟这个女人谈大丫,故意说别的。

"离婚后,我就不知道他在哪儿,也许是巴西?"

"明晚我还过来行吗?"大牛问。

"行啊,我很高兴。但这样对你不好。是个女人都能感觉出来,你很痛苦,因为你爱的那个女人。"

大牛愤怒地看着她。她走近他:

"去找她,告诉她你爱她胜过一切,别再折磨自己。"她说完深情地吻了吻大牛。大牛眼睛湿了,突然恨大丫不这样对待自己。

想到这里,他发现自己已经到了大丫家的楼前。他停车,经过楼前的花坛,花木虽然都枯萎了,老太太依然像在夏天里那样汇集在这里。大牛从她们面前经过,没忘了数数人数,一个不少,八个。在十六双昏花老眼的注视下,大牛坚定地走进第二个楼口。

　　大牛没想到自己能被顺利地让进屋，大丫在他身后关门的时候，他想她有客人，索性等在走廊上。

　　"请进吧。"大丫平静地说了一句，然后自己先走进平时她工作的房间。

　　大牛老实地坐在客人常坐的地方，注意自己的呼吸。到底多久没来这里他也搞不清楚了，对他来说，像半辈子那么长。周围曾经熟悉的一切转眼间都变得那么陌生，各种滋味轮换地搅动他，一时间一句话也说不出来。

　　大丫坐在他对面，什么都不说。

　　"这里比从前整齐了。"他说。

　　"我找了一个小时工。"大丫说完他们又沉默了。过了一会儿，大牛觉得自己必须再说点什么。"也许你很想要回你的钥匙?"他小心翼翼地问，希望得到一个否定的回答。

　　"当然。"大丫毫不留情地说，大牛顿时绝望了。他把钥匙从裤兜里掏出来，放到身边的茶几上。大丫走过去把钥匙拿过来，放到自己身边的写字台上，接着又是一言不发地看着他，好像在说，还有事吗? 你该走了吧?

　　大牛在幻觉中已经起身无数次，但他的身体像磐石一样扎在原地，仿佛在帮助他又仿佛在背叛他。说点什么吧，你这个该死的女人! 他在心里喊着，如果我这样走了，还不如死了呐，我何必为你刹车呐! 你不能这样对我，为什么还这样对我?!

　　"哼。"他奇怪地笑了一下。大丫立刻回答一个相似的微笑。看着大丫平静的脸，大牛的心情凋谢了。他起来，一边朝门口走一边说我该走了。大丫跟着他到了门口。大牛的一只手搭到门上，突然说:

　　"我们扯平了，对吗?"大丫看着他，依然没有任何表情。

"我干吗要向你道歉,应该道歉的是你。你这个烂……"大牛无比愤怒,但还是控制住自己。

大丫无表情。

"你是个骗子,你对任何人都没感情了。你死了得了。"大牛大声说,大丫一动不动地站着,依然没有表情。

"你应该向我道歉,因为你不爱我,也没爱过我!"

"我向你道歉。"大丫平静地说,既没强调也没敷衍。大牛傻了,握着门锁的手不停在用力,手指都发白了。

他们这样站了好一会儿,大牛哭了。

"请你走吧!"大丫口气坚决地说。

"你是个坏女人!"大牛恶狠狠地说出了这句话。大丫扇过去一个耳光。大牛愣住了,泪水也消失了。他看着大丫,认认真真地说:

"听我说一句话,我就走。"大丫扭过头,表示不想听他说任何话。大牛走近她,抱住她的双臂,让她看着自己,然后说:

"我必须爱你!"他还想再补充点什么,但没话了只好更紧地抓着大丫。

"走开,放开我,我不用你爱,滚吧。"大丫一边说一边挣脱。大牛放开了她,站在门口想了想。这时大丫也安静下来。两个人像排队一样站在门口。大牛拉开第一道门,走廊的冷风钻了进来。他打开第二道门,迈出第一步时,大丫对着他后背狠狠地打了一拳。

大牛退回刚迈出的那一步,轻轻关上外面的门;再退一步,关好最后一层门。他转身靠在门上,看着大丫。

大丫看到一张获救之后孩子的脸。他因为过错历尽辛苦,终于被拉上了岸。这张脸想表达感激之情,因为长时间没做过直接的表达,表达出来的感激藏在无助依恋的后面。他天真地微笑着,好像在说,你对我做什么都行,我有的一切都是你的,你让我做什么我都愿意。这是一个人认可某种价值之后的忘我，他自己仿佛消散到了另一个灵魂中，现在这个灵魂接住了他，他因此也回到了自己的身边。大丫几乎就要相信，她是这世界上惟一看到大牛这表情的女人。她心里充满了温柔和爱怜，曾经主宰她的情欲消失了，但她仍然觉得，她此时此刻心中的感情，能让她为眼前这个男人做一切，一切。

他们这样面对面站着，相互看着对方，在他们的眼中只有对方，对方，自己熔化了。当他们终于流泪拥抱到一起时，身体的感觉仍然沉睡着。他们相依站在门前，谁都不想马上唤醒情欲。大丫说，这样在一起，我们能战胜一切。那就让我们这样在一起，大牛说。大丫的头靠到了大牛的胸膛上。

顺从的于水波制造的小别扭，在谭定鱼的意料之中。他突然中断他们的性事，一方面是他还不想让曲今知道。这种事不可能永远瞒下去，他比谁都清楚，但他觉得还没到跟妻子摊牌的时候。从另一方面说，他想更进一步了解于水波，尽管他已经确定自己对她的感情。

事先不打电话突然敲门出现在于水波面前，他这么想的时候，心里已经很有把握。她客气地把他让进屋子，然后规矩地坐在他对面的沙发椅上，好像等待他吩咐什么。这把坐上去颤悠悠的椅子是他送的礼物，现在让他觉得刺眼。

"生气了?"他蹲到她的身旁。

她微笑地摇头。

"别怪我行吗? 我这段时间公司的事情太多。"

她继续微笑好像在说，你以为我不在公司工作吗?!

"好了，我在跟一个外资谈合作，很缠人。"他话音落下的时候，她也软了下来。她的眼前又是那个看重事业的男人，也许缺了点儿儿女情长，但这正是她喜欢的类型。这时，她觉得自己还给他添额外的麻烦很不应该。他体察到了她的变化,把她从椅子上拉下来,两个人一起倒在地上。

被压抑的情欲重新得到蜿蜒的空间,像添了新柴的炉火,瞬间里人就抛了上去,觉得为此做什么都是值得的。他爱抚她,亲吻她,然后把自己献给她,让她的温柔浏览自己。当他把她压到身下,进行第 N 次造爱时,感觉跟第二次,第三次一样好,甚至更好。他喜欢她的身体,因此也喜欢自己的身体;他对她那么满意,便对自己也满意⋯⋯性爱是这个世界上最好的逻辑⋯⋯他一边想着一边做着,从容没有压迫。他觉得自己可以这样做很久很久,把高潮的快感保留到最后。但是,她召唤他跟上来,他责无旁贷,跟自己心爱的女人一起冲了下去。

这样的感觉能持续多久? 他们又像从前一样躺到一起时,他在心里问自己。

"要是我们天天这样就好了。"她幽幽地说。

"那你应该找个年轻的。"他亲吻她的眼睛。

"你怎么那么肮脏,我说的是现在,我们躺在一起,说说话,让你搂着我睡。"

"那我今晚不回去了,明天就说喝多了。"

"算了,何必找麻烦呐。忍忍吧,也许我们能有出头的那一天。"

"你还年轻,别老想沉重的事。"他安慰她。

"那你为我们想吗?"

他点头,看上去像承诺。

她起来帮他穿衣服,为了不让分别的气氛太沉重,给他讲了一个笑话。

男人最喜欢听女人说的一句话—— 我要。

男人最害怕女人说的一句话—— 我还要。

　　谭定鱼在雪后的街道慢慢开车,平息的情欲连着爱情的感觉,两个人关系中重新出现的亲近和把握,都带给他说不出的愉悦。他让所有的车超过去,把女儿给他的 CD 放上,里面传出一个女人的歌声:我冰冷的双脚,冰冷的双脚……听着听着,他笑了,怀疑老婆几次在床上主动抱住他,都是因为太冷了。

　　一辆车飘乎乎地靠向他的车,他立刻躲开,估计那司机喝多了。他感谢于水波没逼他过夜,免了一次撒谎。他心情惬意地打开家门,客厅茶几上水果皮发出的气味和为他留的灯光,像一只有魔力的手,安置了他额外的愉悦:屋子里静静的,到处弥漫着妻子女儿熟睡的气息。卧室的门为他虚掩着,他乱了。他看见茶几上的纸条,认出是女儿谭谈的笔迹:

　　　　如果你在生活中选择了地平线
　　　　世界看见的就是你的背影

　　他笑笑,以为是女儿的一个小卖弄,虽然这句话触动了他。他想不到这句诗居然出自十几岁女孩儿之手,就像,他也想不到,他离开后,于水波忽然开始呕吐,人像被吸干了血,虚弱得连床都爬不上去。

　　她胃疼得要命,吃了比平时多一倍的药才慢慢睡着。睡着前,她可怜自己总是硬撑着,怕他失望或者难过。"他在乎我失望难过吗?"她想象他已经躺到他妻子身边安然入睡,刚刚被安慰的心又摇动起来,心里的自己变成了可怜的小丑,却在扮演一个善解人意的天使。

　　第二天于水波打电话给谭定鱼请病假,他哦了一声,电话另一端的于水波泪水快下来了。他后悔轻易露出了自己的怀疑,在他看来这都是情绪的事。

"要不要我中午过来看看你?"他想弥补一下。

"谢谢你,我现在已经在医院,一个女朋友在这儿。"

"你到底怎么了?"他真急了。

"老毛病了。"她说完关了手机。他沮丧地站到窗前,良心的刺痛生出对自己的厌恶。他忽然想,自己是个自私自利的人。

他决定立刻去看望于水波,挨家医院问总能找到。他一边收拾桌子上的东西,一边考虑从哪家医院开始。这时,马副经理敲门进来。谭定鱼头也没抬说他马上要出去,有事下午再说。

"我没那么多时间等你了。"已经做了充分心理准备的马副经理又被谭定鱼的轻慢捅了一刀。她冷漠地看着他,像一个有备而来的清算者。

"你怎么了?"谭定鱼不满地问。

"没怎么,我不干了,来跟你辞职。"谭定鱼坐下斜眼看着马副经理,嘴角含着嘲笑,怀疑自己的耳朵出毛病了。

"你没听懂我的话?"马副经理同样嘲弄的口气是谭定鱼跟她共事以来从没见过的。他不得不追问一句,她到底怎么了。

"那好,我再说一遍。上次你跟我谈完话,我就决定不干了。现在正式通知你。"

谭定鱼缩回身子靠到高高的椅背上,他盯看马副经理的眼神,带给她莫名的安慰。这么多年来,这还是他第一次这么看我,她想,我早就该这么对他了。男人都这样吧。也许,我丈夫说的对,谭定鱼不过是个要饭的。一丝难以察觉的微笑出现在她脸上。

"你要不要坐下?"谭定鱼说。

"你不是要出去吗?"她笑着说。谭定鱼愤怒了。

"你不是不能等吗,那你现在说好了,到底为什么?"

"不为什么,就是不想干了。如果你无论如何需要理由,自己去整理吧。只要回忆一下你如何对待我的,就够了。"马副经理说完离开了他的办公室,谭定鱼僵住了。两分钟后他来到马副经理的办公桌前,用威胁的口吻问她是不是认真的。

"我从没像现在这么认真!"马副经理没有压低声音,谭定鱼甩手走了。

第十二章

　　丁冰第二次从死亡那里回来之后，在床上躺了好多天。白中上班前替她拉开窗帘，一整天，她便躺在天光下。中午有时吃点东西，一段时间下来，她比刚离开医院时还虚弱。

　　白中晚上五点四十五分左右准时到家，早晚相差不到五分钟。回家后立刻做饭，吃完饭他坐到丁冰的床边看报纸，后来他把电视搬到卧室，之前问过丁冰是不是反对。他一边看电视一边拉着丁冰的手，每隔半个小时都要问问丁冰需要什么，想不想看书，要不要他把电视关了。有时，他伸手摸摸她的头，好像她随时可能发烧。

　　为了不让白中如此劳累，丁冰试着活动。可是，她的气力越来越少，即使坐着，也觉得非常累。晚上，白中躺在她身边，胳膊轻轻搭到她的肚子上，头靠近她的肩窝，总是很快睡着。除了他手臂的重量和均匀的呼吸，丁冰觉得丈夫不再是熟悉和亲切的。

　　我把一切都弄坏了。几天来，她被这想法困着。

　　有天晚上，丁冰让丈夫躺到另一侧，以便躲开受伤的那只胳膊，她去吻他。她明确地告诉他，她想要。但她看见白中的反应时，觉得自己被松开了，再也没人想拉着她往前走。他最初的眼神是害怕，接着是掩饰这害怕，努力对丁冰发出尽可能真诚的微笑。丁冰笑笑说，那算了。白中把妻子搂紧，安慰她说，等以后她彻底好了以后再做。他还是很想跟她做爱，那曾经是他们之间最美好的事。

丁冰再一次犯毒瘾般地想到死，同时觉得自己很该死，因为她在这活人的世界上找不到路。

"我太累了，每天买菜做饭，事情太多。"白中喃喃地说着，丁冰好好睡觉。他说，明天单位去植树。丁冰关了灯，想到植树，又想到了春天。

朱大者在一个未眠之夜里，突然有画画的冲动。脑子里的想法互相碰撞着，完全失去了表达的顺序。他起来，把画架上未画完的东西扯下来，绷上新的画布，发疯地画起来。几天后，画布都画满了，他打量它，它看上去很像他无意中留下的某些痕迹，内在的联系从表面的自由下面散落出来。朱大者觉得这幅可以留下来，虽然色彩和造型都很狰狞。

又过了几天，他看着那大块猩红和刺眼的黄色以及它们中间像死亡一样坚硬的黑色，想毁掉它，最终还是没忍心。他把画翻立到墙角，又给丁冰打了电话，和前两次一样没人接。丁欣羊电话里跟他说过姐姐的情况，看上去比上一次还平静，但虚弱。丁欣羊说自己经常过去看看。

"也许她不希望你经常过去。"电话里朱大者曾对她这么说过，丁欣羊的回答表明她很受伤。她说：

"是啊，你比我更了解我姐姐。为什么不亲自去看看她。那样我也可以少去几次。"那以后丁欣羊不再给他打电话。朱大者自己清楚对丁冰的感觉，跟男人女人没任何瓜葛，懒得多解释，便把这事放到一边儿去了。

一星期后，他进城去买颜料顺便买茶时，路上接到丁冰的电话，问他能不能来看望她。朱大者因为过于丰富的生活经历，已经很少吃惊，觉得丁冰有点诡秘。

他像主人那样给丁冰和自己沏了一壶刚买的乌龙，丁冰斜坐在沙发上的样子,像纸人儿。他对丁冰发出一个真诚的微笑,把心里的担忧遮上。丁冰对突然的邀请没做半点解释,喝了一口热茶之后,对朱大者说,她叫他来,是想跟他聊聊欣羊的事。

"她怎么了?"

"她爱上你了。"丁冰坦然地说。

"她对自己的感情没有把握。"朱大者喜欢丁冰的方式,索性用同样的方式。"或者说,她对我不够了解,我这人对自己也没把握。比如说,我不想伤害别人,但我不知道我能不能做到。"

"我懂了。"丁冰接着问,"你对她的感觉是什么样的?"

"我估计跟她对我的感觉差不多,但我不想夸张,所以不想管那感觉叫爱情。"

"她没说她爱上你了,是我替她说的。"

"这不用解释,我能懂。"

接着,他们都沉默了,彼此心里或许都很清楚,他们还可以谈点儿别的。朱大者先开口了。

"你好像挺信任我?"

她点头。

"为什么?"

"不知道。"

"跟喜欢跟爱都没关系,对吧?"

她又点头。

"在我这儿也是这样。"

"我有种感觉,好多我自己也不太能理解的感觉,你能理解。"

"有时我想你不相信的是自己,所以难过时很绝望。"

"好像是。"她说。"你觉得我会死吗?"她突然问。

他没有回答。

"你害怕说实话?"

"是的。"

"你已经说出来了。"她说完他们都笑笑。

"你怀疑你丈夫吗?"他问。

"不知道。"她说。

"你害怕说实话?"他们又笑了。

"他没什么好怀疑的。"她这么说的时候,想到前两天去银行存款,看到一个月前提出的八万块钱,又如数存了回来。对此,白中什么都没对她提过。可惜这些小事对她都构不成真正的打扰。

折磨她的是那些不实在的感觉,今天这样明天另一样,最后她怀疑自己疯了废了,所以无法判断了。正如刚才朱大者说的那样,她已经不相信自己。

"你很穷吗?"丁冰换了话题。

"从哪儿看出来的?"

"你看上去有负担,挺愁的。"

"你的观察力很敏锐,用在自己身上不成?"

她笑着说她看不见自己。她好像从没学会人类的思考方式,却拥有了它的敏感。朱大者因此对她又多了几分敬重:她不骗自己。

"你能看见自己吗?"她问他。

"一部分。"他说,"我是个废人。"

"为什么?"

"的确有个故事,你想听吗?"

"你从没对别人说过?"

他摇头。多年来,他的故事像游移在体内的癌症,无法清除无法躲避,他必须忍受的是它的病象。

一个男人和一个女人的故事

他说，昆德拉在《为了告别的聚会》里写到了一片蓝色毒药。毒药的主人是位医生，他说，年满十六岁的人都应该得到一片毒药，然后自己决定活着还是死去。

他说完看看她，她淡淡一笑，像他想象的一样。她已经得到了属于自己的那片毒药，所以她的笑容才会轻飘，才会无所谓，像不是表态的表态。因此，他断定，她不会害怕他的故事，就像她也不害怕他一样。他们似乎都是一脚门里一脚门外的人。

十五年前，我得到英国一个基金会的赞助，在伦敦呆了两年，画画。第二年，我认识了寡妇鲁娜，她比我大十三岁。她人很安静，长得有些男相，我给她画过几幅肖像，其中一幅我卖掉了，卖了个好价钱。那以后没多久，她对我说，现在你有钱了，我们结婚吧。这时候，我才第一次把她纯粹当做女人端详了一下。

她出生在英国，爷爷奶奶爸爸妈妈都是中国人。也许是因为营养，她有一米八的个子，全身上下没有任何多余的肉，如果乳房不算多余的话。她长脸，脸上的皱纹很明显。从整体上看，她并不显老当然也不显年轻，有点性感。我问她为什么要结婚，她说，她无所谓结婚也无所谓不结婚，既然她脱口说的是结婚，就想结婚了。

当时她是一个大学的教授，从未结过婚。

我那时不到三十岁，性格跟大牛有些像，只是没他那么激烈，但痛苦也是我那时的常态。跟鲁娜结婚后，我开始了一个奇怪的变化。

鲁娜很有见解，但从不多说。当时我们住在伦敦，我虽然跟外界交往不多，感触却很多，经常的表现就是发牢骚。渐渐地我养成了习惯，回家就跟鲁娜说这些。那时，我看见的都是英国人可笑的地方，我甚至嘲笑他们的脸色。同时我也觉得国内的事情无法忍受。有时我们谈论两国政治的不同时，我也是哪一边都没看上。当我发表这些言论时，鲁娜总是微笑地看着我，几乎不说什么。渐渐地，我觉得她的微笑传达出来的是对我的嘲笑和蔑视。那以后，我变了。

我说过，鲁娜看上去只有一点性感，实际过性生活她很让我着迷，很有激情。因为我不用上班，她每周只去两次办公室，所以，我们做爱很频繁，每周三四次。

我开始有变化以后，忽然阳痿。

我不再想跟她上床，但心里又觉得不是那么回事，好像自己在逃避什么责任。我问她怎么办，她说，那就什么都不办呗。她就是这样的人，几乎从不解释什么。

我也不再跟她交流。一旦我闭上嘴以后，自己也发现，过去说的那些话有多可笑。现在我明白，鲁娜以她的方式提醒了我之后也改变了我。但当时，我怀疑一切，包括我们的婚姻。我觉得，一个女人不可能爱上一个她蔑视的男人，甚至觉得婚姻是她嘲弄我的阴谋。我首先想到的是离婚，接着又改主意了。我想，如果我跟她离婚，她还会再找一个比她年轻的男人，接着这么干。

鲁娜对年轻男人很有吸引力。

其实，我无法确定鲁娜存心折磨我，但我摆脱不了那种感觉。这感觉控制我，也把我们两个人的生活逼到了另一条路上。

我真正理解鲁娜的时候，青春结束了。

那之前，我对青春最充分的回忆就是我如何幼稚还有激奋。可能好多人都有过类似的阶段，但是他们比我幸运，像经历一场感冒一样，转眼过去了。我却被弄到一条窄路上，鲁娜的目光告诉我这世界不需要幼稚，在我看来这等于我是多余的。当我认定她就是被派来让我明白这些，婚姻是这使命的形式，我便开始恨她。

爱情句号

开始有幻觉,她突然晕倒,送到医院晚了;食物中毒;心脏病发作……我被自己的想法惊住了,很快便向自己承认了,我希望她那样离开我,好结束我的痛苦。这整个过程中,她没有任何反应,最多是偶尔看我两眼,好像在问我到底怎么了。现在我回头想,如果她反应,跟我谈哪怕是吵架,事情都可能是另外的样子。

但是,她几乎没有变化,惟一不同的是我们不再一起出现在朋友圈子。后来,我发生了一点变化,从阳痿到每天都跟她做爱。那是很明显的发疯,没有爱抚,没有交流,比动物还不如。有一天晚上,她拒绝做,理由是头疼。我把她最喜欢的一个花瓶敲碎了。她看着我,什么话都没说。过了一会儿,她说,你也早点睡吧……

我现在还能清楚地回忆她说这句话时的目光——什么含义都没有,一片虚无。我当时的感觉是,她够了,很快我们就会离婚。好像一切终于到了尽头,我忽然难过,小声说了句对不起。

我等着她跟我离婚的几天里,人静了下来,心里常常什么都没有,空荡荡的,常常把自己吓一跳。鲁娜还是老样子,上班或者在家里呆着,我们没再做爱。我忍不住先跟她提了,我说离婚吧。当时我们正在吃早饭,她听了我的话想想,也没说什么。吃完饭,她说要去机场接个客人,去他们系做报告的。经过我回房间换衣服时,她在我身边停了一下,把手放到我肩上,想说什么,但没说。我看着前面,没看她的表情,只有她手心的温热还留在我的肩上。那温度今天还在这里,在我的肩上。

去机场的路上,鲁娜留在一场车祸中。

她的遗嘱是在我们关系破裂的期间立的,列了几位亲属的名字和联系方式,说了她的财产情况,希望由我来处理一切。

关于其他的,她一句话都没提,好话坏话都没有。

我离开了英国,像鲁娜活着的时候那样活着,平静地活着。

没人让我这样做，我也没强迫自己，一切自动开始了，好像鲁娜离开的那个瞬间里，把灵魂扔到了我的里面。不同的是，我活不到那么彻底，有时还烦，有时还动心，有时还寂寞，有时还无聊，有时对自己没有把握……

假如还能跟鲁娜说话，我想问问，她怎么做到了，跟这个世界相安无事，就像她把我彻底融化了一样。

时间一天天地流逝，我想把名字改成朱大者鲁娜，又一转念，这都是形式，便不再去想了。

老牧从日本回来去看丁欣羊，顺便还她旅费，丁欣羊不想要全额，老牧说，他还想多给呐。这次旅行帮他减缓了当前的压力。他恍惚着好像人还泡在札幌的温泉里。

丁欣羊问他跟大姜的关系如何，老牧说认真了。

"谁认真?"

"都认真了。"老牧说完，她表示祝贺，老牧依然愁苦地看着她。

"你们有什么打算?"社会的进步至少在某些阶层消灭了"见怪"这个词。他去日本前，大姜向他提出过同样的问题。答案没有，头疼不止。这时，他仿佛看见自己内心的轨迹:他为他们的感情欣喜，但没想给它找个归宿。在他一个人的生活中需要承受的只是孤独。

"你不想往前走了?"

"好像也不是，但我不想让他们家散了。"

"大姜这么想了?"

"跟我提过，办移民去个允许同性结婚的国家。我没答应。"

"你什么意思? 他老婆发现了?"

"所以我才想躲出去一段时间。"老牧说完，丁欣羊打听大姜老婆的态度。

"很疯狂。她翻来覆去抓住一点,就是不能忍受同性恋。我给她打过电话,她一听见我的声音就尖叫。"

"女人都这样,如果她们丈夫爱上一个女人,她们就会说,你居然能爱上这样的女人,假如你爱上一个像样的女人,我理解之类的……哦,这论调我听多了。"她过一会儿又说,"她也挺可怜的,亲属什么的,压力肯定很大。"

"所以大姜想改变这局面,说服她离婚,答应把财产都给她。"

"你和大姜有共识了吗?"

老牧摇摇头,丁欣羊仿佛看见,他害怕跟大姜的共同生活。如果这个男人离婚了,他们就毫无选择。而对他们未来的共同生活,他没有把握。想到这里,丁欣羊说:

"你宁可退一步,承受自己的痛苦,也不愿承担对别人的责任?"老牧呆呆地看着丁欣羊,最后木然地对她点点头,然后说:

"我不是不愿意,我觉得我承担不起。"

"你后悔?"她问。

老牧马上摇头说,如果没有这感情,我都不可能了解自己。窗外偶尔传进来关车门,开房门,喊什么人的名字,狗吠的声音,然后静下来,然后再传来声音,相同的或者另外的。

他们各想各的心事。

明白了自己,明白了自己要什么,也付出努力了,仍然有一个结果是:最终一无所获。所以有人总是强调,重在过程重在参与,这不过是自我安慰,说欺骗也行。丁欣羊这么想。

老牧审视自己,在感情上是不是没有把握好"度"。

于是有谚语说,人一思考,上帝就发笑。人真傻,不是因为思考,而是因为人那样思考。

结婚			独身		
有人气	有麻烦		没麻烦	孤独	
有商量	闹矛盾		独立怀疑自己		
好	或者	不好	好坏不清楚灰		

　　她端详这些可笑的比较,心里的绝望像刚起飞的乌鸦群,渐渐遮蔽了光亮。她立刻揉搓了结婚和独身的各种可能性,一个人冲到大街上,去超市为丁冰买东西。她想,假如马副经理能从自己对另一个人的爱情中获得满足,不在乎她所爱的人是不是爱她,她就成了。就像她在结婚栏写的坏处:不甘心只是付出。不仅马副经理希望为自己付出的感情得到回报,几乎所有的女人都这样。而要求回报恰好是伤害(自己或对方)的源泉。

　　这也许是上帝造女人时夹带的一个硬伤。排队等着付钱时丁欣羊想,无论怎样,我还是选择婚姻吧。可她刚离开超市就开始嘲笑自己:哇,搞错了吧,什么时候才能碰到那个能用来结婚的人呐?! 说不定他还在出生前的羊肠小道上迷失着。这时,丁冰给她的手机打电话,说她有事要出去,要丁欣羊别过去。丁欣羊问什么样事,丁冰说以后再告诉她,然后把电话挂了。

　　看着灰蒙蒙的天,又看看自己手里提着的丰盛食品,丁欣羊决定走回家,给自己做顿好饭吃,也许因此能减缓自己心绪中的沮丧。她路过一家点心店,买了两块巧克力蛋糕。点心店里诱人的气味敦促她坐下来,要杯咖啡看看街景,可是,她刚买的东西需要尽快放到冰箱里,于是,她决定把喝咖啡的钱用来打车,回家自己煮咖啡。

　　"喂,"丁欣羊下车刚走进院子的大门,手机响了。

　　"你好,我叫田如,你不认识我,但我想跟你谈谈。"电话里年轻女人的口气自信坚定。

　　"为什么?"丁欣羊很恼火。

"谈了之后你就知道了。"丁欣羊不喜欢这女人的口气,那女人接着说,"要是我没认错,你穿黑色短大衣手里拎着超市塑料袋,对吗?"丁欣羊回身,看见离自己几步远的一个女人把手机从耳朵旁拿下来放到衣兜里。她穿着浅古铜色的棉夹克,米色条绒裤上插兜一个挨着一个,最后被固定到深古铜色的皮靴里。皮靴两侧的穗子像鱼鳍,随着主人迈出的步子呼扇着,打扮得既时髦又得体。丁欣羊对她的好感突然增加了很多。

她用钥匙开门,那女人也想跟着进来。丁欣羊半开玩笑半认真地说,我好像还没请你进来呐。

"那又怎么样呐?"她不仅年轻而且漂亮,这应该是她这样说话的理由。她浓密的头发被高高地盘到头顶,丁欣羊还不能判定她是搞美术的还是搞舞蹈的,总之,这个气焰较为嚣张的女人用她特有的方式搞定了丁欣羊。

"也许有点不礼貌?"丁欣羊挡住她半认真半开玩笑地说。

"你做的事比我的不礼貌多了。"她说得也不像责备。

"那你进来吧。"丁欣羊笑着说。"我今天正好买了两块巧克力蛋糕,也许知道你要来吧。"

"我可不是为你的蛋糕来的。你要是爱吃,尽管都吃了,我不会馋的。"

"我一般一天只吃一块,另一块是留明天吃的。"

"那还是我替你吃吧,明天就不好吃了。"她们你一句我一句斗嘴的时候,丁欣羊已经开始煮咖啡了。她看着田如白皙充满弹性的脸庞,忽然理解了男人,青春面孔显示的也许是生活的朝气;衰老的面孔就像沼气,有使用价值但没有审美。想到这儿丁欣羊自己笑出声了,田如没有表情地看着她,好像在问,当别人面,你有权利这么笑吗?

"我做了什么事,让你觉得那么没礼貌?"丁欣羊试着解脱自己的尴尬。

"你跟刘岸上床的事。"田如干脆地说。丁欣羊又笑了,而且笑得更厉害。田如也跟着笑了笑,然后插话说自己是个宽容的人。接着两个人一起由大笑到狂笑,终于开始喝咖啡的时候,咖啡已经不烫嘴了。丁欣羊又想起那本丢失的日记,假如她还继续记的话,今天会写写田如:第一个吸引她的女人。她想到大丫和田如的不同,想到老牧,然后想到,如果她也有老牧的性取向,她会选择田如。她的玩世不恭混杂着坦率敏锐幽默,激活了丁欣羊性格中沉睡的另一个部分,同时还有对别人的善良和理解。看着大口吃蛋糕的田如,丁欣羊说,什么时候自己能活到田如这么自由的分上就好了。

"你想跟我对着干?"田如问。丁欣羊说自己不明白她的意思。

"如果你答应刘岸复婚,我们两个同时面对他,我想他会选你。但这不说明你比我强也不说明他更爱你更不说明你们合适。"田如说完等着丁欣羊的反应,同时用目光提醒对方严肃点儿。

"那说明什么?"

"说明他懒了,也许他被过去的感情经历搞坏了,没信心再去认真,怕再次被伤害。"

"他好像被那个在美国的女人伤着了?"

"但我不会伤害刘岸。我会好好对他,即使他现在不那么爱我也没关系。我已经认定他了。"

刚才使人耳目一新的田如一眨眼变得如此……没劲?老到?丁欣羊在脑子里找合适词时,大为失望。她婉转地表达了下面的意思,田如还年轻为什么早早把生活固定下来,什么都去体验体验也许是一种更好的活法。

"生活没什么好体验的,也不值得体验。"田如干脆地说。

"所以你就认定刘岸是那个适合你的人?"

"跟别的男人在一起不如跟刘岸在一起感觉好。"又是一个眨眼的瞬间,田如的话把丁欣羊对她的印象再次转个弯儿。她看着田如漂亮的翘鼻子,悄悄承认自己老了,尽管按联合国的规定,她还算青年。

　　"你不会觉得我找不到别的男人吧?"

　　"哪里,怎么会呐!"

　　"就是,怎么说你也不会那么幼稚。"

　　"这么说,你想把刘岸牢牢抓在手里,来个四平八稳的一辈子?"

　　"为什么不?从各方面说,刘岸都具备这条件。我干吗非得找个没皱纹的,跟他奋斗十几年?!谁知道我的一辈子有多长?"田如说完问丁欣羊有没有水,喝完咖啡口渴。丁欣羊不得不承认,她永远都不会像田如这么考虑,也不会这么活,但她不能说,田如设想的生活没道理。

　　"希望你幸福。"她真心祝福田如,"跟你比我好像给自己选了一条弯路。不管怎么说,你不用担心我和刘岸,我们上一次都说清楚了。"丁欣羊看见田如脸上的表情松弛许多。

　　"当一个男人懒得再爱的时候,前妻就变得亲切了,就像老巢一样。"田如说。

　　"其实,我只是他法律意义上的前妻,他根本就不了解我,我也一样,所以我对他的建议一点不动心。这点你不怀疑吧?"

　　"我们也许能做个朋友。"田如说完,丁欣羊想了想,然后点点头。她知道自己心里蛮认真的。

　　"这样你就不用担心我和刘岸怎么样了。"丁欣羊开玩笑说。

　　"我可不像你想象的那么狭隘,如果我生孩子,你们偶尔有点床上的事,我不会在乎的。凭我对你的观察,你肯定会告诉我,这就够了。"

　　"你真哥们儿。"丁欣羊多少有些受伤,"我还不至于……"

"哦,别那么敏感好不好,你们这代人太自尊了,最后又能怎么样呐?尊严这东西跟金钱一样,你命里注定有多少就是多少,在意也没用的。"田如不耐烦地说。

"你真的怀孕了?"

"孩子的爸爸是刘岸。"田如骄傲地说。丁欣羊听了这消息由衷地感到高兴。她提议出去喝一杯庆贺。

"喝酒对孩子不好吧?"田如一本正经地问,好像这是她生活中惟一缺乏的常识,她因此拿不定主意。

"但对孩子他妈不坏!"在丁欣羊的感觉中,她已经是这个即将出世的孩子最亲密的阿姨。她挽留田如吃晚饭,田如说改天一定来,也许拉上刘岸。丁欣羊举起双手表示投降,说还不想那么快再见刘岸。

田如走了以后,丁欣羊也没了做晚饭的兴致。她并不嫉妒这个想抓住她前夫的女人,但她羡慕所有这样的女人,她们有抓住一个男人的愿望,然后有决心和力量,最后带来的就是自信。她忽然想自己和丁冰属于另外的女人种类,也许是家族的遗传因子被破坏过,人,不健康。

抓住一个人,即使不是因为爱情,也是非凡的意志力,因此也不是每个人都能做到的。做不到这一点的人,其实也没权利嘲讽。

第十三章

> 风中的很多存在都像风,无法停留,因为
> 他们没被允许。

人们越来越经常去医院,去看一些也许不是病的病,后来搞医学的人厌烦这种状态了,给这些不是病的病统一起了个名字——亚健康。

憋闷,像在洞里一样,频繁地长吁气,看书,走路,甚至睡觉,有时得连吁两三口气,才觉得胸口松开些……丁欣羊仔细向医生叙述症状之后,一个女大夫便对她说了上面三个字。见丁欣羊愣怔着没什么反应,又加了一句:精神状态欠佳,自己调节调节。

丁欣羊离开诊室时,这个女医生感慨地对另一个说,现在的人都开始爱自己了;另一个医生说,所以才没人爱别人了。丁欣羊不由得想到生活在另一个城市的父母。他们每个月通次电话,过年过节,聚一聚。丁冰过年也不回去,对此丁欣羊理解。她父母两个人相依为命过得很不错,并不在乎丁冰是不是回去跟他们一起过节。丁欣羊看到如今的父母像陀螺一样围着孩子转,心里有些酸涩。一方面她为自己父母都还健康高兴,另一个方面她父母的态度,让她的孤独感更锐利。她很少跟人提起自己的父母,他们也很少过问她的生活,即使问的话,她觉得是出于礼貌,而非真心想知道什么。无论她遇到什么困难,她已经习惯性地先想到丁冰想到朋友。认识朱大者以后,他在她的名单

上排到了大丫前面,重色轻友,虚空,色空。

朱大者约丁欣羊吃晚饭,居然。

丁欣羊站在敞开的窗前,刚开始飘落的小雪,落进屋里。她拿着手机,反应不过来。外面的空气渐渐清新,雪花小心地躲避着各式各样的脏污,轻轻落到地上,树上。她想讽刺对方,害怕破坏了气氛。

"你没时间?"他等急了。

"我有时间。"她说完可怜自己如此珍惜这机会。

"你在家等我吧。"

丁欣羊放下电话,关上窗户,心情像狂风过后的天空,一片晴朗,好久没这样高兴,她也没想到自己会这么高兴。跟医生叙述的病症好像突然消失了,立刻像机器人一样迅速有效地打扫屋子。房子的每个角落都整洁之后,她看表还有时间,决定借着这少见的好心情泡个盐浴。傍晚慢慢临近,出浴后的丁欣羊像所有渴望约会的女人一样,差不多把柜子里适季的衣服都试了一遍,好不容易认可了一件既性感又不性感的长毛衣,灯光下毛衣的深紫色补充了她脸色的苍白。朱大者按门铃时,她刚喷好既是香水又不是香水的香露。

"打扮得很漂亮。"拎两个大塑料袋,朱大者觉察了她的苦心,过于直白也过于着急的夸奖,把丁欣羊弄个大红脸。为了掩饰,她问塑料袋什么意思。他说,意思就是他亲自给她做饭。

从搬进来,没人在这里给她做过饭,反过来也没有。她日常所谓的做饭都属于糊弄。朱大者站在灶台前忙碌着,没多久饭菜的香气盈满厅房,靠在厨房门旁看着这一切的丁欣羊心动不已。她差一点冲过去抱住他,请求跟他结婚。一盘色香味绝佳的红烧鱼打落了她的闪念,她像个快乐的小侍,端菜拿碗摆杯子,忘了他曾经带给她的不爽,像被秋千悠到高处的孩子,干煸芸豆,软炸鲜贝,丁欣羊过节了。

开始吃饭以后,她又是一顿赞叹。他举杯让她别那么夸张,然后向她表示歉意。

"为什么?"她问。

"不为什么。"

她继续吃饭,她说,她从没吃过这么好吃的家常饭。父母一起做饭还算比较好吃,但他们一起做饭时很容易吵架;刘岸只能把饭做熟而且很少做;出去吃饭有时味道很好,但饭后嘴里总有一股说不出的味道。她说的太真诚,朱大者不免可怜她。他联想起丁冰,丁氏姐妹似乎都是苦命。他想说以后找机会多给她做几顿饭,但怕自己做不到。

吃完饭丁欣羊满面红光,他心里感到莫名的安慰,仿佛自己刚刚尽到了一位先生的责任:让一位女人高兴幸福了两个小时。她提议吃冰淇淋然后径直去厨房拿。他在客厅里端详着一幅没有签名没有时间的小油画,画面是一条秋日的小街,树上的叶子快落光了,凋零的画面和金黄调子构成的反差,把画面的温暖剔除了。小画蛮幼稚,但它奇怪的想象空间给他留下了印象。丁欣羊端着两杯冰淇淋回来时,他问是不是她画的。

"从哪儿看出来的?"

"刘岸不可能画这么差。"其实,他想说的是,它给了我感觉。

"所以我没继续画下去,也算对自己有判断。"

"这样人越来越少了。"他说。他在她家里有自由的感觉,同时还有神秘感。这两种感觉混杂起来,是他也对这个女人心动的原因。但他有打扰,如果没有那本日记,不以那种方式了解她,会不会就没有打扰,只有着迷?他在心里问自己,但又立刻被自己否定了。鲁娜死了以后,他不会再对任何女人有百分百的动心。他觉得这是鲁娜决定的,这又是无法向另一个女人解释的。丁冰除外,为什么,他说不清楚。他和丁冰之间的信任缺少现实感,好像他们是在彼岸相识的好朋友,如今只是重聚。

135

也许心灵学比心理学更有说服力。他想。

"你在想什么?"她吃完了自己的冰淇淋。他摇头,然后问她要不要吃完他的冰淇淋,因为他不爱吃甜的。她笑而不答,冰淇淋她不想吃了,但想接着他的吃,这话她说不出口。

他没再问,几口吃光了自己的。

"你觉得你能是个好画家吗?"她问,他点头。

"为什么?"

"我坚强。"

"坚强跟画画有什么关系?"

"坚强跟什么都有关系,只有坚强才能坚持。"他说完,丁欣羊默默拿过他们的杯子带回厨房。已经被扼杀的期望再次走进她。这感觉和由这感觉带来的疼痛重新变得熟悉。她知道,如果她面对它们,还会再受伤。但朱大者内心的力量强烈地吸引了她,好像她精神情感中缺少的东西,掌握在朱大者的手里。

"你没事吧?"朱大者跟过来询问。

"跟你在一起我很痛苦。"她干脆地说出了这句话。他刚想解释被打断了。"你别误会,我是说现在这样作为一般朋友吃饭聊天之类的,不是另外那种关系。"

他们无法继续这样的谈话,两个人回到客厅继续喝酒,好像喝酒能打开局面,打开心扉。

可惜的是,事情总是这样的。

"你看过一本德国的小说吗?"她觉得自己开始发晕。

"哪一本?"

"有个女的想找个情人,前提是没有做爱能力的。结果她找到了,两个相处很好,产生了感情,这时,她觉得他的性无能是缺陷,便劝他想办法什么的。最后发现这个男人不是性无能。小说写得没什么意思,但这事……"

"无性就没有爱情;有性爱情就短命,悖论。"他说。

"你是真的吗？"她问完，两个人一起大笑起来。他一边笑一边说，我是真的，我是真的。

　　"那你从前有过很多女人吧？"她喝多以后像小女孩儿。

　　"还行。"

　　"我认识吗？"他摇头。

　　"是什么样的？"

　　"花钱，什么样的都有。"他平静地说。

　　"哇，你召妓啊？"

　　"不太一样，说起来很复杂。"

　　"安全有保障吗？"他点头。她突然不好意思地用靠垫捂住自己脸。

　　"你不也有过一夜情吗？"

　　"你怎么知道的？"她惊得差点跳起来。

　　"好像是你自己告诉我的。"

　　"我怎么那么傻，这事都告诉你了。"

　　"说明我值得信任。"

　　"我原来想把那感觉记下来，留着老了以后看。可是，现在我已经懒得回忆了。那人还给我送过信呐。"

　　"让我看看。"朱大者一脸坏笑。丁欣羊把靠垫朝他扔过去，羞红了脸。

　　"不早了，我该回去了。谢谢你的招待。"朱大者公事公办口吻，顿时把丁欣羊穿透了，她甚至恨他来。

　　"应该我谢谢你才对。"她嘴上应酬着，心里想叫喊。

　　"有时间我再给你做。"朱大者依然是刚才的口吻，说着站起来去穿外衣。丁欣羊看着他的表情和动作，终于忍不住了。

　　"我恨你。"她站在他对面认真地说。

　　"为什么？"他无所谓地问。

　　"你折磨我！"

"我不是故意的,抱歉。"他的口气听上去更加无所谓。

"好了,你走吧,我们以后不要见面了。"她说。

"你最好别这么难过。"朱大者朝门口走去,最后的话像威胁。

他走了。她呆呆地站在客厅的中央,刚才的气氛冰冷了,什么都没剩下,除了难过。

这样过了一会儿,堆积了好久的失望像火山一样崩了,埋住了丁欣羊。她希望爱,爱在她心里有了萌芽,萌芽永远不能生长。独身生活里的各种挣扎此刻变成巨大的累,让她第一次从另一个意义上,理解了丁冰。

这巨大的废墟般的失落,在她心里层层叠起,遮蔽了过去支撑她的信念。她开始怀疑相爱和理解都是虚幻的自我麻痹。她拿起电话,这空无的屋子像张开的大口,再次把她推入这样的境地:想抓住点什么,管它是什么! 她拨了号码然后把听筒放到耳朵上却没有声音。她查看电话上的插头没问题,但马上看到电话线的底端被刀割断了。她走到卧室,一样的情况。放贵重物品的抽屉没有任何被动过的痕迹,她对好密码,里面的东西都在。她害怕了:什么人进来什么都不拿,只是割电话线?

丁欣羊去找自己的手机,发现手机也没在皮包里。她忽然明白。丁欣羊穿好大衣来到街上,在电话亭她拨了朱大者的手机但没人接。她再拨,再拨,听着铃声,她觉得自己像一个活着的死人。在这样的感觉下,夜色有一副她从没见过的安宁的模样,在不明亮的灯光下,每棵树每幢房子都呆在自己的归宿地,除了她这个栖息在电话亭里的女人。

一只手从她背后伸出来,压断了电话。看着表情平静的朱大者,她想,他割电话线的时候估计也是同样的表情。

"把手机还给我。"

"如果我没这么干,你已经打电话了,对不对?"她听着,但不回答。

"我劝你回家好好睡一觉,别把所谓的痛苦弄得太夸张。"

"我不明白你的意思。"她冷冷地说。

"反差,空虚,你突然觉得受不了了。在这样的心境下你犯过错误吧,干吗再犯一次呐?你约个男人,之后会怎么样,按你的年纪,不该想象不到吧?"

"你们男人不都这么干吗?"

"也许,但这不意味你也可以干。男人干完了,不受伤,你行吗?"

"练练就行了。"丁欣羊听自己的声音像是从另一个身体里发出的。

"那好吧。"朱大者说完,掏出丁欣羊的手机,"用这个打,先打给谁?我来帮你。"他开始在电话簿里找名字,然后拨了一个号码。"刘岸吗?你爱一个叫丁欣羊的女人吗?"电话里传出刘岸愤怒的声音,问对方是谁。"这不用你管,不做肯定回答就算不爱。"电话掐断了,朱大者对丁欣羊说,是对方先掐的。

"隋杰吗?"他拨了另一个号码,"你现在想过来跟丁欣羊小姐共度良宵吗?"电话另一端一声都没出就挂了。"还有什么人吗?"他问丁欣羊。

她所有的力气都消失了,她希望天上掉下一个绳索,勒死他,或者她。她无法面对。

"你能跟我过这么彻底的日子吗?"他逼问她。

"你别把自己想得那么彻底,也许,你不过就是摊狗屎。"她有气无力地说。

"说得不错,跟狗屎过,你行吗?"

她气哭了。

"有勇气一次又一次流眼泪,干吗不动脑子好好想想,你到底要什么。想好了,再流露,别像那些人,把感情弄得像大便似的,一次又一次的。"

她仍然说不出话。

"本来活的就不容易,还那么着急,还不如死了。给自己一点时间,干吗把自己催得像赶鬼似的。"他说完,把她的手机还给她,转身走了。夜幕下,他像一个退场的皮影,直直地从她的视野中走掉。

第二天,她开始找工作。

在恋爱小风波平息后,谭定鱼和于水波再度频繁幽会,又迎来了一个热恋阶段。于水波觉得自己经过这一番"洗礼"之后,又爱上了对方,或者说在旧爱上愣是生出了新爱。新爱旧爱加起来,让他们的感情比之前更深些也更浓些。她在这感情中沉浸了一段时间,接着日渐增加的不是感情而是不安。这忽隐忽现的不安消磨着她的甜蜜感。她觉得谭定鱼并没有类似的同感,尽管他总说爱她。

她常常幻想,有一天他提出离婚,跟她一起生活;要么他离开家庭顶着压力跟她同居;她想象他们公开生活的可能,同时觉得自己很快会赢得他朋友们的认可,尽管他们现在还不认识她。她想象之车总是飞快地开出现实的街区,在这"飞驰"中,她能回避眼前的不安。

当她被这怀疑笼罩时,她渴望立刻跟他做爱,紧紧拥抱他,高潮过后亲密地躺在他的怀里,听他说对自己的感觉……这时,她又觉得他们的感情真实无比不可替代,继续相信谭定鱼对她的爱情。可惜,他并不是每次都能按她要求的那样出现在她面前,他必须小心,而且越来越小心。

"你想过我们的未来吗?"有一次,谭定鱼妻子出差,他们一起过夜时于水波问。

"当然想过。"他不假思索地说。

"但你从没主动跟我说过。"她咽下了后半句,你怕我多想吗?

"跟你在一起很愉快,以前我没这感觉。哪个男人到了这步都会动心,保留这幸福,让它更长久。但是,我不知道该怎么跟你解释,离婚对我来说太复杂了,你想不出它有多复杂。"

"财产问题?"

"当然不全是。"

"你还爱你老婆?"

"我该怎么说,这跟爱没什么关系,是另外的,这么多年在一起,有孩子,说不清楚的。"谭定鱼心里清楚,自己在撒谎。在他和妻子之间没什么说不清楚的,他们很少谈论爱或者不爱,即使他们刚刚相识结婚时也是如此。他无法想象他离开他们三个人组成的集体。认识于水波之后,他觉得自己的妻子过于冷淡,缺乏激情,但他们家庭的和谐是跟她一起建立的。这和谐让他们三口人像三件珍贵的家具,各自呆在自己的位置上,安宁泰然。他和妻子也许没什么理解因为很少沟通,但他们几乎从不吵架,这自由和散漫,源于他们彼此间的信任。每次当他必须离开于水波的怀抱走进夜晚的时候,他想过离婚,也认真想过各种可能性。这考虑在他迈进家门之后就消散了。他不明白家到底有什么魔力,即使他带着对另一个人的爱情,也能在家里,在自己的床上在妻子身边甜蜜入睡。更奇怪的是,有时妻子出差,他因为女儿周末回来不能在于水波那里过夜,一个人睡在家里反而不安生。

这些怎么能让于水波明白?她那么年轻!谭定鱼宁可找另外的补偿方式,比如给她加薪。

于水波的感情到了另一个层次之后,谭定鱼不能离婚的前提变成了巨大的障碍。她越来越不能忍受与别人分享爱人。难道我爱上了别人的丈夫,就必须丧失爱的权力吗?!她觉得婚姻丑陋无比,是最不磊落的,它让每个加入的人变得胆怯进而苟且。她决定,如果有一天能和谭定鱼一起生活,决不结婚。恋爱中的各式想法冲撞着她,像盲人频频撞墙似乎每个想法都不是出路。同时,她必须控制自己不在谭定鱼面前流露这诸多郁闷。

有一天,她接到一封匿名信。在办公室打开看了一眼之后,她本能地把信放到包里,回家后仔细看发现是几张账目复印。旁边有行小字:假如这些账目是方圆公司的,假如它是假账,你现在是不是已经为所涉及的人出冷汗了。

她立刻想到谭定鱼,同时怀疑信是马副经理寄来的。她把信放到衣柜的角落里,上面压着她夏天才穿的衣服。她想,如果真是马副经理所为,还会再跟她联系。她拿起电话,想把这件事告诉谭定鱼,结果什么都没说。

"有事吗? 我现在有事,不能跟你说话。有事明天说,好吗?"谭定鱼在电话里的态度惹怒了于水波,她觉得自己像个见不得人的东西,什么都没说就挂断了电话。明天她也不想说了,她懒得再听他的解释,应酬啊,谈合作啊,在家里不方便⋯⋯诸如此类令人厌烦透顶!

晚上,于水波没睡好觉,良心有些不安,翻来覆去觉得还是应该告诉谭定鱼。第二天早上,她又改了主意,因为她忽然意识到,谭定鱼从不跟她谈公司的事,公司里的事,她一点也不比别人多知道什么。那几张假账复印件就这样安稳地躺在于水波的衣柜里,她决定不跟任何人提起这件事。决定后她得到的第一个感觉是孤独,更加的孤独。

她给丁欣羊打电话,坦率地说,想谈谈跟谭定鱼的事。丁欣羊有些吃惊。虽然她因为于水波告诉过她被开除的真相而对她有几分好感,还是不想跟她走近。

"好啊,"丁欣羊敷衍着,"但是,我最近晚上很少出门,周末我得照顾我姐姐,她病了。"

"没关系。"

"要是方便，我们先电话里聊聊？"

"我方便，你呐？"

"我现在也没事，我打给你？"

"哦，不用，都一样的。"

"那你和谭总怎么样了？"这时，她发现那些喜欢谭定鱼的女人跟她交心的原因是谭定鱼对她有好感，而她对谭定鱼没有产生类似的感觉。荒唐，同时她开始觉得好玩儿，谭定鱼居然如此受女人欢迎，她怀疑自己视力有问题。

"我不知道该怎么说。"于水波迟疑着，但转而又说，"我们虽然彼此不太了解，但我挺信任你的。我觉得你挺了解谭总的。"

"哪里！"她好像在嘲弄自己。

"但你能想象到我们之间的情形。我很郁闷，这样的状态又不能跟家里讲，你能理解吗？"

"当然。"丁欣羊开始同情对方，便加了一句，"他不能离婚吗？"

"你觉得他能离婚吗？"

"我不知道。"丁欣羊知道自己没说实话。

"我爱上他了，所以很惨。你认识他老婆吗？"

"不认识，见过一两面，好像不是很平易。"

"你说我该怎么办？"于水波问话的态度，像不懂事的孩子。

"也许谁都帮不了你。"

"是啊，我知道。我给你打电话时还想，你很聪明也有经验，也许你能指点我一下。我很困惑，老是睡不好觉。"丁欣羊考虑要不要把真实的看法说出来，说出来以后，对方能不能承受。

"有时候很奇怪，就是想听听别人的意见，哪怕是告诉我我错了，也好。"

"我想你们两个是你主动的吧？"丁欣羊决定坦率地说出自

143

己的看法。于水波立刻承认是这样。"那你有没有考虑过,你要的是什么?"

"我不太明白。"

"他结婚了,而且是你的老板,他比你大差不多二十岁。这些都是前提,你没想过这意味着什么?"

"没有。我只是被他吸引了。"

"如果前提变化一些,他不是你的老板,没有现在的地位,只是一个普通的中年男人,你还会被他吸引吗?"丁欣羊说完电话两端都沉默了。

最后于水波打破了沉默。她说,她不怀疑丁欣羊提醒是出于好意,但她认为这是不能分开的,每个人都有自己的环境。

"我很抱歉,我不该这么说的。"她停顿看看于水波有什么反应,后者只是沉默。"但我觉得你的处境太艰难,所以你必须想清楚,你到底要什么,不然你坚持不了多久的。"

放下电话,于水波问自己:我已经在坚持了吗? 坚持意味着在这个关系中我已经很不舒服,这难道也是情感的一部分吗?我还愿意吗? 如果坚持也意味着不情愿,那我还有什么其他目的吗? 想到这里,她不敢往下想了。

车窗外是南方碧绿的田野,对面是两个高高兴兴的同事,一男一女,人在旅途,自由放松远离现实,这感觉久违了。白中真想给什么人打电话说说这心情,可惜火车还有半个多小时就到终点站了。

他的两个同事正在谈一个愉快的话题:男人,女人,哪个种类更倒霉。女同事尽情数着做女人的倒霉之处:除了承担家务,生孩子养孩子的痛苦之外,女人最惨的就是心理上对男人的依赖。她讲了最近看的一部电影中的情节:一个受丈夫虐待的妻子,被她丈夫的朋友爱上了。他想替这个女人报复,持枪闯进了他们家。面对这场面,那女人说她还是爱她的丈夫。持枪者精神垮掉了,他不停地说一句话,我这是为了谁啊?

"你们觉得这是爱情吗?"女同事问,接着又补充说,"我是说这女人对她丈夫的感情是爱情吗?"

白中和另一个男同事沉默着,好像这是个原则性的问题,不能轻易回答。

"这就是心理依赖,跟爱情一点关系没有。"她的话让白中想起了丁冰,于是更是无话可说。"还是老百姓说的透彻,女人就是贱,说正面一点叫一夜夫妻百日恩,太可笑了。"

"你多大了?"另一个同事问女同事。

"干吗问女人年龄?"

"随便问问,我觉得你脑子里的东西跟你的年纪不沾边儿。"另一个同事说。白中却觉得这个中年女同事很不一般,要是丁冰能像她这样把什么事都说出道理来,哪怕是悲观的,也会容易许多。其实,他害怕的不是她的问题而是她的漠然。她沉默,他就无法知道她的问题。这也是他无助的原因。他拉回思绪,他们已经换了话题。男同事说,最倒霉最无助的是男人不是女人,无论哪个女人只要对她的男人说一句话,就能把他置于永久的死地。

"你不是孩子的父亲。"他煞有介事地模仿着女人的腔调。

"你可真不了解女人,不管孩子的父亲是谁,现在的女人都不说了,没必要。"女同事半开玩笑地说,引得两个男人大笑,笑的同时心里也许都在庆幸,自己只是这女人的同事。

白中出差的三个星期,丁欣羊提出陪丁冰,被拒绝了。一天晚上,她们一起出去吃饭喝了两瓶啤酒,回到丁冰家里,两个人聊了一阵天儿,天晚了,丁冰便留妹妹过夜。躺在床上,她问欣羊跟朱大者关系如何。丁欣羊简略讲了那个晚上的事情,省略

145

了打电话那一幕。也许觉得难以启齿。但她说了朱大者阳痿的事。

"一个男人能把自己这样的事说出来，挺好的。"丁冰说。

"一个男人能把自己这样的事说出来，说明他不是这样的。"丁欣羊坚决地反驳。

"你不信任他？"丁冰有些吃惊地问。

"你信任他？"

丁冰想想点头。丁欣羊并不吃惊，她自己嘴上这么说，心里也不是这么认为的。

"他有障碍。"丁冰说。"但也有质量。"

"你好像也挺喜欢他的。"丁欣羊半开玩笑地说。

丁冰脸红了。

"承认了吧。"

"这有什么承认不承认的，人对人都是有感觉的。不过他对我的感觉和他对你的感觉是不同的。"

"哇，姐，今天你真让我刮目，拜托你跟我好好说说这不同。"

"他对我的感觉是同类人的同情，我心里很受折磨，也许他有过类似的经历。他对你的感情是男人对女人的，跟同情没关系。"

"你说的也许有道理。但他太烦人了。我已经觉得认真找个男朋友，把他挤出去。"

"你说挤出去，说明他已经在你心里。"

"有时候吧，尤其是我心里过不去的时候。但我不了解他，他好像不希望任何人走近他。"

"他也许能克服他的障碍。"丁冰低声地说，没有把朱大者的经历讲出来。她想，如果愿意他可以自己告诉她。

"你呐，姐？"

丁冰被问住了。过一会儿她对欣羊笑笑，没说话。

"姐,你真的不能跟我敞开谈谈吗?"

"我不知道该说什么。我现在挺好的,你不觉得吗?"

这天夜里,丁冰做梦大喊,吵醒了欣羊。她推醒姐姐,问她梦见什么了。丁冰反问她自己喊什么了。丁欣羊顺手也把丁冰旁边的床头灯打开,让屋子里更亮些。

"你啊啊地叫,没喊出来什么。"

"我以为我在叫你姐夫。"丁冰虚弱地说,夜里她的脸色更是惨白。丁欣羊给她端了杯热水,平静下来之后,丁冰让欣羊把灯都关上。她们重新躺回被窝儿,丁冰讲了自己的梦。

"我梦见一个地方,很熟悉,但忘了什么时候去过。我站在一条小街上,不停地想,到底什么时候来过这地方。想着想着,我开始头疼。梦里,我对自己说,你不想头就不疼了。但我不能不想。后来,我想离开那个地方,但一步也迈不动。就那么站着,越站时间越长,时间越长我越是想,最后天快黑了,我还是想不起来什么时候来过这地方。突然,我想该回家给你姐夫做饭,这时,我看见你姐夫从街边的一幢楼里出来了。我立刻喊他,但发不出声音。他越走越远,我还是动不了,更拼命地喊,然后你就把我推醒了。"

丁冰做梦的这个晚上,白中和出差的同事一起吃晚饭。那个女同事一边嚼着羊肉一边问他有没有外遇,白中的脸立刻红了。女同事对另一个男同事说,看来是有。

"胡说。"白中否定。

"好吧,算我胡说,你坦白一下,你到底有没有,或者有没有过?"白中反问他们为什么想知道。女同事说,在婚外恋盛行的当今,他因为从不和女同事调情从不抱怨妻子和家庭生活,下班按时回家诸如此类的特点,变得值得怀疑。

"再加上咱们老白人也是仪表堂堂,更值得怀疑。"男同事帮腔。

"怀疑我什么?"

"不是怀疑你有婚外恋,是怀疑你有什么问题。"女同事话音刚落,白中的脸再次红起。女同事说,老白太爱脸红,好像谁要勾引他似的,所以她就此打住对老白同事的盘问,让老白同志自由发展。

吃完饭,趁女同事去卫生间,男同事问老白,跟丁冰是不是合得来。白中点头的同时脸上浮过难以察觉的阴云。男同事认为这样很好,在外面有情况到头来总是麻烦大于愉快。他说完看见白中没反应,便压低声音加了一句,我这是经验之谈。白中木然地笑笑,心里十分忐忑,仿佛他正生活在雷区,不可预测的未知像高悬的剑,把眼前出差的乐趣赶走了。

第十四章

　　阳台中间隔了一堵矮墙,大丫和邻居共享。邻居是一对中年夫妇,在家时间不多,在家时经常吵架,吵的时间不长,很快又是相亲相爱,令大丫很羡慕。阳台朝院子的绿地,他们都没封阳台。有时邻居夫妇在阳台上喝茶,赶上大丫出来总会聊聊。有一次,男主人说,我们总拌嘴,肯定打扰你了。大丫说了自己的羡慕。那男人感谢大丫这么理解他们,他说,这也算缘分。在大丫看来他们是好夫妻,不用掩饰什么,也没什么需要掩饰的。她想到自己和大牛的吵架,如果不掩饰,肯定成一台大戏,估计可以卖票。

　　邻居两口子有个灰猫,偶尔晃过来,蹲在大丫的花架上,看着她吸烟。大丫不知道猫的名字,它傲气的表情搞得大丫很气馁。她怀疑这只猫把她看透了。有几次,她和猫对视,从猫的绿眼睛里,她看见轻烟袅袅从自己胖胖的指间上升,最后从视野中消散。她担心这猫随时可能开口,说两句她受不了的话。

　　"哎,我说,你是哪儿的回哪儿去,别愣装我家的猫。"一次大丫对猫说完,猫立刻昂头走开了。其实,她很喜欢小动物的,可惜没包括这只猫。

　　"你怎么老跟这猫过不去?"大丫回到床上,大牛迷迷糊糊地问。她嘴上说没有,心里觉得是这猫跟她过不去。大牛把她扳倒,从后面把她搂进怀里。他亲吻她的后颈,咕哝了几句话,好像又睡了。大丫的思绪从猫那里回到大牛这里。和好以来,他们没再吵架,但是,有时,她仍然动分手的念头,尽管自己都觉得这么想没什么道理。难道复合就是为了再一次分手吗?

从第一个亲吻开始,大丫发现他们的关系就充满了伤害。但她的理智从来没真正起过作用。大牛总是能唤起她的柔情和激情,让她在亲吻时产生仇恨,又在仇恨时渴望亲吻。她知道有魔鬼,却不知道魔鬼躲藏在谁的身上。

和好之前,她常常看见空气中迷漫着伤害的欲望,这欲望通过他们的生活细节控制他们,使得他们两个都很小心,毫不放松。上次大爆发到现在和好如初,他们终于放松下来,像两个刚刚离开战场放下武器的士兵,迎来一段亲切平和的日子。

"你在想什么?"大牛另一只手也从后面绕过来,仿佛他是大丫的大背包。大丫说没想什么,大牛说她撒谎。"要我放进去吗?"大牛问。大丫说要。大牛从后面进入,大丫要换姿势,大牛制止了。大丫扭动着身体,欲望醒来。她想忘我地再做一次,像昨天夜里那样,但大牛不让她动,他有话要说。

"那你拿出来。"大丫恳求。

"我不,这是我们最好的说话方式。"

"让我转过来。"

"不行,你看着我,我就说不出来了。"大丫只好不动了,她费劲儿地把注意力带回炙热的身体中,克制着自己。

"分开的那段时间,我快要疯了。脑子里想的都是跟你做爱的细节。越想越详细,越详细越想。有时,我试着看张黄碟,看两眼就得关上,看不下去,觉得恶心。所以我才去找别的女人。跟你说,你也不能正确理解。"大牛低声地抱怨了一句,还是接着说下去。"跟别的女人睡觉之后,我还是想你。后来我发现,我总是忘不了跟你做爱的事,不是因为你的性,是别的东西。你抽烟的样子,你笑的样子,你出神儿的样子,你看我时的眼神,你吃完饭扔筷子的样子,你能明白吗,大丫,我死定了,因为没有女人能代替你。我绝望的时候，都想杀了你。我不能不回来找你，给你跪下，我都干，只要你要我就行。让我们好好地留在一起，大丫，你和我不是一个男人和一个女人，我们两个的缘分太大了，即使是孽缘，也分不开了。别总想着跟我分开，我爱你，非常非常爱。"

大丫被浸到一种溶液中，一切的一切，都融化了。

"说点什么，大丫，对我说点什么。"

"我不知道该说什么。"

"管它说什么，说点儿什么。"

"我恨你，也许有一天我会恨你。"大丫说的像梦话，心里正在感受的爱的感觉，孕育着毁灭的力量。她从没这样爱过一个人，也从没这样怕过一个人，也从没想过会恨一个人。

"你说的是心里话，我高兴听，你知道吗，大丫，你恨我爱我对我来说都是一样的，只要你别不在乎我，怎样都行。大丫，我爱你，你想不出，我有多爱你。"大牛说的柔情，断肠，淋血，世界上最不相信爱情的人听了也会动容。他俯身吮着她的唇，她的眼睛，她的脸庞，仿佛她是果实，处在最灿烂的成熟期，他恨不得把自己变成清风或者锦缎，只为了托住这一切，能托多久就多久。

"你不要这样对我，我承受不了。"大丫轻轻地请求他。

"我要这样对你，不然我还活着干吗?!"他继续亲吻她的身体，像最真心诚意的爱的表达，居然跟性欲脱离了。

在一条不算繁华的马路边上，在一幢八十年代的旧居民楼里，进行着大丫和大牛的幸福生活。一晃，迎来了春天。他们第一次晚上坐在阳台上抽烟，看夜空里仅有的几颗星星，决定去云南旅行，看看星星。看星星最好的地方应该是拉萨，大牛说。大丫同意，她说，拉萨这名字听起来也很浪漫。除了浪漫还很神秘,好像在那里会发生人们想不到的事情。

我们去拉萨。大牛拥吻大丫。她表示同意。

"你还有多少钱?"大牛第一次问。

"问这个干吗? 我不太清楚,估计还有六七万。"

"我差不多也有这么多。我们去拉萨吧?"

接着,大丫问大牛,是不是闻到了泥土的气味,春天里的泥土的气味。他们拥抱起来,春天夜晚的凉意掠过他们裸露的胳膊,把两个相爱的人安逸地裹到一起,送到了另一条路上,跟拉萨无关,也跟罗马无关。

他们两个用各自的存款做首付,贷款买了郊外的新房。买房装修到进住耗尽了他们的耐心和神经,这两个对爱情有非常理解非常要求的人,再度敏感起来。因为买房,拉萨变得更加遥远。

庆祝乔迁之喜,他们请了丁欣羊和大牛的朋友车展。

"这哪里是新居啊? 不就是四堵墙吗!"丁欣羊先到的,新房的装修风格惊得她合不上嘴。

"有浴室。"大牛随手指指一堆绿色的玻璃 。

"我看见了,浴室的玻璃是乌的,说明你们还没全疯。"丁欣羊并不想停止对这房子的批评,大牛说他去做饭接着走进了由餐桌餐椅围起来的同样是开放的厨房。"你习惯这种开放式的风格? 你怎么写东西啊?"丁欣羊问大丫。

"我不在的时候,她写。"大牛从厨房里回答。

"你什么时候不在啊?"丁欣羊多少有些讽刺地说,没等大牛回答门铃响了。大牛去开门,大丫给丁欣羊使了个眼色,后者明白他们改善过的关系又有些紧张。

大牛带着一个四十多岁的男人走近她们。他介绍来人的名字和身份,又为来人介绍了丁欣羊。车展,这个名字给丁欣羊留下了印象,副总经理的身份却像微风一样刮了过去。如今,丁欣羊认识的中年男人中有一半是副总经理。他们刚坐下,大牛便招呼他们去餐桌那里,他摆了一桌子吃的,都是冷盘儿。

"冷餐哎。"丁欣羊说,大牛接话说,"他和大丫商量过,除了冬天,他们只吃冷餐。"听了他的话,丁欣羊看看大丫,大丫也许早有准备,目光已经在别处。车展像在自己家里一样给大家倒酒,大丫不乏幽默地补充了一句,这房子就是车经理他们公司开发的。

"丁小姐有没有兴趣买一套?"车展看丁欣羊的眼神里有些特别的东西,使得丁欣羊转而用眼神去问大丫,搞什么名堂。大丫对此发出一个无奈的微笑,丁欣羊只好回答车展说,她这一辈子只供得起一套房子,再买一套是下辈子的事了。车展说,丁小姐把买房这么小的事看得太夸张。丁欣羊不想给车展机会继续以经理或副经理的口吻说话,便说:

"你的名字很有意思。"

"是啊,是啊,我父母给我起名字的时候只有车,没车展。"

"现在有车展了,你出示身份证能免费入场吗?"丁欣羊说完大家都笑了。车展忽然认真地说,他不想改名字,是因为父母都不在了,名字还算是纪念。大家不说话了。

"我很羡慕那些父母还健在的人。"

"你有兄弟姐妹吗?"丁欣羊问。

车展摇摇头,然后换一副快乐的表情举杯,希望我们有机会再聚。说完自己干了杯中的啤酒,双手抱抱拳,解释自己必须提前离开的原因,再次道歉后离开了。走到门口又折了回来,他递给丁欣羊一张名片,希望保持联系。丁欣羊说自己没带名片。他说,没关系,他会问大丫的。

车展离开后,大丫和大牛在丁欣羊的审视下,互相笑笑。

"在没通知我的情况下搞鬼,不怕惩罚?"丁欣羊没有表情。

大牛赶紧问什么样的惩罚。"也许我们真的好上了,然后闪电结婚,婚后大打出手,然后整天来你们家诉苦,让你们后悔得天天发誓,往下五辈子以里,绝不给任何人介绍对象。"

"你要是有这气质,早就结婚了,也用不着我们今天还得为你操心。"大丫挖苦地说。

"你的气质呐?坚决不结婚的气质?你别折磨我了。"丁欣羊挖苦大丫。

"大丫说过她决不结婚?"大牛好奇地问。

"好像是。"丁欣羊担心敏感的大牛多想,便转移话题。"你说过吗?"她问大丫。

"我没说过,都是别人替我说的。"大丫显然也不想就此多说。"不说这个,你对车展印象如何?"

"刚开始跟后来不一样。好像人还有朴实的一面。"

"何止一面,很多朴实的面面。"大丫耍着花腔。两个女人都没注意大牛一直沉默地看着大丫,当她们又开了几句玩笑后,大丫让大牛再拿几瓶啤酒,大牛去厨房时,丁欣羊低声说,希望自己没惹祸。

大牛带着啤酒回来给她们倒上时,表情仍然很严肃。丁欣羊说:

"有时,我真想结婚,管它跟谁呐,哪怕再离婚都无所谓。"大牛和大丫没想到丁欣羊突然这么伤感,没搭话,等着她的下文。她说这句话是为了弥补自己刚才的冒失,话一出口,却引出了自己的伤心。

"车展挺好的。"大牛说。

"你别开玩笑了,我还不认识他呐。"

"你刚才不是说,不管谁都行吗?!"大牛说。

"那不过是说说,过过嘴瘾。有人说,现在最难的是离婚,我看是结婚。我过够了一个人的生活,当然一个人的生活有很多优点,但太缺少对应,更谈不上交流。奇怪的是我越想结婚越结不了。我没去挑漂亮的,有钱的,有才华的,就想找个人,是那么回事就行,居然这么难。我自己都不知道症结在哪儿了,我真的看不到希望了。"丁欣羊动情了。大丫心里又出现那熟悉的无助感,看着朋友受苦,自己帮不上忙。

"找到爱情,结婚顺理成章。"大牛说。

丁欣羊看看他,一脸无奈。

"人要是能忘我,什么都行,结婚也不例外。"大牛又说。

大丫心里想,女人忘我的经验大多以受伤告终。但她不想这时候把这话说出来。大牛一直觉得他的爱情是例外,他们的爱情同样应该例外。

"大丫,你嫁给我吧。"大牛忽然对大丫说。声音不高,口吻庄重。

丁欣羊看着大丫,大丫好像没听明白扭头看看丁欣羊。丁欣羊瞥了一眼大牛,他的脸色在大丫的反应中变化了。

"你说什么?"大丫为了掩饰自己的慌乱,问道。

"我向你求婚,嫁给我。"

"你怎么了,干吗突然说这个?"大丫仍然无法把自己调整到位。

大牛仰头看看屋顶,眼睛看着别处,又说,"可能是话赶话说到这儿了,但我是认真的。"

大丫笑了,笑得很狼狈。

"嗨,你们两个怎么了? 我看最好是我现在退场,你们好好谈谈。"丁欣羊说完,大牛站了起来。他穿上外衣,平静地说,也许该退场的是他。他走到门口时,大丫像刚从梦中醒过来一样,跑过去拦住他。

"对不起,大牛,这一切都太突然了,我不知道该怎么解释。也许我过去的经历给我留下了很多障碍。"

大牛温和地拍拍大丫的肩膀，她看到他眼中的泪光。他说，应该道歉的是他，他不该这么突然地求婚，可是刚才特别想这么做。

"我还以为我是有把握呐，所以也没多想场合地点什么的。现在我明白了，我错了，我们怎么相处，好还是不好，对你来说，我仍然是外人，是那个任何人中的一个人。我知道你从前说过，不会跟任何人结婚，我以为，对你我不是任何人，我是惟一的那个人。"说着大牛因为难过，脸扭曲了。

"你是惟一的，大牛，你不能这样对我。"

"我回去住一段，我心里太难过了。对不起大丫，我已经不知道该怎么对你了。"

一贯冲动的大牛平静地走了。大丫伤心地哭成了一团。丁欣羊陪着掉泪。她站在大丫身旁，说不出任何安慰的话。她第一次真切地看见爱情带来的痛苦，觉得它美丽异常。

第十五章

　　春天来了,春风也跟着来了。除了春天里人们容易犯困,其他跟春天连着的美好记忆,在这个春天里,都很难找到对应。一个格外阴沉的黄昏,春风把路上没有拣净的垃圾刮到了天上。行人大都缩着脖子,似乎担心垃圾会被风吹到大衣领里。

　　大姜的妻子死了。

　　她日夜不停的责骂,杀死了大姜的神经,他变得无所谓了。于是,她也必须把自己的版本升级。她在厨房向大姜摊牌:彻底断绝跟老牧的关系,不然报告公安局。大姜眼睛都没抬。

　　她说,要么她死给他看。

　　大姜低头喝闷酒,类似的节目因为别的问题从前她演过多次。大姜因此了解自己的老婆:自私到极点,绝不会为别人牺牲自己。她要为自己争取最大的利益,竭尽全力,最终,不成便不成。她除了不珍惜力气,其他的都舍不得。她曾经对大姜说过,力气不用花钱买,别的没钱行吗?!

　　这次她搞到一瓶农药。

　　她举着药瓶对大姜说她够了,跟他丢不起人。现在亲戚朋友都知道了他的事,大姜插了一句,说她不四处嚷嚷,谁都不会知道。

　　不许你再见他。我们有钱,把他的股份买下,让他死去吧。

　　你死去吧。大姜说完往外走,他老婆把一平锅丢到了大姜的背上。大姜趔趄前扑,差点跌倒。他心已死,头也没回便离开了家。

他在一个小饭店要了一盘花生米和半斤白酒，想起老婆心里一点气都没有。假如她给了他一刀，他也只能受着，毕竟是他伤害了人家。

让他难过的是，看不见希望，无论哪方面的希望他都看不见。除此之外，他不知道将来如何面对儿子。心里难过，他很快喝光了半斤酒，又要的酒还没上来时，他接了一个电话，立刻冲回家。家里的阿姨坐在沙发上哭，大姜老婆躺在厨房的地上。

她喝农药了。阿姨一边哭一边说。

夜里大姜坐到老牧旁边，好半天只说了一句话：

"她想威胁我，把自己搭了进去。"大姜的口气里有对自己的蔑视。

老牧想安慰大姜，这么想了半天，还是一动不动地坐着。大姜把手搭到他肩上，他仍然没反应。

"都是命吧。"大姜收回自己的手。"你不用太担心，我兜着。"

"什么话啊?!"老牧不满地抱怨。"什么叫你兜着，这是我们两个人的事。"

大姜抽烟不说话。过了一会儿，老牧说：

"你干吗逼她离婚啊?"

大姜吃惊地看着老牧，老牧像女人似的抱怨一句，看我干吗。

"我提出了离婚，但没逼她。"大姜说。

"还不一样。"

"你怎么了?"大姜问。

"我没怎么。"

"这事不是小事儿，我知道，但是已经发生了。"大姜说。

"你说的容易,已经死人了。"

"你不用告诉我死人了。死的人还是我老婆呐。"大姜平静地说。老牧闭嘴了。

"我先回去了。"大姜掐灭了香烟说。

"你想怎么办?"老牧拦住他。

"处理该处理的,然后,我们一起出国。"

"你没疯吧?"老牧轻轻地问。

"我没疯,是你害怕了。"大姜说完夺门而出。

老牧一个人坐在家里想了好久,越想心越不安,一个人开车跑到大姜家门口,大姜家的灯还亮着。老牧去敲门,来开门的男人认出老牧之后,便扑过来打他。大姜从里面冲出来,拉开他们,把那人推回屋里,门反锁上。老牧等了一会儿没动静,又开车回家了。

在大丫家,车展和丁欣羊认识之后,互相通了几次电话,因为车展非常动心,诚意打动了丁欣羊。她开始幻想,自己这次真的碰到了一个健康认真的男人。

车展觉得,丁欣羊是他一直在找的那个女人。

他们第一次约会不是吃饭喝咖啡,而是一次郊游。

那是一个天气晴好的日子,车展开车来接丁欣羊。当他坐在车里,看着她从家门口走过来,宽松的白毛衣配紧身牛仔裤,浅蓝色的丝巾轻绕胸前,像悬念,好像预示这天的美好情景。她蓝色的风衣像镜框一样把她的女性美衬托出来。一切的一切都吻合车展对一个女性的期望。

"这好像不是你的那辆车?"丁欣羊坐进车里,带着淡淡的香水味。令人舒服的女人,车展发动车子的时候也发动了这样的心情。

"公司的车。离开城市车好点儿安全系数高。再有,这车的音响效果也好,坐着也舒服。"车展微笑着。

"奇怪,我居然带了几盘 CD,奇怪。"丁欣羊一边找 CD 一边说。

"不奇怪,也许我们彼此之间有感应。"

"我们去哪儿?"

"保留惊喜。"车展放上丁欣羊拿出的挪威歌手演唱的民歌,悠扬的歌声伴随他们轻快地离开了城市,开上了郊外的林荫路。春天的乍露的新绿唤起心底已经休眠的希望,田园般的歌声把周边开阔的视野和两个人的心情连了起来。他们默默地开车听歌欣赏眼前的景色。

车展的周全和能力给丁欣羊带来的舒适,是她在从前生活中很少体会的。她因此看见自己的另一面:做个乖巧的女人,像猫蜷在窝里,让什么人为自己安排,心甘情愿地为自己着想。

丁欣羊忽然想起惟一一次跟朱大者在郊外散步的情形,心里刚有的安宁被搅扰了。现在我不该想朱大者;现在想他对车展不公平……丁欣羊无法摆脱这些念头的纠缠,都是因为郊外的原因,她想,我很少出城,所以关于出城的记忆就会彼此发生联系。接着,她笑了。

"你笑什么?"车展高兴地问。

"我想起一首诗。"

"让我听听。"车展说。

"爱

不爱了

再爱

爱不在了"

"谁写的?"车展感兴趣地问。

丁欣羊说是一个朋友写的,隐去了朱大者的名字。然后她问车展是否喜欢这首打油诗。他说,写得很巧,但太悲观了。

"那你怎么看爱情?"

"爱情不值得太珍视,太短暂。但通过爱情发现的那个人值得珍视。一般说来,谁都能活几十年。"他说完两个人都笑了。

"认可,对我来说,比爱情更重要。我很少认可什么人,认可了,我就会认真,不轻易改变。"他接下来说的话打动了她。她小声问他第一次婚姻的情形。

"没什么情形,那时,我经常不在,她跟别人好了。"

"你认可过她吗?"

"不能这么说,结婚时我还年轻。认可这种感觉,我也是这几年悟到的。"

丁欣羊不再说话。她心里一直堆放的东西,突然被掀动了。此时此刻,她觉得自己可以给那堆东西定义了——那是些打扰她正常生活的心理垃圾。她似乎看见车展朝她伸过一只手,帮助她挣脱出去,从此开始新的生活。

"怎么不说话了?"车展问。

"现在你找到认可的人了?"

车展想说找到了,是你。但他担心自己现在做这样的表白太早,会让对方觉得他是个轻率的人。他想了想才说,他不知道。

他的话把丁欣羊的感动挪开了。她想,她把对方用来调情的话当真了,然后立刻调整自己的状态。她换了一盘风格奔放的 CD—— 黑人演唱的宗教歌曲,淋漓尽致的忘我投入,似乎能把所有人对上帝的怀疑唱没。

这时,她的手机响了,是老牧的电话,她没有马上接。手机又响了,车展劝她接电话,他猜测打电话的人有急事。

丁欣羊专注地听了半天电话,表情变得很严肃。打完电话丁欣羊看着前方,过了一会儿,她问车展能不能在前面停下。他立刻靠边儿停了车。

"老牧是我大学同学,多年的朋友了。你不是很反对同性恋吧?"车展摇头之后,她接着说,"他就是。他男朋友的妻子自杀了。今天他老婆家亲戚都来了,老牧担心他们会伤害他,希望我过去看看。"

"明白了。"车展说,"他们都知道了老牧的事?"

丁欣羊点头,车展掉头朝城里开回去。她关了 CD,两个人一时间找不到合适的话题。

他们赶到大姜家时,那里聚了好多人。房门半开着,他们进门前互相鼓励地对望了一眼。屋子里的气氛中没有悲伤,相反很紧张。一个男人问他们找谁,丁欣羊说找大姜,那男人立刻有反应,好在他的手机响了,他们走了进去。

客厅的窗户敞开着,几个站在各处的男人都在吸烟。大姜一个人呆呆地坐在沙发上,好像其他人在以站立表明立场。

"事情肯定没完。"一个站在窗边的男人说,其他人马上附和催促大姜拿出善后意见。大姜一言不发,看上去快要睡着了。丁欣羊走近他,他朝她点点头。丁欣羊指着车展说,一个朋友。大姜点点头,并没有别的反应。这时,一个小伙子走近车展,拍拍他的肩膀问:

"你是谁啊?"他问完又加了一句,"你不会就是那小子吧?看你还没那么娘们儿。"

车展转身,挪开放在他肩膀上的手,"我肯定是个小子,可我不知道你说的那小子是谁。"

"你还挺能装,你以为你带个女的打掩护,别人就不知道你他妈的同性恋了?"他的话把其他人的敌意挑了起来。

"小秋,你别乱来。"大姜说。被叫做小秋的小伙子更放肆地走近车展,回头对大姜说了一句话,"你少管我叫小秋,你他妈的是杀人犯,别叫我名儿。"

车展轻拍了一下小秋的肩膀,刚说了一句,嗨,哥们儿,小秋回手一拳打在了车展的脸上。车展的鼻子出血了,他反应了几秒钟,在所有人还没完全反应过来时,突然出拳把小秋打倒了。倒地的小秋像一道命令,旁边的三个男人立刻扑上去,把车展扣到了里面。接着是丁欣羊过去拉架,她的举动刺激了另外三个女人,她们也扑过去,拉扯丁欣羊。丁欣羊对她们大喊,你们傻啊,拉他们呀,打死人他们全都进监狱! 女人们被丁欣羊提醒了,过去拉扯自己的男人,却被自己的男人扔到了一边。

　　"你打我干吗?"一个女人委屈地大喊。

　　"别打了!"大姜的声音传进了每个人的耳朵,但没人住手。接着是一声枪响,客厅的落地玻璃哗地淌了下来。

　　"都滚出去。"端着猎枪的大姜命令着。丁欣羊把满脸是血的车展扶到一边,一个男人朝大姜迈了一步,"我借你一个胆儿,你他妈的打我啊。"他的话音刚落,大姜朝他的脚下开了第二枪,地板迸裂了一片。那男人的女人拼命地拉着丈夫往外走。

　　"大家还是先离开一下,等大姜冷静下来,再商量。大家都是亲戚,有啥不能商量的。"丁欣羊尽量平和地劝在场的人。怒气未消的男人借着丁欣羊的台阶和自己女人的拉扯,陆续离开了。其中一个男人走到门口回头对大姜说,"你小心点,除非你不想活了。"

　　大姜对他轻蔑地笑笑,好像已经决定不活了。那男人疑惑地看看大姜,还没做出进一步反应时,被自己老婆拉走了。丁欣羊在他身后关上屋门。大姜瘫坐在沙发上,拄着猎枪低头抽泣。车展去洗手间洗自己脸上的血迹。

　　"对不起了,哥们儿,让你受牵累。"过了一会儿车展回到房间,大姜对他说。

　　"别这么说,如果他们再找你麻烦,我找几个哥们儿。"

　　"不,不,他们不敢把我怎么样。"

"都是你老婆那边的亲戚吧?"丁欣羊问。大姜点头。车展问他们的目的,大姜没有表情地说,"他们想把我儿子接管过去,当然还有饭店。"

"太过分了。"车展说。

大姜擦擦脸,闪出一个苦笑。"你们回去吧,我没事的。千万别再来了。"

"你要不要去老牧那里呆两天?"丁欣羊建议。大姜摇摇头。车展把自己的名片递给大姜,拉着丁欣羊要离开。

"哥们儿,我不是客气,有事你给我打电话。"车展说完和丁欣羊一起离开了。

一路上,丁欣羊沉默着。车展没问什么就把车朝丁欣羊家的方向开去,仿佛这是他对她沉默的理解。车停到大门口,车展看着丁欣羊,她想了想说,下来吧。车展熄了火,跟着丁欣羊走进了她的家门。

"你随便坐吧。"丁欣羊指指沙发,车展就势拘谨地坐到沙发上,像第一次拜访老师的小男孩儿。丁欣羊从卫生间里拿回一个小箱子,开始给车展处理伤口。午后微弱的阳光一点点地移向窗口,掠过窗台上玫瑰的花瓣,朝外面撤离。丁欣羊把落地灯打开,也许灯光更适合两个人此时此刻的心境。

"这儿真不错。"车展由衷地说。

"可惜阳光早早就走了。"她给他倒茶。

离婚后的车展一头扎在工作里,关闭了好多感觉。有好长一段时间,他觉得能触动他的只有疲劳。累的感觉让他想睡,此外,他觉得自己已经没有别的反应。看着丁欣羊家里的陈设散布着女性的气息。就着房间里的宁静,他闻着茶的馨香,生活中被他遗忘忽视的部分变得具体了。仿佛心被轻轻地抚摩,醒过来,提出了要求。

丁欣羊处理完车展的伤口,没有把自己的椅子马上挪回原处。她看着他脸上的划痕和青肿的地方,心疼,心乱。

"不知道该怎么说,我很……"

"千万别道歉。"他打断她,"我很高兴被打了。"他急忙地说。

"你说什么?"

"啊,"车展知道自己失言了,很无奈。"也许我希望他们打我。"他只好实话实说。丁欣羊看着车展,好像在鼓励他继续说下去。

"我发现我很喜欢你,所以希望你能改变对我的态度。"

"我的态度改变了吗?"她问,车展点头说,"改变了,你开始有点在意我了。"

沉默,也许认可了这样的表达。

"这方面我很笨,估计怎么努力也不如你,不如先把底告诉你。"车展憨厚地说,脸上男孩儿般的神情打动了她。

"估计你人不错。"她轻声地说。他深情地点头。

"不那么聪明?"她说。

"在工作方面还可以,比我聪明的都让我开除了。"他的话把丁欣羊逗笑了。在她笑得后仰的时候,车展把手放到了她的脸上,停止了她的笑声。她看着车展受伤的脸,凑近他嘴唇上肿起的紫色,吹了口气。他更凑近她亲吻。她感觉着他温软的厚唇,害怕弄疼他。他索性抱住她的头用力地亲吻,直到她挪动身子坐到他的腿上。

"疼吗?"她温柔得像一只小鸟。

他摇摇头。"愿意跟我相处一段吗?"他抚摩着她的头发。她点头之后把头埋进了他的怀里,刚才的亲吻还留在她的唇上,一个念头钻了出来:好久没这样亲过男人了。

"我太喜欢你了,欣羊。"他爱抚她。

"你要是上班,你的脸怎么办?"

"明天,后天,我都可以休息。我存了好多假期。你想跟我

165

出去玩几天吗?"他问她。她想,但没有马上答应。对她来说,最真实最保险的美好,正在发生。过了这个时间,一切可能更加美好,也可能是另外的样子。长久以来的独身生活,她储存了丰富的经验,变得对什么都没把握,除了对自己。

第十六章

谭谈作文：秋天

秋天来的时候，我总是很难过。眼前所有的绿叶都会死去，被风刮走。接着便是更冷的冬天，如果不下雪，冬天就像裸露的死亡。虽然春天会再来，带来新的绿叶和生命，但是秋天会再带走一切。

公寓的花园里有棵老梨树，物业的人不停地宣传，盖房子的时候，为了保护这棵老梨树，开发公司做了什么什么。梨树结下的桉梨我从没吃过，妈妈说她怀我的时候吃过很多。也许就是因为这个，我一看见它的样子，就不想吃。但我能想象这棵树的心情，我想，它至少该是充实的。它的果实会被采光，但只要等待，明年又会果实累累。

树，只要等待就可以了。

而人必须为自己的果实奋斗。奋斗得来的果实会失去，然后再奋斗，再失去。最后，死亡让人失去一切。人多可怜啊！他们也许可以主宰这棵树的命运，比如他们可以把树砍掉，但人永远也不能像树那样安宁和自信。树就是等待，什么都不做，它知道自己能等来什么，对那些得不到的东西，它们永远也不感兴趣。

而人越是得不到的越想得到，这难道不是愚蠢吗？！我对妈妈说过这感觉，可她说，这就是人。是她没懂我的意思，还是我没懂她的，我也搞不清楚了。我跟她说，要是我能选择的话，我愿意当树，什么都不干。妈妈立刻高兴地说，好在我不能选择。我不知道这有什么值得高兴。

这是我想说的关于秋天的话，也是我想在秋天里说的话。

谭定鱼放下女儿的作文，妻子放下了手里的杂志。她看新闻杂志和体育杂志，永远不看女性杂志，好像她不喜欢女人喜欢的一切。他看着妻子脖子上的一条丝巾，在房间里她也围着他。他曾经问过为什么，她说，习惯了，挺舒服的。他发现这也是他对妻子和女儿的感觉：习惯，舒服。跟于水波的关系开始后，他才知道，之前自己属于缺乏感受的那一类人。对别的女人的兴趣也许是因为生活太平静了，但这平静的另一面就是舒适。

"你怎么想？"谭定鱼对老婆说，心里多少有些歉疚。

"写得不错，有才华是不是？"她微笑着。

"是啊，我也这么觉得。"她结实的外表下面似乎还有一个世界。他的目光在离妻子不远的地方萦绕着。在她的小世界里，她可能活得更充实。看上去，她不仅了解自己也了解我们。想到这里谭定鱼打了一个冷战。

"老师说谭谈太早熟了，所以才把作文交给我们。"她觉到了他在走神，但没有提醒。"该跟她好好谈谈，估计没什么用，你看谈还是不谈？"她问。

没用干吗还谈。谭定鱼咕哝了一句。她说，"做父母只能这样。"

谭定鱼第一次在心里问自己，那些我感兴趣的女人真比我老婆更有意思吗？

"她从哪儿来的这些怪念头？"他问。

"遗传？"

"遗传谁？你还是我？"他问。

"有些人命中注定早熟。"她说。

"你指谁，你，我，还是谭谈？"她没有回答。谭定鱼的手机响了，是于水波打来的。他看号码的那一刻，希望世界上从没发明过手机和来电显示这类玩意儿。他必须接电话，因为他们约定过，下班后有重要的事才打电话。他突然期望妻子留在沙发上不动，哪怕他因此笨拙地撒谎，也好。

曲今知趣地离开了客厅。于水波说必须见他一面。

"为什么？"谭定鱼愤怒了。因为妻子的冷静理智？因为于水波的多愁善感？他不知道！

"没有为什么就不能见你吗？"于水波电话里的口气即使很理直气壮，仍然是难过的。他走进卧室，向妻子撒谎说，有个客户喝多了，他得处理一下。

"好啊，别太晚。"她说着打了一个哈欠。他想，她从没为他失眠过，也不会因为他回来晚担心。她总是在第二天早上象征性地问问，昨晚几点回来的，有没有喝多之类的。有一次早饭时，他半开玩笑地说，他回不回来对她一点不重要。她立刻回答说，难道我不该信任自己的丈夫吗？

"你好好睡吧，我可能会晚一些。"他有点恨她，觉得她知道他在撒谎。

又是夜里，又是一个人慢慢开车……有了情人之后，他觉得自己不停地奔跑在这条路上，要么是去看情人；要么是离开情人回家。小于电话里的难过抱怨和妻子的冷静从容像两块门板挤住了他，疲惫的感觉更经常地主宰他。一辆车飞快地超过他，超车的尾音像是同情他的叹息。他从一个立交桥拐下了快速干道，决定不迁怒任何一方，也不要从任何一方得到安慰，由自己承受眼前的一切。忽然，他羡慕那些生活简单的男人们，现在可以跟朋友安然地打牌或者半睡半醒地看电视。

不管怎样，我要先跟女儿好好谈谈，别的都是次要的。他想。

于水波穿着睡衣坐在床上，谭定鱼走进屋子的时候只有一盏床头灯亮着，尽管这样，他还是看得出她脸色惨白。他没像往常那样走近她，把她抱进怀里。今天他直接坐到了落地灯旁边的单人沙发上，随手打开了落地灯。房子是小于父母替她向一个老朋友租的，到处安的都是日光灯。有一次她说不喜欢日光灯的颜色，谭定鱼便给她买了这个落地灯。他觉得光开床头灯太暗了。

"你怎么了？"公事公办的口吻连自己都觉到了。

"是啊，我们说好了，下班以后没大事不打电话的。"于水波心寒地说，"我没什么事，你走吧，就算我把你骗来了。"

"你到底怎么了？"谭定鱼焦心地问，其实也是在问自己，今晚，他不仅没有欲望，连走近她都变得那么难。

"我没怎么。"小于冷冷地说。

"你别这样好不好，我真的很烦。我家里出了一些事，我……算了，你看，我已经来了，告诉我怎么回事。"谭定鱼的口气软了下来，但仍然坐在原地没动。

于水波心软了，这关系已经变得很不容易，何必再增加困难呐，想到这里，于水波说，忽然心情不好，刚吐了两次。谭定鱼立刻要带她去看医生。她说，你该问我为什么心情不好。谭定鱼终于坐到了她的身边，她立刻哭了。

"我真的爱上你了。"她提高声调，像发布死讯般哀怨地说。

"这有什么不好！"他说。

"可是今天晚上，我突然觉得你不再爱我了。"他搂着她，要她别胡说。他说，他仍然爱她。

"你永远都不会离婚对吗?"她问。

"你希望我离婚吗?"他反问。

"我知道我不该这么问。一开始你就跟我说清楚了,对不起。"

"你希望我离婚吗?"他又问。

"我希望。"她盯着他说。

他躺到床上,闭上了眼睛,心里死水一般。他曾经想过离婚的事,今晚魔鬼把他变成了另一个人,跟小于一起生活转眼间变得无法想象,尽管他不否认对她的爱情。她为什么偏偏选今晚谈这件事? 他简直无法理解。

"你放心,我不会要求的。但我希望你能理解我。当一个女人爱上了一个男人,想跟他一起生活是人之常情,你不这么认为吗?"

谭定鱼没有回答。他在心里认为应该消灭婚姻这种形式,那样男女才能真正地平等。

"我有个女朋友,也爱上了别人的丈夫。有一次,她去他家门口,想看看他们一家人的日常情形,结果是自己很受刺激。她看着那个男人体贴关心自己的妻子和女儿,自己死的心都有。"于水波说动情了。"看这样的画面我女朋友觉得这个男人跟她表白的爱情,是天下最值得怀疑的事情。"

谭定鱼躺在那里,她的话一字不漏地听进去了。他想,如果就这样慢慢睡着,不再醒过来,也许根本就不是什么坏事。于水波整理好了思路接着说。

"不管他对我女朋友怎么说,他对自己的家庭都是充满感情的。这感情表现在他不能离婚上。"她说到这里,谭定鱼咕哝了一声。她停顿发现他并不想发表意见,便继续倾诉。

"最后,我女朋友发现,这个男人从她那里找的就是他在家里缺少的部分,而且是很小的部分,所以他才会一开始就提出不能离婚的前提。可是,我女朋友也是一个女人,她希望自己的感情也能有所发展。但是,那个男人无法斩断跟过去的联系,所以,女的就惨了,进退两难。"

谭定鱼发现于水波喜欢用"所以"这个词儿,仿佛这世界上所有不愉快的事情都可以由所以引导出来。"我女朋友也是一个女人……"他记起她刚才是这么说的。可惜我也是个男人,又能说什么呐?可他必须说点什么,就像他现在必须从床上起来安慰一下她。

"你女朋友还年轻,还可以爱别人。"他说着坐起来。

"连你都这么说,看来,我也该提早准备了。"她不冷不热地甩出了一句话,一只手轻轻抚摩自己脖子,好像这样可以帮助她为未来做好准备。

"你什么意思?"谭定鱼刚睡醒一样。

"你跟我女朋友的男朋友有什么不同吗?"她问。

"你到底在说什么?"他好像越来越清醒了。"你觉得我们的感情跟你女朋友的一样?"

"有什么不一样,不都是爱情吗?"她的话伤了他。年龄的差别像蜂刺扎了他一下。如果她不比他小近二十岁,就不会这么说。

"我要是强调不一样,你会高兴吗?"他想活跃气氛。

"你真的觉得不一样吗?"她的声音弱了许多。"人说女人第一次交出身体未必是因为爱情,但一次又一次就是爱了。而男人向女人交心才是爱。"谭定鱼期待着下文能是对自己的肯定。"可惜,我几乎不知道你心里想的是什么。"

"你到底要干什么?"他生气了,"你是在准备离开我,还是已经行动了?"

"对你来说有什么差别吗?"他不敢相信自己听到的话是从那么善解人意的小于嘴里说出来的。他站起来愤怒地问她是不是有别人了。她低头不说话,过了一会儿轻声说,他没权利这么问她。

"说!"他不仅知道自己没权利,还不理解自己的愤怒。但他突然控制不了自己,整个人被魔住了一样。她悄悄滑进被窝,他一下子掀掉被子。她大喊,你要干什么。他继续问她是不是有别人。她说,有怎么样,没有又怎么样。他扑到她身上,发疯地吻她,她也发疯地抗拒,这让他更抓狂,他按住她的手,直到吻得她软下来。

"不许有别人。"他趴在她身上,认真地说。"你是我的人,只属于我一个人,听清楚了?"他觉得自己被魔鬼抓住了,只剩下欲望。

"你爱我吗?"她感动了,目的也达到了。

"我爱你。"他说得很酸楚。

"让我记住这个。"她狠狠地亲吻他,双手扣紧把他按向自己。谭定鱼也急不可耐,他拉扯她的睡衣,抓她的头发,恨不得同时也能把自己扒光。他的"抚摩"在她白嫩的皮肤上留下一道道红痕,脑子里的画面却是另一个男人在做他现在所做的一切。他无法想象另一个男人接近她,于是更猛烈地对她,无视她任何表达痛苦的表情,最后把自己弄得精疲力竭。他把小于紧紧地裹在身下,用力再用力,恨不得把她变成一个放到掌心的小人,可以随时放进上衣口袋带走,可以随时拿出来亲吻……他眼前飞过许多黑色的东西,忽然头很晕,自己软了下来。

"对不起。"他道过歉之后,仍然摊在小于的身上。她又像几天前那样爱抚他,仿佛未来正向他们招手致意。

那天晚上,谭定鱼回到老婆身边,象征性地拍拍老婆的后背,很快疲惫地睡着了。夜里他从梦中惊醒,惊魂未定,又看见老婆坐在他身旁,更是吓了一跳。他问曲今,自己是不是喊出声了,见对方点头,他只好硬着头皮问下去,喊了什么。

"你喊了好几声,不要这样决定,不要这样决定。"她说话时,把手放到他头上,"工作上的事太烦了吧?"她关切地问。他拉过妻子搂进怀里,听见了心落到肚子里的声音,轻声要求再一起睡一会儿。

她无声地躺在他怀里,想不出他要做的决定是什么,过一会儿睡着了。

谭定鱼再也没睡着,但他不愿睁开眼睛。他害怕妻子还醒着两人必须说话。刚才的梦境重复出现在眼前:于水波拿着一枚硬币扔起来接住,握在手里,要他猜正反面决定跟谁,正面妻子反面情人。他说了反面,小于要打开手掌,他朝小于扑过去,想制止她展示结果,因为他们还没规定好,什么代表正面,什么代表反面。但他总是够不到她,也说不出心里想好的理由。她一直站在不远的地方,笑着晃动手中的硬币,随时要摊开手掌。他大声喊……

梦境有时会变成记忆,永远留下来。

人需要提醒。

被疾病,婚变,灾祸等等提醒,这是那些不幸运的人。

幸运的人出趟差就被提醒得很透彻,比如白中。

每天按时上下班,人变得昂扬了。出门前,他得在镜子里花费几分钟,把衣领抻出来再窝进去,似乎这是天下最让人拿不定主意的事。丁冰看到这些时,心情也没多大起伏,只是感觉怪怪的。以前她看过他关心自己的发型,把那些已经算听话的头发掀起再按下。她难过的是不能为丈夫的昂扬感到高兴。

白中出差时,她注意了自己的心态。他不在家时,她没有更平静。傍晚来临,她依然会离开她正在干的事情,即使不做饭,不做别的事,也得在屋子里走来走去。她把一张纸条贴到墙上,上面写着:他今晚不回来,也无济于事。她总是为他分神,但不是挂念。

所有的事情都过去以后，朱大者曾经对丁欣羊说，你姐姐缺少的是怀疑的能力。她只是怀疑，不能把怀疑付诸行动，要么证实这怀疑要么否定。行动的过程中，人们可以释放怀疑本身带来的伤害。朱大者让丁欣羊沉默，那之后又过了好久，当她听到另一句关于怀疑的话时，流泪了，仿佛看见姐姐跟所有的幸运擦肩而过⋯⋯

——当你怀疑的时候，怀疑就不存在了。

丁冰和白中的日常生活愈加平淡，丁冰因为缺少相反的生活经验，并没有过多的察觉。有一天，白中提议请欣羊和朱大者吃饭，丁冰非常赞同。他们都很想知道，这两个人的关系进展如何。

吃饭时白中不停把朱大者拉进他的话题，他的话题都是社会热点焦点。朱大者问他什么时候开始如此关心社会，白中的谈话积极性并没受到任何打击。丁欣羊有时跟姐姐小声说点什么，白中立刻把她们也拉进谈话。

人们价值观念的新发展；年轻人生活方式对社会的冲击；电视剧《大北风》引起的轰动；健康生活方式被质疑的部分；什么样的人最容易发疯，等等。

"像我这样的人最容易发疯。"朱大者说。

"根本不是。"白中认真地否认。朱大者问为什么。

"你已经疯了。"白中说完大家都笑了。朱大者说，第一次看见老白幽默，然后话锋一转说：

"老白，你出差回来变化很大。"

白中问，什么样的变化。朱大者说，"变得很健谈，很社会，很有组织能力。"他说完，女人们深有同感地点头。

"是啊,也许是因为好久没出差的原因。"

"真的啊?"朱大者夸张地说,"该在男人中间掀起出差热潮了。"

"你开玩笑吧?"白中随口附和,并没有察觉大家的嘲讽。"主要是时间比较长,天天跟同事在一起,我发现,其实,每个人的生活状态取决于他的生活态度。我们一起去的一个女的,她离两次婚了,还是那么乐观。她跟我说,她的原则就是多跟人接触,然后给自己定位。"

"你没爱上这个谬论制造者吧,姐夫?"

"胡说。"白中否定得很坦然,"哎,你怎么认为这是谬论?"

"这肯定不是谬论,但也没什么推广价值。"

"为什么?"白中问。

"人和人不同。"

"也许吧,可我觉得这样挺好的。"白中说着转向丁冰,把手按在她的肩上,"我希望也能影响影响老婆。"丁冰低下头。丁欣羊看见朱大者皱皱眉头,想换话题,没想到,朱大者先向她发问了。

"欣羊,老牧的事,你知道了?"

丁欣羊不想在姐姐面前谈老牧的遭遇,踌躇中,丁冰问老牧到底怎么了。朱大者立刻讲了老牧和大姜的事情,丁欣羊眼看姐姐的脸阴沉下去。

"其实,老谈这样的话题,对人有不良影响。"白中说。

"可那些人也是人。"丁冰说。

"但你不能老是看那些人,这些人永远存在,你要是这么看,没完的。"

"你在说什么?"丁冰轻声地责问。白中立刻转移注意力,"好好好,不说这个了。欣羊,你和大者怎么样了?"

"她和谁?"朱大者好像从没听人叫过他大者,惊诧地问。

"跟你啊,别装了。"白中大咧咧地说。

"姐夫,你没喝多吧?我们好久没见面了,对吧,大者?"丁欣羊模仿着叫大者。

"哦,对不起,我以为你们在处朋友。"白中说完,丁冰说,"我也这么想过,你们怎么了?"

朱大者不说话,盯看着欣羊。她想了想说,"我现在有男朋友。"

"是吗?叫什么?干什么的?"白中表现出媒婆一样的热情。

"一个房地产公司的。叫车展。"

"哪个层次的?"白中问,"经理?"

"好像是副的。"

"太好了,欣羊,恭喜你,来,干一杯。"

朱大者的目光一直没离开丁欣羊的脸,包括她举杯把目光迎向他的时候。他微笑却取消了微笑的含义,她无法判定这微笑和祝福嘲讽伤感无所谓哪种感觉关联着,就像从前一样,她再次被朱大者这著名的无动于衷伤害。在帮姐姐刷碗时,丁欣羊发誓忘记冷血的朱大者。可是,她看见丁冰端水果,随手在朱大者肩上轻拍一下,接着两个人交换了一个默契的目光时,忽然涌起的难过提醒了她:忘记并不容易。她不会误解姐姐和朱大者相互间的理解,让她难过的是,朱大者不肯正视他们之间的感觉。他们一起离开丁冰家,来到清冷的大街上时,丁欣羊问他去哪儿,也许可以搭他一程。

"没听说城里人跟农村人顺路。我回乡下。"

"你好像有点不对头?"丁欣羊甚至高兴从朱大者的话语里又听出了嘲讽。

"我劝你别再多想什么,跟你男朋友好好相处,据说人不错,能打架还能挣钱。"

"哇,你好像变化挺大的。"

"你以为世界上只有你姐夫一个人能变化吗？"

"你有女朋友了？也许快结婚了吧？"她说。

"这就是你配不上我的原因，说话很难长时间维持在一个水平上。"

丁欣羊不再接话了，收敛了所有的锋芒。她祈望朱大者能看见她无形中的缴械，希望他能认真对自己说点什么，管它是什么，只要是直接表达他心情的就行。她怀念跟朱大者在一起时的感觉，尽管她这么想的同时，觉得愧对车展。

"好了，欣羊，我先走了，路太远，时间也不早了。"他说着招呼了一辆出租车。"再联系。"说完上车。车开出去好远了，她耳边还响着关车门的砰砰声。

"对一个单独回家的女人来说，现在还没到危险的时间。"坐在车里的朱大者想。

丁欣羊像孤儿一样站在夜色中，风钻进她的裙子，让她想哭。

"她现在正给那小子打电话，约他上床。"在车里的朱大者又想。

丁欣羊掏出手机，拨了车展的号码。

春天的空气在晚上一切都安静了之后，似乎格外清新。看不见树上日见苗壮的葱郁的新绿，却能闻到它们的气息。街道两旁的桃花抢先开放了，这恰好是车展过敏的花种。赶往丁欣羊家的路上，他打了几个喷嚏，加快了车速，却仍然开着车窗，好像他愿意付打喷嚏的代价来享受一个浓郁的春夜。

和丁欣羊交往以来，这还是第一次，她这么晚约他去家里。人到中年的车展不难想到其中的一种含义，但他的心情并没因此变得异样。也许有事要说，也许需要帮忙，也许……他平静地设想着，有所期待，但这期待本身也是安静的，好像也为失望做了准备。他曾经问过自己,丁欣羊意味着什么,回答是很重要。于是,他安宁的心情更加安宁,在他离她越来越近的时候,他知道自己的各种准备都是对丁欣羊的认可。

当车展出现在面前的时候,丁欣羊非常感动。她为他倒茶,递给他垫子让他在沙发上坐得舒服些,当她坐在他对面时,发现他的脸上有几块红肿。

"你的脸还没好?"

"不,不是。"车展轻轻碰碰肿的地方,"跟那天的事没关系,我花粉过敏,过一会儿就好了。"

丁欣羊忽然间对生活充满了感激之情,在她无法承受孤独的时候,他来了,毫不犹豫地来了。

"我都做了什么?"一个可怕而清晰的想法取代了她心中的感激之情。"我在不停地原谅自己的软弱,每当我遇到困难,心理的或是情感的,我几乎从来不是一个人挺过来的。现在也不是例外。"这么想的时候,丁欣羊的目光又落到了车展身上。

"你怎么了?"他看到了她变化了的表情。

"没什么。"她小声说。"你的脸好点吗?"

"没关系,如果你看着不舒服,我就吃点脱敏药。"他说着拿包翻药。

"要是我看着没有不舒服呐?"

"那我就不吃,挺一会儿就过去了。"车展的微笑使得丁欣羊的感动泛滥起来。

"车展,我得说,你是一个非常好的人。"她认真地说。他说不知道自己是不是好人,但知道自己不是坏人。

"你想找人聊聊天儿,是不是?"他问。但她没有勇气告诉他实情:她没想好要干什么就给他打电话了,因为她一个人承受不了朱大者带给她的刺激。她的目光又落到了车展的脸上,因为内疚她忘了把目光挪开。他凑近她,亲吻,接着把她拥进怀里,再亲吻。那些在他们各自心中构成障碍的情绪和想法,在亲吻和越来越紧迫的拥抱中消隐了。

我必须告诉他先跟他谈谈……这想法强烈冲击着丁欣羊,但她无法停止热烈的身体接触。

这样也许不妥,也许我该先问问她……车展最后的念头被丁欣羊诱人的身体气味熔化了。这之后好久,他一想起这味道,身体就会冲动。他说不好这到底是一种什么样的味道,只要一闻到,就会想起那些亲切温暖的事情,无论那些事情离眼前多遥远。

跟异性身体接触带来的感觉,粉碎了丁欣羊的理智。她跟车展边往卧室走边亲吻的时候,脑海里居然闪过朱大者的嘲讽的微笑,仿佛在说这一切都在他的预料之中。但是,瞬间之后,她的身体感觉控制了一切。这感觉那么好,她差不多忘记了跟一个男人在一起的感觉。想到这儿她更加用力亲吻,似乎在强调一个决心:我要!

作为异性,车展不是第一个把丁欣羊带上床的男人。当他们飞快地脱完衣服,赤裸地拥在一起时,丁欣羊也不觉得这将是最后一个拥抱她的男人。虽然饥渴点燃了他们,丁欣羊意识中仍然睁着一双眼睛,摄入了每一个细节,让她感到惊奇的是,这暗藏的挑剔并没有影响什么。

做爱时他仿佛是一个抽象的男人。把女人摆在身下,用自己的身体全面地去亲近,必要到脚趾触脚趾。他亲近的方式渐渐地溶解了丁欣羊,当他进入她的时候,她发现他的准备已经在他们之间建立了亲近。她用手去抚摩他的脊背,他一丝不苟地做着最原始的动作。她觉得自己身体被他的力量和规律敞开了。这开启的感觉升上去,像烟雾一样在她周围散开。

"你为什么不吻我?"她问得娇柔。他并不理睬,保留着刚才脸颊的厮磨,固执地重复惟一的动作。在她惊叹他的控制力的时候,周围烟雾般的萦绕开始窒息她,以至于她必须大声告诉他她的感受,才能继续承受眼前的欢愉。

"哦,车展,这感觉太奇妙了,跟男人在一起太好了。"

"是跟我在一起。"他把每个字都说得那么清楚,刺激。

"你把我弄没了。你告诉我,我在哪儿?"

"你别离开我,我喜欢干你。"

"你说什么?"

"干你。"

在丁欣羊情欲蜿蜒的小路上,这个她从没听男人亲口说过的字眼儿,在她眼前敞开了另一条路。她好像又被勾引了一次,恨不得把他掀翻,让自己在他身上狂野一把。但他的力气太大,他不想做任何改变。

"对你来说,我太粗野了,是不是?"他感觉到了她的感觉。她还没开口,他便猛烈地亲吻她同时更猛烈地重复一直在做的动作,直到她的指甲嵌进他脊背的肌肉里,直到他们一同升入最高处,再跌入最低处……

他们叠在一起,汗水慢慢地松懈着亢奋。她闭着眼睛,上面的身体越来越沉,在这个瞬间里,这沉重把她一直以来飘荡的找不到寄托的情感稳稳地压住了。她流泪了,车展慌了,立刻问她是不是担心避孕的事。丁欣羊摇摇头,看着车展真诚的面孔,她想,假如他现在向我求婚,我会立刻答应。

"你没事吧?"

"我没事,是你太好了。"她说完,车展把她拥进怀里,扯过被子盖上。在这温暖的气息中,他很快睡着了。当他轻轻的鼾声从她身后传过来时,折磨又光顾了她。

"就这样跟他相处,不用面对任何事,不行吗?"她得不出肯定的回答,轻轻地转身,之后,车展咕哝了一句话,把她抱好又接着睡了。她看着车展坦然宁静的脸,心里再次充满爱意。

"我必须跟你说一件事。"当他美好短暂的小睡结束时，她似乎没考虑就说出了这句话。"在我心里还有一个人，认识你之后，他变得像影子一样。我没想到跟你这么快就……怎么说，就这么好了。但我不想骗你，我需要时间整理。"她越说越快，仿佛在担心自己缺少勇气说完。"我跟那个人没什么，但在我心里他是点什么。我不知道你能不能理解，我不想马马虎虎地对你。"

"别说了，我都懂了。"车展紧紧地拥抱她，心里下定决心：无论她内心世界里有多少人，他都会努力站到最前面。"你需要多少时间我都给你，但我不会离开你。"车展看着丁欣羊的眼睛坚定地说。她也看着他，目光中更多的是惊疑。

"因为我爱你。"他说。

能被人爱，真好；能爱别人，更好。爱，如果能简单直接，彼岸便不再是诱惑。

第十七章

> 诗意消失的时候
> 发现了你的爱情
> 假如上帝执意这样
> 我垂下头
> 让内心的惊恐持续
> 持续

　　大牛第一次求婚时，近三十岁，方式地点的选择似乎随便，实际上心里认真得不得了。大丫的反应不能说伤害了他，准确说变成了他心里的一块硬结。他清楚地看到，这就是他们关系发展的障碍所在。他不知道这东西从哪儿来的，好像一开始它就存在；同样他也不知道怎样清除它。有一天，他给大丫留下字条，也许回避之后能找到办法面对。

　　　大丫，我需要离开一段时间，但不是离开你。我要好好
　　想想。我会给你打电话，你有事也要给我打电话。也许我
　　们都可以利用这段时间，拉开距离，看看我们两个人的关系
　　到底是怎么回事。

　　字条大丫看了几遍，才相信这是大牛写的而且是他的愿望。好久以来，她一直想这么做，但无法跟大牛达成共识。她受伤的那段时间里，以为该想的都想到了。与大牛复合后她发现，怀着

恨和怀着激情一样,什么事都想不清楚。现在,她再次把自己关了起来,读书写专栏想事情。几天过去她发现,自己想得最多的不是跟大牛的关系,而是大牛这个人。

她做饭时想起,大牛从后面搂着她,在她耳边胡说八道;她早上醒来的时候不由自主地滚向大牛的那一边;她从外面回来时家的空气不再是暖的了;在人前她想起大牛靠近她时的感觉:一方面她不希望公开场合跟大牛太亲近,另一方面,她喜欢大牛非得这样的固执和自己的不安。她一次也没想到性,过去她曾觉得这是他们相互吸引的主要原因。

一个傍晚,她被一句话提醒了:一个女人的正常心理,比她对其他女人的同情心还要罕见。

"我是不是已经不正常了?"一个不是姑娘不是妻子不是母亲的女人,夹在青春期和更年期之间! 她跑到镜子前面,愣怔地看着自己,镜子里的女人其实不是很聪明,其实不是很善良,其实不是很宽容……大丫仔细地读着自己的脸,好像刚刚看到自己的缺陷。脸上的肌肉像下班的人群,笼罩着疲惫,说不定从哪天开始就会突然松下去,就像那些下班的人迟早要退休一样。"我将在没准备好老的时候老去!"她被这念头吓了一跳。

接着她又想到大牛时,心里一阵感动,居然还有人为她痛苦不堪! 她抬头看镜子,鼓励自己找点值得骄傲的东西。她眨眨眼睛,很快找到了:她还潇洒,还输得起。但这不妨碍她感到内疚:大牛对她的感情首先是她的幸运。

后来老牧打电话给她,说了大姜家里发生的一切。大丫在老牧心里看到了同样的内疚。也许老牧也是个输得起的人,和她在镜子里看到的自己一样,这跟坚强无关,只说明他们没有投入全部,还有再玩一次几次的余地。

"我想为大姜做点什么,但又觉得什么都是不该做的,做什么对他来说都是帮倒忙。"老牧对大丫说出自己的感觉。他说,眼下是他懂事以来最难过的一段时间。从前难过的概念对他来说是遇到困难，找不到解决的办法；现在他的困难是不知道困难在哪里。渐渐地，他无法正常反应，整天惶惶。

"你打算怎么办？"

"我在办去日本留学，中介我花了很多钱，估计很快就能办下来手续。手续下来，我就走。"老牧说完，大丫心里失望得不行。

大丫问他最近见没见到欣羊，老牧说，这两天她老是关机，也许是想一个人静静。

"我们这帮人都该静静了。"大丫说完问老牧什么时候有时间，她想跟他一起去看个人。

"我什么时候都行。"老牧急切地说。他的心情是，可以跟所有人去见任何人。他害怕一个人呆着，尤其是大姜不再主动找他之后。

在大牛家门口等着开门时，大丫想起，大牛从没跟她多说他的住处。她从前交往过的男人有两种：住的好的向她炫耀；独居能力差的希望博得她的同情，帮助他们料理家务，当然是顺便。

"我是来道歉的。"大牛刚开门，大丫便说明了来意。跟着她进去的老牧有些尴尬，后悔跟着来了。"老牧你认识的，"大丫说，大牛拍拍老牧的肩膀。大丫接着说，"老牧跟我有同样的问题，所以我把他带来了。大牛我得跟你谈谈。"

大家坐下后，大丫趁大牛去泡茶的工夫贪婪地四处打量。整洁的一居室，淡蓝色的墙壁，蒙着深蓝色床单的单人床，呼应着厚厚的深蓝色地毯，一个五斗橱上面放着小型音响，电视和他们一样坐在地毯上，在一个角落里整齐地码着十几本书……打量一番之后，老牧先发表了感想。

"酷。"

"我倒觉得很干净。"大丫说。"内心整洁的人。"

"当然,这也是我见过的最干净的男生宿舍。"老牧没懂大丫的意思。

"你思维方式太老化。"大丫没头没脑地来了一句。

老牧看了看大丫,然后认真地点点头。

"你有没有考虑跟大牛结婚?"他问。

"你有没有考虑跟大姜一起出国?"大丫反问老牧。

"可惜我做不到。再说大姜也不想跟我去了。"

"因为你做不到,所以他不想去了。"大丫说。

"我不知道该怎么说,我再也没有力气去面对了。"

"最可怕的是你连怎么说都不知道了。依我看,这比不知道怎么做更严重。"大丫说着,大牛端着茶走进来,"做什么?"大牛坐下后随口问了一句。大丫说了大姜家里发生的事,大牛给所有人倒上茶之后,看着老牧问:

"你感到内疚?"老牧难过地点头,然后扭头看别处。"你再内疚也不能把那个女人救活。"

"所以我更内疚。"老牧说。

"内疚没用,你得先为活人做点什么。"大牛平静地说。他的话在大丫心里博得一阵热烈的赞赏。

"我再也不能为他做任何事了。"老牧绝望地说。大丫大牛看着他,等待着解释。"对我来说,大姜也死了。"

"你在胡说些什么呀?"大丫叫了起来。

"那天他来找我,我从他脸上看到的东西,连我自己都不敢相信。我说完话他就看着我,先是有点皱眉头,接着他的眉头舒展了。他对我笑笑,看着我,我想走近他,他摆摆手,然后点点头。"老牧说到这里停顿一下,"他蔑视我。"老牧说着低下头,"也应该这样。"

屋子里静了,热气绕茶杯婉转地升上去,消失在空气中。每个人的目光都凝滞在某个地方,仿佛大家可以这样坐到太阳落下再升起。电话响了,大牛抬起听筒又按住,电话又响了,大牛重复了刚才的动作。

"我该走了。"老牧起身,"你们再聊吧。"

"老牧很快就去日本了。"大丫对大牛说。

"你什么时候走?我送你去机场。我可以借辆车,我有本儿。"大牛站在老牧身旁。老牧知道大牛没有说笑。"我拿到签证就走,估计很快。你要是能送我太好了,你可以开我的车。"大牛拍拍老牧的肩膀,一个人把他送到楼下。

大丫和大牛对面坐在蓝色地毯上,大丫说感觉像刚认识。大牛不屑地笑笑,笑得大丫心里发毛。为什么从没跟我提过你住的地方,大丫问大牛。大牛又那样笑笑,仿佛她接下来的所有问题都可以用不屑的笑笑打发。

"我很抱歉。"大牛听完大丫的话,皱皱眉头。"我想了好几天,终于明白了,过去,我太忽视你的感受,太自我中心了。我应该……"大丫还没说完就被打断了。

"你应该个屁!"大牛突然吼了一声,大丫本能地往后闪闪。"你这么老远跑来,还带上个同志,就是想告诉我,你应该爱我是吗,应该对我好一点是吗?"

也许,大丫就是在这一刻里真正地爱上了大牛。

"你回去吧。有事再打电话。"大牛平静下来。大丫站了起来。她对大牛点头算是告别,眼泪流了下来。她慌张地跑到门口换鞋,大牛站在旁边一句话也没有。慌乱中大丫解不开鞋带,她恨死自己脱鞋不解鞋带的毛病,索性坐到地上,继续解该死的鞋带。眼泪引得鼻涕成河,大丫忽然笑了,用衣袖擦擦,再使劲把剩下的鼻涕往回抽。

"你不用因为'应该'做任何事。我爱你,你不那么爱我也没关系,大丫,我只要求你一件事,就一件事。"

187

"什么?"大丫急迫地问。

"别再防着我了。"他几乎在恳求。大丫立刻又哭了。

"你为什么总防着我?"大牛看见大丫哭了,情绪又激动起来。"因为我常常失控?"

大丫一边哭一边点头。

"可你知道我爱你啊?!"大牛这么强调时大丫哭得更厉害了。

"我害怕。"大丫终于说出了这句话,不仅仅是对大牛也是对自己。大牛站了起来,为大丫拉开门。大丫伸手又把门推上,她扑进大牛的怀里,她希望再有次机会。

"为了弥补?"大牛轻轻地说,像是自语。他的身体感觉着大丫的丰满和柔软,她的气息,她的温暖,渐渐地在融化他。但他没有冲动,有的只是亲切和安详。他不喜欢跟大丫留在这样的状态下,轻轻推开大丫。大丫推开门走了。大牛在大丫身后哼了一声,像是叹气,然后关上自己的门。接着,他又像先前那样哼了第二声,站在自己的家里,像站在外面一样,心无所属。

离开公司的马副经理没再回去过,虽然有回去的借口,比如最后的工资没领,办公桌的东西也没收拾,但她没利用这些。她呆在家里,把能用水洗的东西都洗了一遍。跟丈夫解释没上班的原因是休病假,他问起病因的时候,她随口说,女人的事儿。

"没事吧?"他追问,脸上表现出的真挚的关切让她顿感惭愧。多年来,她已经习惯忽视这些。这天,她终于对丈夫发出了一个感激的微笑,并且肯定地告诉他没事。他上班后,她把夫妻两个人以前的照片找出来,仔细看了所有照片上的丈夫,终于发现这个在她眼里很窝囊的男人,有一般男人所没有的优秀品格:执着,顽强。在他眼里,她很重要,是因为他认可了她,而不是因为他觉得她比他强。为这认可的感觉或者说命运,他一直攻击谭定鱼,尽管她从没跟他说过谭定鱼如何,但他就是知道谭定鱼对她不好,他要捍卫自己的女人。

马副经理心里充满感激,对她来说,这很罕见。可是她仍然不能因此把丈夫看得无比重要,如果谭定鱼给她打个电话,她会主动回去上班,而且还会找机会婉转地向谭定鱼道歉:她愿意为他们之间的不愉快负责任。可惜谭定鱼从没给她打过电话,在她期待的过程中,她甚至有预感,谭定鱼永远不会再给她打电话。一天晚上,她跟丈夫说了她眼前的处境,想找另外的工作。

"你早就应该离开那里了。"他说。

"我都这么大年纪了,哪儿那么好找工作啊!"

"像你这么大年纪的人,无论男的还是女的,的确都不好找工作了。但你和他们不同,你有能力有经验,再加上你是学管理出身的,给谭定鱼干屈才了。再说,那小子也不是什么好东西。我把话放这儿,他早晚得倒霉。那人太自私。"丈夫的话说到了她的心里,莫名其妙地安慰了她。她把手朝丈夫的脸伸过去,他下意识地缩了缩。马副经理苦笑一下,他们好久没做夫妻的事了,此外更没有其他身体接触。一阵愧疚罩住了她,他们毕竟才四十多岁。她一直都不是很渴望性,对谭定鱼的感情中几乎没什么性的因素,她好像从没想过要跟谭定鱼睡觉,只要能天天看见他跟他说话对她的爱情而言似乎就够了。

过了一会儿,丈夫犹疑地朝她伸过一只手,被她轻轻握住放到自己的脸上。他抚摩了两下她的脸,看她没有不好的反应便跃到了她的身上。他猛烈地冲了进去,她忍着疼,他动了两下就到了最后。离开她身体前,他问,她的环儿是不是还戴着。

"戴着。"她说,心里突然难过的不行,脑海里都是谭定鱼。

过了几天,她找到一份工作,她和丈夫都很高兴,工作环境熟悉后,高兴的只剩她丈夫一个人了。马副经理对谭定鱼的思念混杂着仇恨,扰乱了她的日常秩序。谭定鱼仿佛变成了她脑子里的一个器官,再也不离去。当她在另一个夜晚,把想跟她睡觉的丈夫从身上掀下去的时候,不但没有任何内疚,还甩给丈夫一句话:

"你就知道干这事!"

她几乎每时每刻都在想谭定鱼,他们之间因为没有联系造成的真空,像一根巨大的刺扎在她的心里。要么恢复过去的一切;要么公开仇恨,中间的,朦胧的,她都不能忍受。愤怒积聚到顶点的时候,她给谭定鱼打电话说必须见个面,然后指定了地点和时间,没等对方应答,她已经掐了电话。

当她带着工资袋坐在那家昂贵的日本料理等谭定鱼的时候,他正在小于家里倾听她的爱情烦恼。马副经理狂乱地坐了一个多小时,无数次拨打谭定鱼的手机都是关机。最后她一个人吃了双份拉面,喝完了一大瓶清酒,踉跄地付了四百多块钱,好不容易在大街上靠墙站住时,她咬着牙说:

"走着瞧。"

马副经理恶狠狠的话,把一个路过的行人吓出了冷汗。他回头看了一眼她,加快脚步,几乎变成了小跑。这引得马副经理大笑起来,她的笑声让另外的行人也加快了脚步。

那天晚上,她一路笑回了家。进门后对丈夫说的第一句话就是,你不想操我了。她丈夫没有表情地看着她,她扑到沙发上才看见坐在那里的儿子。

"你怎么回来了?"她舌头不灵便地对儿子说,儿子起身话也没说就回自己房间去了。

"今天是周末。"丈夫小声对她说。马副经理号啕大哭,仿佛这就是她对周末的理解。

看着法院旧址宽大陡峭的台阶,马副经理停住了脚步。她觉得这好像是命运的嘲弄,方圆公司居然在原法院的旧址。她想象自己走进公司,跟谭定鱼大吵一架,然后告诫自己,这是做不得的事情。那样她回去工作的希望就是零,而她已经不能忍受新的工作,尽管她说不出新工作有什么不好。她一个人来到李圣咖啡馆。下午,咖啡馆里有着令人惬意的气氛,人不多也不少,就像风平浪静的日常生活,既不令人幸福也不令人悲伤。她希望李圣忘了她是谁,老练的李圣一眼就认出了她,但表现出的态度跟她希望的一模一样。

"您喝点什么?"李圣先把一杯柠檬水放到了她的面前,然后看了看她干裂的嘴唇,心想,该向欣羊打听一下这个女人的名字,他对这个女人的同情来的莫名其妙。

"红茶。"

"锡兰?"

"什么都行。"

李圣回到吧台给马副经理做茶的时候,马副经理拨通了丁欣羊的手机。寒暄之后,她说,早知道你买了新房子,但从没倒出工夫去看看。丁欣羊说欢迎但现在不在家。

"你在哪里啊?"

"我在外地。"

马副经理顿时沮丧得不行,差点发出怒吼:为什么我需要帮助的时候,大家都不在?!

"不过,有什么事我能帮忙的,你电话里说好了。"丁欣羊的善解人意缓解了她心里的难过。李圣像幽灵一样悄无声息地端来了红茶,不等马副经理表示谢意的动作完成,他已经离开了。

"那多不好意思,漫游挺贵的。"马副经理对丁欣羊说。

"没关系,你说吧。我手机有特殊卡,漫游也不贵。"

"小丁,我真的谢谢你。"她心里泛滥着感动。"过去我对你不够好,主要是我们之间有误解。"

"你不用解释,我都明白。"

"主要是跟谭定鱼有关系。"她巧妙地过渡了话题。

"你回去工作了?"

"没有。从我跟他闹翻,他从来没给我打过电话。"马副经理说到这里流泪了。她把身子转向窗户,放低声音说,"我快要崩溃了。"说完这句话,她回转身小心地看看周围,没有任何人关注她,这发现让她放心也让她失落。

"马大姐,你别急,慢慢说。"

"我已经找了新工作上班了,但我心里快烦死了。我受不了他这样对我。"

"也许你们都冷静冷静没什么不好。"丁欣羊泛泛地劝说着。

"我也这么劝过自己,但是没用。我现在在李圣这里,刚才我差点冲进去跟他吵,可我还是控制了自己。"丁欣羊没有接话,等着对方把该说的都说完。"我不想把他的台阶都拆了,他应该知道掌握主动的是我不是他。"

"我不明白你什么意思?"丁欣羊故意问。

"我手里有的东西能把他送进去两个来回儿。"马副经理说,"我承认我想回去工作。如果他请我回去工作,不过是给我一个小台阶,我给他的才是真正的大台阶。如果他继续这样对我,我也就不客气了。"

"你想过后果吗?"

"我什么后果都想过了,我也不在乎。要么他让我回去工作;要么我们彻底掰! 现在这样不清不楚的,我受不了,我快疯了。"

"你回去还能忍受他对你的态度吗?"丁欣羊的口气仿佛在说,这是尽人皆知的事情。马副经理沉默了半天,说了一句话,听得丁欣羊心里泛寒。

"我没办法。"

之后,马副经理向丁欣羊做了很多表白,说自己如何孤独,不会跟人相处，并讲了她的近况，包括周末发生的事情。最后她请求丁欣羊打电话给谭定鱼，婉转地警告他别断送自己和公司的前途。

"你怎么能让我去干这事?!"即使有铺垫，丁欣羊还是叫了起来。

马副经理哭了，丁欣羊答应了。

放下电话，丁欣羊大骂谭定鱼和马副经理，同时抱怨老天让她碰上这样的人。

她拨通了谭定鱼的电话，开门见山，一口气说完必须说的话。谭定鱼喊了起来：

"没想到你居然会帮她这样的忙。"尽管丁欣羊能理解这恶劣是被马副经理给刺激出来的，心里还是非常不舒服。"那你也帮我一个忙，告诉那娘们儿，把所有的能耐都使出来吧，让我叫她回来，做梦!"他说完气急败坏地放了电话。

丁欣羊的泪水也涌了出来。她立刻拨了马副经理的手机，转达了他的话。最后她请求对方再也别烦她了，因为她也快疯了。

第十八章

所有的梦都是做过的。

为了这句话,丁欣羊把大丫叫来,强迫她跟自己一起过个周末。

"就为了一句话?谁知道你从什么烂杂志读到的。"大丫带来几样自己做的菜,丁欣羊拿出各式各样的酒,两个女人开始兴奋。

"春天躁,喝点白葡萄酒吧。"大丫说完把酒瓶放进冷冻层,同时嘱咐欣羊过一会儿提醒她拿出来,不然就听响儿了。

"除了所有的梦都是做过的,我们现在干的事也都是被干过的,这么想够沮丧的。"丁欣羊把冰块儿放进一个敞口的大花瓶里,告诉大丫这可以代替冰桶镇白葡萄酒。大丫打趣地说,所有的主意都是被想过的。

"思想呐?"

"差不多全部都被想过了。"大丫说。

"我们活着干吗?"

"为了爱情。"大丫把自己带来的菜倒进盘子,摆上桌。

"所有的男人都跟别人睡过,就像所有的女人都被睡过一样。沮丧。"丁欣羊把每样菜端到鼻子底下闻闻,然后说都一样味儿。大丫说味道一样东西不一样。她指着盘子一路点过去,腰子,胃,肝,心。

"你这么一说好恶心,全是下水,又不过下水周末。"

"谁说的,这个周末可以命名为'所有'PLUS'下水'。"大丫开心地点只烟,"我专栏的下篇文章就写这个周末。"

"干吗都是下水?"

"吃什么补什么。"

"你闭嘴吧,我不用补。"

"行了,我坦白,你别唠叨了,像更年期晚期患者。"大丫指挥欣羊把白葡萄酒取出来,然后说,"我对内脏有情结,摸不着看不见,连抚摩它们都得隔着肚皮。所以,我经常通过吃别的下水跟我自己的内脏保持联系。"

"你别恶心我了。"丁欣羊喊了起来。

两个就白葡萄酒吃内脏的老朋友,时而认真聊聊时而开开玩笑,直到热烈的太阳把午后的气氛带进了丁欣羊的厨房。大丫觉得自己的神经好久没这么放松过了,她把脚放到了另一把椅子上,拖着长腔说,这厨房真他妈的舒服,不过这舒服肯定也是被享受过的。两个人大笑,接着丁欣羊抱怨地说,她们好久没这么聚了,见面不是有事儿就是出事要不就是跟一帮人在一起,没劲。

"哎,你说,老朋友也跟夫妻似的,久了就无聊。"

"好在背叛发生的少些。"欣羊自我安慰地说。大丫问她跟车展发展的如何,丁欣羊脸红了。大丫拖长音说明白了。丁欣羊没理睬大丫的反应,却提出了一个问题:

"你有过那样的时候吗? 跟一个男人在一起总想着上床,总有要求。"

"车展这么厉害啊?!"

"跟他没关系,我就是想知道,快说。"

"有过,但不是跟所有男人,比如跟大牛我常有这样的感觉。"

"你什么都有,高潮,满足等等,但还是想要,对吗?"丁欣羊急切地问，大丫想了想，点头。

"跟谁我都没有过这感觉。"丁欣羊低声说，没有难过只有悲哀。

"在性方面你不愉快吗？"

"该有的安慰我想我都有吧，跟他们在一起我感觉也挺好的，但我一点也不迷恋，这正常吗？如果我有饥渴绝对是时间太长的原因。"

"你还抱怨？你应该高兴才对。"

"可是好多女人很迷恋，甚至能因为这个改变生活。说心里话，我很羡慕那些脑子一热，生活就变化的女人。"

"你是说下身一热吧？"

"喔，你太流氓了。"

"我宁可当流氓，也不愿像你这么想，太可怕了。"大丫要认真地说服欣羊，仿佛这可以阻止她走上生活的邪路。"你知道那个导演布努艾儿说过的话吗，他说，当他老了性欲衰退时，他的感觉是自己从一个暴君的手下解放出来了。"

"男的这么说有道理。"

"你别傻了，性欲很可怕的。"

"也许吧，可我觉得生活中缺乏动力。"丁欣羊有些凄楚地说。

"大牛说的对，车展首先要战胜的不是你，是朱大者。"

"别胡说了，我跟他一点关系都没有。"

"你要是不认识朱大者，说不定已经跟车展结婚了。"

"你以为我是谁啊，人家刚认识你就想结婚？"

"车展跟我们说过对你的感觉，你就是他一直期待的女人。命运对你不薄吧？"

"好了，我们不谈这么沉重的，去李圣那儿喝咖啡吧，我好久没去了。"大丫积极地响应了她的提议，两人悠闲地朝目的地走去。阳光和周末的人群,像背景音乐陪伴着她们。丁欣羊说自己所有的内脏好像都被猪的内脏抚摩过了,心满意足。大丫说这就是老朋友的好处,他知道你要什么。

周末的下午,咖啡馆里挤满了人。大丫说从这景象就能看出现在中国离世界有多近。李圣把她们安置在吧台,大丫对他说,离他近些的感觉是离稻草近了。李圣要给她们准备两杯特殊的咖啡,丁欣羊嘱咐说无论什么咖啡都得浓点儿,她们肚子里装了双重下水。忙碌的李圣露出微笑,没时间听清楚任何笑话。当他把两杯飘着肉桂香气的卡布其诺端上来时,对欣羊低声说:

"你常坐的那个位置有人坐着。"

"哎,老李,你是不是要改行写小说啊,说话已经这么有张力了。"

丁欣羊隐蔽地回头张望了一下,刘岸和田如坐在那里。她啊哈了一声,告诉大丫那个女人就是田如。大丫看了一眼说,至少看上去不错。

"实际上也不错。"

"至少你了了一桩心事,作为稻草刘岸不是你的了。"

"他从来都不是我的稻草,包括结婚那会儿。"听了欣羊的表白,大丫劝她过去打个招呼,丁欣羊说喝完咖啡再说。当她终于站到刘岸和田如面前时,刘岸有点吃惊,说了句世界真小。田如对刘岸说:

"刘岸,介绍一下啊。"丁欣羊没想到田如会这么干,刘岸傻乎乎给她们介绍的时候,她也只好附和着。

"田如。"刘岸对丁欣羊说。"丁欣羊。"他又对田如说,好像这两个名字本身就可以显示身份。

"过去老听刘岸说起你。"田如热情地说。丁欣羊决定玩玩儿。"从什么时候开始不说了?"她问田如。田如兴致高涨地问刘岸,"哎,刘岸,从什么时候开始不说的?"刘岸苦笑着,被两个女人弄得很紧张。

"你的肚子很好看。"丁欣羊对田如说。

"可惜好景不长。"田如说,"还有两个月就生了。"

"什么时候吃你们的喜糖?"丁欣羊问刘岸。刘岸皱着眉头说,"你们两个是不是有什么毛病,说话都跟疯子似的。"

"欣羊,你别理他,主要他自己最近老是疯疯癫癫的。"听了田如的话,刘岸更是无奈。他看见吧台前的大丫,问丁欣羊他有没有看错。丁欣羊说他没看错,刘岸说他更愿意跟温暖的大丫聊聊。他离开后,两个女人忍不住狂笑。

"你真干得出来。"丁欣羊对田如说。

"一会儿我也想认识认识大丫。"田如要求,"我们女的在一块儿肯定有意思。"丁欣羊满口答应,询问他们的关系。田如拍拍隆起的肚皮,开心地说,"水到渠成。我们两个都认可了。"

"田如,我不是要奉承你,你的确有一套,而且是挺不错的一套。让两个人彼此认可真是太难了,有时,我都觉得上帝造人时不应该给他们选择的本能。"

老牧去日本的签证神速地被批准了,朋友都不敢问他为此花了多少钱。他几乎没准备什么,就买了机票。大丫说他像逃跑一样。

"我还是说话算数,送送逃跑的老牧。"

一个晴好的早上,大牛把老牧的行李都塞进车里之后,老牧还没下来。他靠在老牧的车上,点了一支烟,太阳照在身上暖暖的。他狠狠地吸口烟,然后仰头对着阳光慢慢吐出去。

在太阳底下吸支烟……他忽然想写歌词了。老牧下来对大牛说,可以走了。

"没人了?"大牛怀疑。老牧摇摇头。大牛苦笑一下,掐了烟,发动车子后问老牧要不要再开一次。老牧第二次摇头显得更加认真。大牛不喜欢类似的气氛,他说,他不能想象在老牧出国之际,居然没人送送。

"就算日本不远,也叫出国啊?"他半开玩笑地说。老牧说有他送足够了。大牛马上跟了一句,"你该不会是在给我机会吧?"

老牧皱着眉头看看大牛,接着才反应过来,两人大笑了一阵。之后老牧一直沉默着。大牛看见老牧车里安了 CD 机,说没想到他居然给这么烂的车装了 CD,说着把自己随身听递给老牧,要他把里面的 CD 放进车上的机器里。一曲 WISH YOU WERE HERE 快唱完时,老牧哭了。大牛问他要不要回头去接大姜,他说时间还来得及。老牧连着说了几个不。大牛开始安心开车,他觉得该做的自己都做了,剩下是老牧自己的事了。如果他难过的不行,那就是他应该难过,一切都是因和果。

在挤满人群的入口,老牧平静下来。他让大牛把车交给大姜,希望他能跟大姜多联系。大牛一一点头,看着老牧无奈的样子,大牛拉住了他。

"过那边抽支烟,再呆几分钟。"大牛和老牧离开候机大厅,在越来越强烈的阳光下,又吸了一支烟。两个人不停地朝远处张望,好像在等待什么人。烟吸完了,他们推着行李往里面走。

"要不要打个电话?"

"临出门的时候打过了。"老牧边说边点头。大牛拥抱了老牧,犹豫了一下,还是对老牧说了自己的看法。

"老牧,对我们大家来说,你是个好人。你愿意帮助别人,心地好,这些都没问题。"大牛想了想又说,"但是我能理解大姜,你在该坚持的时候没有坚持,对他来说,这比你爱上别人更残酷,因为他通过你跟这个世界建立起来的信任破坏了。"

从机场返回的路上,大牛大声开着 CD,那些他自己刻录的忧伤甚至绝望的歌曲,在一览无余的高速路上,又一次感染了大牛。他觉得自己内心所有的门都敞开着。生活忽然变得透明而简单。他提前在六桥出口拐下了高速，朝朱大者的村子开过去。

朱大者的院门敞开着，大牛还是把车停在院墙外。他站在院子中央喊朱大者，半天没有回音。他想了想回身关上了院门，朱大者出现在屋门前。

"挺有主人翁的责任感。"朱大者模仿大牛关门的动作。

"你这人怎么就喜欢呆在暗处啊？"

"你他妈的闯到我家了，还嘴硬。"

"哎，你今天别这么烦好不好，倒霉事够多了。"

"都是别人倒霉吧？"

"你够狠，我服你，火眼金睛。"大牛随朱大者进屋，"什么味儿？"

"烧香磕头。"朱大者一带而过。

"你？"

"你从哪儿来？"

"送老牧从机场过来。"

"啊，他溜了。"

"你听说了？"

"现在的农村都建设成信息中心了。"

"谁跟你说的？"大牛后悔这么问，又问，"你怎么看？"

"跟我有屁关系，人各有命。你还能指望老牧那样人怎么样?!"朱大者随口说的这句话倒是让大牛多想了一会儿自己。有时真的能看见命运的大手粗鲁地把人分成了几伙儿，并警告每一个不许挣脱。当他回过神儿时，被站在眼前的女人吓了一跳。

"哎，吓我一跳，你从哪儿出来的？"大牛说。

"我从门进来的。"女人轻声柔气地说。

"你不用跟他说那么详细。"朱大者对女人说，女人莞尔一笑进里屋了。"一个过去的老朋友。"他对大牛说。

"怪不得,我还没进门你就开始损我。我打扰你们了,对不对?"

　　"我要是说对,你就走,对不对?"

　　"少来这套,我吃完饭再走。"大牛嘻哈地说,"你和丁欣羊如何了?"

　　"她不是处上了一个经理之类吗?"

　　"你说话不太好听哎。"大牛不知为什么变得宽容了。"女人爱上了,就希望关系固定。"

　　"屁话,她们还没爱上就希望关系固定。"朱大者一反常态说得有些愤怒。

　　"她跟大丫说过对你的感觉,但你给她的感觉是今天这样明天那样,让她找不到北。"

　　朱大者冷笑了一下。

　　"你还是装酷吧,至少我习惯了。你一冷笑估计全世界都起鸡皮疙瘩。"

　　"那我们不谈女人了。"

　　"她跟我和大丫说过一次,说你矜持得不像个男人。"

　　"这话肯定是你编的。"

　　"朱大者,你真厉害。"大牛睁大眼睛,"她光说你太矜持,没说你不像男人。"大牛自己给自己倒了一杯水,喝了一大口,继续睁大眼睛看着朱大者。

　　"从这个意义上说,她比我矜持多了。"

　　"那你是不是也该做点正面清楚的表达啊?"大牛居然忘了为什么拐下高速来看朱大者。"男人有责任先让女人知道自己的想法,对不对?"也许是那个女客人的缘故,现在他只想跟朱大者谈丁欣羊。

　　"她不清楚我是怎么想的,是因为她不知道自己是怎么想的,她根本不知道自己要什么。"朱大者愤愤地说。大牛还从没见过也没听说过朱大者会激动。好像是为了加深大牛的印象，朱大者接着说，"她什么都想要，贪婪。"

大牛傻傻地看着朱大者，心里不由得钦佩，作为一个男人，朱大者最让他佩服的就是看什么都能看到最后的那点上。

"我们吃点什么？"刚才的女人站在里屋门口，大牛才看见朱大者屋子里让他陌生的香味来源，女人的身后是香炉。

"你念佛？"大牛问。

"是啊，你不念吗？"

"我还没念呐。"大牛孩子般的口气引得大家都笑了。在厨房大牛帮女人做饭时，他问她的名字。她说叫蓝德。

"跟'懒得'没关系吧？"

"也许，我懒得解释。"

"你知道老朱女朋友的事吗？"

"你说那个叫丁欣羊的？"

"没错。"

"他们现在不是处的不太好吗？"蓝德的话噎住了大牛。每次来朱大者这里都长"学问"，都开"眼界"！他现在明白了，为什么丁欣羊被他吸引：他能活出另一种样式。这的确吸引人。

第十九章

丁欣羊发现自己怀孕了。

她从未怀过孕,听医生说完,她先是一阵惊喜,像偶然完成了一次冒险。回家的路上,她看见了好多孕妇,好像进入了怀孕的季节。那些女人挺着肚子,慢慢地在大街上踱步,表情不那么骄傲的,也很放松。怀孕给了女人一个漫长的心理假期,所有的难过和困难都可以回避。一时间,丁欣羊因为羡慕晕头了,她摸摸自己的肚子,脸上堆出笑意。

她想给大丫或者丁冰打电话,这时才发现,怀孕像一个谜语,它还需要一个谜底:要不要成为一个母亲;要不要成为车展的妻子?

在她的想象中,车展肯定希望成为这个孩子的父亲,同时也能成为一个体贴的丈夫。开始,他会顺从她,时间久了会把他们的关系纳入健康家庭生活的轨道:男主外女主内,日常生活将围绕他工作的节奏,日常话题将围绕报纸的时事栏;他不会做太越轨的事;物质生活至少小康……她想不下去了,因为她看不见心灵交流的可能,所谓精神的空间。她甚至能看见自己日渐发胖的样子,越来越满足,渐渐离开自己曾经喜欢和追求过的层次,变成一个高级家庭妇女……

这些强烈的感觉,她无法对他人解释。她知道大丫也许能理解,但马上会提醒她这样决定错过的机会。朋友或者亲人感情不仅朴素而且简单,就是不希望朋友受苦受难。但她不能无视自己的感受,首先她还不想跟车展要孩子,他们几乎是刚刚认识。她决定做一件"酷毙"的事——一个人去做流产。

她高估了自己的耐力。躺在那个特殊床上的二十分钟,在她心里某个地方深深刻了一道,仿佛是惩罚的标记。汗水湿透了衣服,身体和衣服不停地在变凉,变得更凉,仿佛在监督她认真感觉那疼痛。她疼得清醒起来,这是三十几年来她从不了解的疼痛。它的特点是无法忍受无法描述,相比之下,被刀割破了,撞得青肿了,头疼了牙疼了,几乎都是充满优点的疼痛,磊落的疼痛。她觉得这疼痛十分符合她的处境和心境,也符合人工流产的含义。到最后这疼痛带给她一种强烈的幻觉:希望更疼些,让惩罚充分到位,然后她才会安宁。

她不觉得自己做错了什么,但觉得自己该受惩罚。

她一个人打车回家,捂着被子靠在床上,惩罚却在继续。她跟车展说自己应聘的单位突然让他们去厦门参加一个培训班,一周后回来。电话响,她也不敢接,手机响时,她必须撒谎。剧烈疼痛过后的空虚让她倍感孤寂。几次,她想打电话,跟车展坦白,希望他原谅,希望他陪伴。但是,她害怕说出真相,她害怕这对一个男人来说意味着不可原谅。她能承受车展离开她的事实,但无法想象眼前的事情变成分开的理由。她事先所有考虑带给她的勇气和决心现在都躲起来了,留下她一个人承受。

两天之后,她终于崩溃了,手术前自己给自己准备的几天的饭菜,让她恶心,但她还试着吃下去,结果都吐了出来。

她给大丫打电话,大丫说她在外地,然后问她什么事,她在哪儿。她沮丧地说,自己也在外地。

她过高估计了自己的耐力,还有勇气。女人经常在电影或文学的世界里学习坚强学习吃苦,生活中最容易崩溃的正是她们。电影至少是负责任的,有多少电影告诫过观众,电影中的许多情节是不可模仿的?!

此时此刻,夕阳正红,仿佛世界被它接管了。无论田野,街道还是期待的窗口,都变得平和了。平和之上涂了一层淡淡的金色,黄昏忽然变得有些铺张,好像可以推迟夜晚的来临。

车展在办公室里给丁欣羊发了短信:"我像傻子一样恋爱了,爱上了你。我好像已经等了你很多年。"

朱大者和女客人蓝德走在村边的小路上。蓝德说,大者,好好画画吧,好像对你来说,也没有更好的路。朱大者微笑着点头,抬手在空中勾勒着。他先画了远处的小山又画了田野的边框,然后用食指点着刚出土的小苗儿。

"你这么画过吗?"他说,"很享受。"说着,他画到了更近的地方,一条沟壑。"我把它扩成小河。"

"人物呐?"蓝德开玩笑地问。

"没地方了。把人画到框子外面。"他转身用手在蓝德身边勾画着。

"把我画胖点儿。"

"你已经够胖了。"

"走了。"她说,看上去既难过又不难过。

他拉起她的手,差点把心底的话说出来:有时,他觉得她是他死去父母派来的一个亲妹妹。

长途车来了,夕阳也落了。他们亲切地拥抱告别,朱大者一个人慢慢走回家。他想独自享受蓝德留给他的安宁和亲切。每次跟她相聚,他仿佛可以获得继续活几年的心情。这跟爱情无关的感情,他不想去定义,怕搞坏了。他希望用这份感情去对抗他是孤儿的事实,他可以说,我还有一个妹妹。

当他看见手机上有两个丁欣羊打来的未接电话,有些恼火。

他现在不想见她,不想见任何人。但他担心便回了电话。

"你能告诉我,我是不是错了?我挺不过去了,所以你不用客气,实话实说好。"朱大者坐到丁欣羊面前,她没有任何过渡,都坦白了。他想了想问:

"干吗非得我告诉你错没错?我又不是你爸。"她差点气笑了,马上更伤心。现在她最不想看见的就是朱大者的玩世不恭。

"你自己觉得错了,就错了,没错,就没错。"他往回拉话,缓和了口气。

"我不知道我做的对不对。"她老实地说。

"我也不知道你做的对不对。"他突然说并没有不耐烦,似乎是实话。

"哼,"她说,"我至少知道找你来是错的。"

"哼。"他笑了。

"你走吧。"她说。

他立刻站了起来,心情也如此。他不喜欢眼前的气氛。在最后的瞬间里,他还是心软了。他从来都不喜欢丁欣羊的复杂,现在,她因此弄出这样的事更烦人,他重新坐回刚才的椅子里,缩着身子。

"还有一种可能。"他不情愿地说,"你跟车展说开,他要是不在乎,你们就继续处呗。说不定,有一天,你们就结婚了。女人到了你这个岁数,如果勇气也没了,就什么都没了。"

"如果我不想这么干呐?"

"那就说明你已经知道自己要怎么干,折腾我干吗啊,我住得多远,你不是不知道。"

"我有一天做梦,梦见跟车展在一起时,我跟他说,因为喜欢你,不能跟他如何如何……"

"那有什么,我还梦见你变成妓女了。"他含混地说。

"你说什么?"她听清楚了他的话,只是不能相信。

"没什么,乱说。"

"我要是真跟车展这么说呐?"

"那你们就完了。"他说得像个旁观者。

"那你能认真对待我吗?"她再次提起这个话题时,恨死自己。她想到马副经理,恨不得掐死自己。

"我不认真对待不认真对待自己的人。"

"我明白了。"她幽幽地说。

"你这么说的时候,常常是什么都没明白。"他站起来,"你跟我不是完全没有缘分,但眼前很难。我讨厌可怜的女人,女人一可怜就值得怀疑。"

"我真的懂了,谢谢你教育我,也谢谢你来看我。"

朱大者听完她的话,像是听到了命令,说了再见就离开了。他出来,问门口保安,哪个超市现在还开门。被指点后,他去超市买了一些食品,再回到丁欣羊家做好饭,开车回家时已经是午夜了。

这个晚上,车展格外思念丁欣羊。他故意绕了一小段路,在丁欣羊家门口经过一下,更仔细地回味他们已经有过的美好时光。他放慢车速,意外地发现丁欣羊家的窗口亮着灯光。他先是一阵高兴立刻停车拨通了她家里的电话,铃声响了很久都没人接。他高兴的心情由高处落了下去。他在车里坐了半天,才拨了丁欣羊的手机。

"你在哪儿啊?"

"我还在厦门啊。"

"没什么,突然很想你,都好吧?"

"挺好的,你呐?"

"我也挺好的。你什么时候考试?"

"后天。"

"什么时候回来?"

"按计划。"

"好吧,回头见。"放下电话,车展被一种奇怪的感觉控制了。他熄火坐在车里直到丁欣羊家窗口的灯光也熄灭了,才发动车子离开。这期间,他一次也没想过,去按按门铃。

"如果有一天发现,等待我们的都是妥协,你就范吗?"答应被采访的女人在大丫开始采访之前先提问了。她的问题像她的外表,未必有多深刻,但很有意思。大丫脱下外衣挂到椅背上,招呼服务员点茶,然后掏出香烟放到桌子上,舒服地在那女人对面坐好。

"对不起,现在我们可以好好聊了。刚才听你那么问我,我就觉得我们两个可以好好聊聊,采访的事,我们顺便就干了,你说呐?"

"你干吗要采访我?"

"我答应女报写一个专栏,叫'今天感情断面',小胡推荐了你。"大丫说完,女人大笑起来。大丫也笑了,尽管她想不出令对方发笑的原因。大丫先说出了自己的名字并解释说,问名字是为了私下交往的方便,采访完全是匿名的。

"这么说你还想跟我有私下交往?"

"我对面相有点研究,也许我们能聊得来。"

"你叫我林子好了,我姓林。"大丫笑了。林子问,作为名字林子比大丫更可笑吗?!

"我们还是回到你第一个问题上,就不就范?"大丫说着示意给她们做茶的服务员离开,"我自己弄。"洗茶泡茶她一边做一边说。"我想你是指情感上,对不对?"

"当然!"

"你干吗那么悲观？"

"我见多了，男人，女人。"林子坦率地说。

"你想就范吗？"大丫问。

"我先问你的。"

"那好吧，我不想。"

"哼，"林子发出一个并没有恶意的怪笑，"你挺有种的。"

"你怎么说，男人还剩什么啊。"大丫开玩笑地说。

"所以吗！"

"所以什么呀？"大丫好奇地说。

林子没接着大丫的话题，转而说，"我是想就范的，但没机会。"

"就范还要机会？"

"当然！"大丫发现林子很喜欢说这两个字。

"小胡说你是很受欢迎的独身女性，聪明，有见地，也很漂亮。"大丫的话引出林子的一阵狂笑。她笑过之后喝了几口茶忍不住又笑了起来。当笑意在她身上表现出来的颤动完全消失时，大丫已经喝干了自己杯里的茶。她静待林子的"坦白"，同时开始喜欢自己眼前在干的这件事。

"你知道小胡为什么推荐我？他过去跟我好过，甚至非常好，好到我们两个都觉得终于找到最适合自己的那个人时，他跟另一个女人结婚了。"

"为什么？"大丫虽然认识小胡几年了，仍然想象不出，稳当的小胡能这么干。

"因为我聪明有见地吧？再加上长的还不难看？"大丫被责问得有些尴尬。林子接着说，"让我告诉你点儿有意思的吧。什么女人情感状态，报纸上说的那些乱七八糟的都扭捏到极点，全是那些什么都不缺的自恋患者的梦话。"林子拿起腔调，"那个流星被雨水冲落的晚上，你还给我的一切都是破碎的……当我对你的记忆被时间拉长之后,我们曾经有过的缠绵捆绑了我……哦,在乌克兰的樱桃树下……"两个女人笑着,林子补充说,"最后一句还是我加的。"

"有意思。"大丫自语。

"这叫什么意思,最有意思的是二手婚恋市场。"说到这里,两个人又笑了起来。

"二手婚恋市场",大丫说这词儿应该得发明奖。

"你还记得那个《过把瘾》的电视剧吧,姜姗拿刀逼着王志文,让他说爱她。现在,这画面都该进博物馆了。说爱,太家常了,想说就说,不想说也说。大家一认识,立刻开夸。聪明善良,这些词儿都是小菜儿。有的还说你伟大呐,有一次,有个家伙说我能得诺贝尔,说得还挺认真。"

"你也写东西吗?"

"不写,就是有时候写写编辑意见或者退稿信什么的。哎,我跟你说,这帮中年人,真丑陋,包括我自己。表面上看都是谈恋爱搞对象,实际上是考核。两个人有了好感,上了床,就开始玩分寸。看看你家里的情况,男孩儿多大了,学习好不好了,上高中用不用花钱了,工作前途了,有没有永久保障了,最好能知道存款有多厚,想让谁下决心重新跟什么人一起生活,比登星星还难,包括我,我也不想考虑比我差的,对不?我什么都清楚,也厌恶这样,就是退不出来。没这个太寂寞。"

"那你现在对爱情的看法是什么呀?"

"说爱我跟我上床认为我好等等,我都不买账了,谁最后跟我结婚跟我一起好好生活才是真正爱我。"

"说归说,两个人一起生活挺难的,尤其是二手的,得磨合多长时间啊。"

"一个人生活更难,跟自己磨合还不如跟别人磨合,这是我的感受。"

"我一个人生活了好长时间……"

"感受跟我不一样?"林子打断大丫,"感谢生活,老天对你不薄。"

"谢谢你,生活。"大丫对旁边的空椅子说。

"哎,我跟你说,人有时还不如动物,动物决定是不是一起生活,互相闻闻味儿就行了。"

林子最后的话让大丫一个人想了好久。她觉得自己的某种心态也被林子概括了。她想到自己对大牛的态度,想到自己一直以来保持的状态,心里有点乱了。

离开林子,大丫给丁欣羊打电话,对方说明天回来。她仍然想跟什么人(大牛之外的什么人)聊聊这些,便给朱大者打电话问他想不想见个面,他立刻说不想。大丫并不生气,好像朱大者就该是这个样子。

"那我电话里问你一个问题吧,就当我采访你了,你别担心,我不提名的。"

"大丫,你病了,有话说,别跟我来这套。"

"好吧,你怎么看待爱情?"

"有这东西吗?"

"你别跟我玩语言游戏了,我今天挺开眼界的。"

"我不会说。"他颇为老实地说。

"那你说爱和喜欢有什么不同?"

"爱是活在对方里面,感觉对方的感觉;喜欢是活在对方旁边,感觉自己的感觉。"他说。

大丫回到家里没像往常那样换衣服,背着皮包坐到写字台前,一动不动。屋子渐渐地黑了,直到完全黑透。她突然那么强烈地思念大牛。她幻想着,大牛正朝她赶过来,把她从这黑暗中的呆滞中解救出来,带她去那个充满热情充满活力的情欲世界。

大牛不会来。她拜访他之后的这段时间,他从没来过。偶然打电话,他也不再多说什么。大丫问他,是不是不爱她了。他说,他非常爱她。那样的声音魔鬼和天使都相信,因为是发自内心深处的。

她一个人这么呆坐着,屋子里好像缺氧气了,她觉得胸闷。除了给大牛打电话,请求跟他见面,她会一直这样坐下去,让思念淹没自己。

"大牛,我在家里。"对方没有回答。

她停顿了一下,考虑着怎样用一句话表达出全部感觉。"大牛,我想你,非常非常的想,我不行了。"

大牛发出了一个声音,但不是一句话。

"我什么都不明白了。求你,别再惩罚我了。过来看我,大牛,我求你。我们不再分开了,求你,大牛,别这样把我扔下。没有你,我过不下去。"

"如果我一时半会儿来不了呐?"

"我等下去直到饿死。"

"我没开玩笑。"大牛认真地说。

"我也没有。"大丫说完,对方挂了。

大丫放下背包,给自己倒了一杯水,坐到阳台的藤椅上。虽然还没到可以坐到外面的季节,大丫想坐到外面,她希望自己听见大牛摩托车的声音。她在腿上盖了一条毯子,开始等待大牛的到来,心情像是刚开始某种仪式,只有虔诚和敬畏。

从阳台的窗户看出去是另一灯火通明的居民楼,大丫把目光投向天空。傍晚刚过,是人们最忽视天空的时刻。大家都在看着可以填饱肚子的东西。没有阳光的天空,像老人一样渐渐呈现出衰弱的迹象。最后的不属于夜晚的点点亮色,带着劳顿的姿态,一点点离去,不全是无奈,不全是认可,不全是留恋,不全是,不全是……大丫不由得被感动了,自然永远吻合着我们的心情。她想象着自己和大牛一起迈上晚年的归途,一起找到晚年的归宿,一起,留在一起,再一起离去。

相爱的人手拉手,一同告别活着。

大丫想得满眼泪水。

在 A 城通向这里的高速上,飞着一辆不断超车的摩托。高速公路变成了一条无尽的黑线,引诱着骑车人发疯亢奋,吞噬那黑线仿佛变成了惟一的目的。车展开车看见了这辆飞驰的摩托车。他咕哝了一句,不想活了。转而他又觉得,这是另一种活法。于是,他也加速,快赶上摩托车的时候,他规律地按了几下喇叭。摩托车手减速后扬扬手,所表达的意义是模糊的,介于多谢和见鬼之间。

车展减速回到自己刚才的一百二十,再次想起丁欣羊家那天晚上莫名其妙的灯光,又是一阵烦乱。他希望自己有勇气问清楚,但到现在他不是没找到勇气就是没心情,在两者忽然都具备的时候,他又没时间。

跨在摩托上飞驰的大牛,充分地体会着速度带来的刺激。他一直有这样的感觉,速度跟兴奋剂一样,都可以让血液沸腾。他喜欢沸腾的感觉,这是他和人群在一起时从没有过的体验。因此,他也喜欢性,喜欢性到最后的刹那把人抽干的感觉。他常想,这该是一种净化,那之后的瞬间里人也许就到了没有欲望的境界。二十几年的生命旅程,大牛似乎没有背叛过自己的心。他喜欢一个人孤独时的真实,也能面对在人群中时的另一种孤独。他和别的女人上床时从没妨碍他相信,有一天这一切都会被爱情取代。当他爱上大丫后又跟别的女人上床时,感情上是痛苦的,但心里却很安宁:只能这么做。过后,当他不再那么做的时候,也没觉得自己肮脏,就像他也不觉得自己极端一样。

现在他不顾一切地由 A 城往回赶,心情无比愉快。大丫在电话里的态度,让他觉得她终于明白了他们之间的感情。他想,他们终于可以结婚了,一辈子在一起,吵架或者不吵架,但要做爱,永远做爱。这么想时带来的生理刺激在时速一百四的烘托下,把大牛推向愉悦的顶端。

天黑透了。大牛还没来,还没来。大丫慢慢地困倦了,睡了一觉醒来之后脖子发酸腿发胀。她不仅渴得厉害也饿了,但她不想离开阳台,不想离开空气中的安静,不想离开,已经坐了几个小时的藤椅,除非门铃响或者听到大牛的喊声。她甚至盼望邻居家的猫过来遛遛,给她点儿启示,让她知道自己到底怎么了。如果大牛跟她开了玩笑,这玩笑都将被开下去,变成永恒的玩笑。

大丫怀疑自己疯了。

她听见了邻居家猫的叫声,但猫没出现。她由此想到大牛摩托车引擎的声音,它的启动熄火时曾经带给她那么不同的感受。在启动的声音里大牛总是离开,熄火时大牛回来了。两种声音她都喜欢。她需要两者,离开,归来,就像她爱两个大牛,一个让她痛苦,另一个让她疯狂。假如命中注定这就是我的生活,老天啊,今天我向你投降,我接受它,放弃挣扎……

她缓缓地闭上眼睛,抹去睫毛上的泪水,幻想着大牛到来时的情形。他一定是湿漉漉的,她相信他是从远道而来。她想象着脱下他的衣服;她喜欢他出汗的味道,带着青春的气息;她要拒绝他的一切亲近,直到他带着要杀死她的激情把她心底同样炙热的欲望挖出来,哪怕让她疼;她要以决不放开的架势亲吻,直到热情耗尽;她要无数次地跟他做爱,直到厌烦,而厌烦是永远不会发生的事……

在大丫这么想的时候,大牛已经到了高速公路的出口。当他把十块钱递到窗口时,忽然感到说不出的疲惫。窗口的姑娘把找零还给他并对他说谢谢时,他发出了一个甜蜜的微笑。他想,到了大丫那里可以立刻睡一觉,在大丫的床上,让她的气味围着自己。

夜深了,大丫开始心慌。她知道是低血糖的毛病,必须吃点东西。她第一次起身离开阳台,找到一块巧克力放到嘴里,然后给大牛拨电话,仍然没人接,像一小时前一样。她开始担心,乱七八糟的念头冲进了她的脑子。它们在里面撕扯着,打散了她心中的柔情和欲望。她不停地拨电话,一遍又一遍⋯⋯直到里面传出一个女人的声音。

"请问你是谁?"

"我也想知道你是谁。"大丫听见女人的声音时几乎失去了理智。

"我是省医院急诊,你是患者的家属吗?"

第二十章

一切都发生的太突然。

从大牛买摩托的那天起,就了解可能有的危险。那之后,他不止一次看望过受伤的摩托车友,还参加过两次追悼会。好在他对危险的理解和对命运的理解仿佛,懒得多想,听之任之。他过去的一个邻居爱说的一句话,一直留在他心里:注定井里死的河里死不了。

速度,在大牛买摩托车后不再是抽象的概念。当他跟车子一起飞的时候,哪怕下一秒里来临的就是死亡,他也觉得这是人生极致的幸福:不用面对死亡。他唱歌唱到发狂,也有类似的人生感觉,死可能发生在这样的瞬间里,人被极乐带过死亡,直接到彼岸。害怕死,变成多余的感觉。

这是大牛对死亡的理解和期望,他希望自己活得无限伸展,死得无所畏惧,像他爱的那样。

因此,很多人听得毛骨悚然的一句话,在他看来,只是说的实在而已:雨点没落到你头上,是偶然。

躺在病床上的大牛神情安详,疼痛覆盖了其他的感觉。两天下来,他基本能和疼痛相安。尽管这疼痛几乎是无法忍受的。因为必须一动不动地躺着,他把注意力集中到心里,那里是一片虚弱的宁静。他把后背的剧烈疼痛看成是心疼的替代,只要心不疼就行。

当他离大丫家几百米远的时候,当他看见那辆卡车从一个几乎是不可能的地方冲出来并做出反应的时候,他清楚地看见了卡车大箱板的纹理但没想到死亡或危险。他倒地之后发现自己动不了,剧烈的疼痛让他大汗淋淋。救护车把他带到医院,在他第一次躺到这张床上之前,一句话没说过,但在心里一直叫骂着:别碰我,操你妈,别碰我……他恨那些摆弄他的手,不管它们摆弄他的目的如何。

紧急处置之后,他听见医生们的嘀咕,知道自己必须等待恢复后的结果——站起来还是永远躺着的时候,他期望有一双手能帮助他结束自己的生命。

如果活着对他从来没那么重要过,那么这样活着就太滑稽了。他想。

第一个走进他病房的是车展。大牛看着他带着关切的笑容走近,心松开了,刚才控制他的愤怒也散开了。他甚至感觉到了整个身体的坍塌,仿佛在那一刻里,他往日的肌肉都变成了肥肉,大牛由此变成了另一个人。

他高兴,老天让他躺下后第一个见到的人不是大丫。

"怎么样了?"车展小心地询问。"大丫离得太远,一时到不了,我估计她马上就该到了。"

大牛咧咧嘴,还没力气正常说话。

"你别担心,她马上就到。"车展又说。大牛虚弱地闭上了眼睛。

他知道她在家里! 她知道他要什么,希望什么! 爱她也许是我这辈子里的幸事。大牛在思绪中挣扎。她永远都不再来,像过去那样来到他的近前,这感觉多怪啊,告别居然可以单方面进行。他想着,睡着,睡着,想着。他怀念她温暖丰满的身躯,想依偎……

车展在病房走廊给大丫打电话,催她快来。她说,马上,马上。

放下电话她仍然不出门。她不停地吃巧克力，喝蜂蜜水，好像这是她眼前惟一能干的事情，而且是必要的。她回到黑暗中的阳台上，如果邻居家的猫不小心出现，估计她会失手把它扔到楼下。她心里在发狠。

丁欣羊来了。她问大丫是否知道病情。大丫点头。

"你现在跟我一起去看看吧？"丁欣羊小心翼翼地试探，她能理解她的反应。也许，每个人都做好了被打击的准备，仍然会乱方寸，因为突然。

"你先去好吗？"大丫说，"也替我谢谢车展。"

"大丫？"

"你走吧，我没事，想一个人呆着。"

"我明白。但是……"

"我懂。"

丁欣羊走了。她去医院会合车展。她做完流产后，还没跟车展见过面。因为生理原因，她必须这样做。她的借口听起来很难让人信服，车展因此得到多少误解，都是她无暇顾及的。

丁欣羊在医院门口碰到了车展，他说，大牛的母亲来了。丁欣羊进去看了一眼昏睡过去的大牛，和他母亲简单聊了聊，心情沉重地离开医院。车展提议去个安静的地方一起吃饭，丁欣羊说自己想回去照顾大丫，她担心大丫被刺激得太厉害。

"我非常想跟你坐一会儿，聊聊。"一贯善解人意的车展口气坚决，"不知道为什么，你出差回来，我觉得我们的关系变了。你不想见我的理由，听起来都像借口。"

丁欣羊答应了。给大丫打了电话，大丫坚决阻止她来照顾并嘱咐她跟车展好好聊聊。她劝告丁欣羊好好珍视和车展的机会，她也会去医院看大牛。最后，她像啰唆的母亲再次叮嘱丁欣羊把握自己的命运，等到一切都变得无法更改的时候就太晚了。对方一个劲儿地说好，但大丫知道，丁欣羊明白的不是她想说的。

她想说什么？她与大牛刚刚建立的新生活，已经飘散了。她将被抛回过去的生活中……那些爱情等于童话的时间……那些她已经离开的日月……当她说尽好话，求总机小姐给她接到骨科值班医生，询问大牛病情时，他们的未来对她来说，已经没有悬念。

她太了解大牛了！

心中的爱意让人软弱；心中的混乱让人蛮横。

车展和丁欣羊各怀心思，在一个新开张的美国快餐店面对面坐下，倾谈的愿望被各自的心态阻碍着。

"出差怎么样？"似乎是个没意思的话题，被他提起后，意思变得复杂了。因为，她窗口的那盏灯还在他心里亮着，失去了灯光本身的温暖含义。他没勇气，像她男人那样直接问，你不在家的那天晚上，谁点亮了你的窗口？

"就那样呗。"她含混地说，"你好像也出差了？"

"不是好像，我是出差了。"他笑着说。突然渴望亲近她。他想把她带离这里，从此什么都不问。他想，只要他们经常在一起，这些迷雾般的事情迟早会消失。他把她的手握住。她没有反对。他有力揉搓她的手，她借口喝饮料抽回自己的手。他看着她闲着的另一只手，她看别处，避开他的目光。

他已经知道了一切。她想。

"我们回去吧？"他低声说。

"回哪儿？"她故意高声。

"去你那儿或者我那儿。"他声音里只剩性感。

"我今天太累了。大牛的事情弄得我很难受。"现在，她不能跟他或者任何男人睡觉，用自己身体开玩笑，对她是无法想象的。

听了她的话,窗口的灯光在车展心里通明起来。他差不多认定她有了别人。

"我们的关系好像有变化。"他说,像在说一件日常的小事。

"你什么意思?"丁欣羊发现自己仍然不能跟他开诚布公地谈。

"你好像有心事。"车展小声地说。

"我也觉得你有心事。"她敷衍了一句。他没接话,怕自己承受不起摊开的后果。

"我们还是谈开吧。"她忽然变得勇敢,好像魔鬼通知了她,她不会因为坦率失去车展。

车展想了想说:

"在你开口之前,我希望你知道,无论怎样,我都不想失去你。我爱你,非常。"

车展的话感动了她同时拿走了她坦诚的勇气。也许她会因此失去他,也许她再也找不到他这么舒服的男人。他有爱的能力,他自然地表现自己的嫉妒,但他不让嫉妒淹没爱。他爱得那么准确,她清醒无比,什么都不说了,希望因此千千万万人一样过渡到下一个阶段,和一个喜欢自己爱自己的人进入日常生活,平和吵闹混合的日常生活。尽管昨天她的想法还是另外的。

"好了,不开玩笑。"车展换了口气说。他宁可让真相枯萎,不想现在去面对。

"话都说到这分上了,还是接着说吧。"丁欣羊终于决定了。"其实,我自己还没搞清楚,说出来,也担心你误解,但是那感觉已经在打扰我们。"

"什么感觉?"车展费劲地说出这几个字。

"我对另一个人的感觉。"丁欣羊话说出口,便觉得这表述不够准确。车展双臂抱在胸前,脸上是随时可能脱落的毫无表情的表情。无表情之下的另一个车展已经激动地站起来,冲出咖啡馆可惜又冲了回来。作为车展,他只熟悉那个无论发生什么都能坐得住的车展。

"你爱他吗?"他问。

"不知道。"

"你爱我吗?"

"很可能。"她想说爱,她爱他,但害怕那么说也不够准确。

"你跟他说过吗?"

"说过。"

"你没出差对吗?"

"你这么问我的时候,是不是心里已经在想,我这些天是跟他在一起?"

车展的修养妨碍他这么想,他恨自己的冷静就像他现在恨女人的复杂一样。他内心的简单带给他平静的表情,面对这样的表情丁欣羊感到内疚。

"对不起,我不该这么跟你说话。"她道歉。

"别这么说,也许你可以告诉我,你在哪儿?"车展语气中表现出的男人的坚定刺痛了她,因为这正是她钦佩的品质。

"我在家里。"

车展心里那可怕的灯光终于熄灭了。他恨不得马上堵住她的嘴,更多的事实他不需要,他只要知道她是诚实的就足够了。

"我做了流产手术,所以。"她说完,车展傻了。

过了很久,车展问说:

"孩子是我的?"

"是的。"她说。车展听完笑了笑。

"怀孕是你一个人的事,对吗?"他心凉了。

"我没这样说。"

"但你这么做了。"他平静地说。从他的平静中,丁欣羊看到了巨大的失望。

"因为对那个人的感觉打扰了你,你把我的孩子做掉了?"车展问,但并不等待回答。"你该好好学习一下,把所有的男人都当人。"说完,车展走了。

丁欣羊顿时泪如泉涌。她心里委屈,觉得自己太把男人太当那么回事了,才会这么苦!这么惨!

对此,没有真理。

大丫终于走进大牛的病房。

虽然已经是出事的五天后。她终于把自己调整到一个状态,好像她只是来看一个好同事。大牛看见大丫立刻笑了,像是看见一个偶尔走动的亲戚,亲切但没有什么特别的。

我们彼此相知这么深,却吵了那么多架。再也不能这么问他了⋯⋯大丫眼睛潮了。

大牛病床边站着一位六十来岁的妇女,齐耳短发面庞清癯,表情不是十分严肃,但不热情。大丫对她礼貌地点点头。她表示回礼的点头很缓慢,大丫觉到对方的审视。

"我妈,大丫。"大牛为她们介绍。

"听说过您。"老太太表情中透出的镇定逼迫大丫撒了个谎,大牛从没跟她提过自己的母亲。老太太嘴角现出一个嘲讽的微笑,猜穿了一切。她的微笑大丫并不陌生,大牛继承了这微笑的方式。

老太太看看大丫,然后对大牛说,她先去看看晚饭。只剩下两个人的时候,大丫还站在大牛的床头。邻床的一个陪护好心递给大丫一个小凳,大丫谢过并没有坐下。她将一个膝盖放到上面,仿佛这样可以减轻看不见的压力。大牛把一切都看在眼里,送给大丫的目光里充满了距离。

他会剪断一切。大丫证实了自己的预感,更加愤怒。大牛身上那些所谓男人的破烂让她作呕。为什么你不能按照你心底最真实的愿望行事,让我照顾你,求我别离开你,求我跟你结婚。你不用求我,我也会跟你结婚的。你这个小男人,跟我玩什么男子气?! 有那东西吗? 生活具体起来就是柴米油盐,难道你不懂吗?! 她看着他,心里对自己喊着。

却永远喊不出声。如果她现在这样躺在床上,她会做得跟大牛一模一样。他们因此相爱的,但他们不能因此走进共同的家门。

当爱和尊严发生冲突时,我们孤独地跟尊严留在一起。

"你知道我躺下以前最大的愿望是什么?"大牛说完,大丫心里立刻涌出一线希望。

"什么?"她的声音很不自然。

"洗个澡。"大牛憨厚地笑笑,好像这么说太傻,必须解嘲地笑笑。

"要不要我给你擦擦身子?"大丫说不出的失望! 他的嘲讽,是他们以往吵架的开端。

"不用,真的不用。"大牛口气中的诚恳立刻熄灭了这嘲弄,气氛令人揪心。"我妈都能做。"他说。

这时,老太太从外面拿着两个方便饭盒走进来。她对大牛说,最好马上吃,不然就凉了。

"那我先走了。"大丫立刻说。

"不用总来,你没那么多时间。"大牛说。

"我知道了。"大丫说完把小凳子还给邻床,对母子两个人说了再见,便离开了。

大牛母亲把打开的饭盒端在手上,在儿子的床边坐下。接着她又合上了饭盒。儿子满脸的泪水,引得母亲的泪水流到了嘴边。

"我再也不想吃饭了。"他说完闭起眼睛,紧紧咬住自己的下嘴唇。

母亲离开病房。

大丫一个人离开医院,顺右手拐到人行道上。她总在想自己该过马路打车回家,但却朝相反方向走个不停,宁可越走越远。天黑了,夜晚在昏暗的路灯下显得狡猾,令人怀疑。所以坏事喜欢发生在晚上,大丫仿佛看见了夜晚的狞笑。一切都那么该死! 她忽然冲上马路,她要过去打车回家,至少先结束这个晚上。

随着一阵嚎叫般的刹车声,一辆越野车停在大丫身前。责骂声和司机一起跳下来。

"你他妈的找死啊!"他怒冲冲地逼近大丫,看见满脸泪水,慌了后退了一步。大丫不知道自己什么时候流了这么多眼泪,泪水流进嘴里的时候,她使劲撸了一把脸,依然站在原地没有离开的意思。被堵住的车不停地鸣笛,年轻的司机不安地问,你没事吧?

"你说什么?"大丫没听清对方的话。

"别吵了。"年轻的司机不耐烦地对后面的司机吼了一声。"着急绕啊,傻×。"说着他跳上车,可大丫依然站在那里,脸上的表情遥远,呆滞。司机轻轻按喇叭。大丫看着他,好像在问,你要干什么呢?

司机再次跳下车,把大丫推上车,重新开动车子后,他说,他只希望大丫不是无家可归的精神病。

"我想我不是。"大丫安静地说,"刚才我突然觉得那么累,想死了休息一下。"

"你还是个精神病。"小伙子嘴上这么说,心里却对这个陌生的女人生出好感。"我可以送你回家,你家在哪儿?"

"一直往前开。"

就这样,在这个令人怀疑的夜晚,大丫指挥着这个年轻的司机往前开往左开再往前开又往左开,在越来越安静的城市里兜了一个小时。最后小伙子在一个公园旁边熄火停车,他说,坐一会儿吧。

大丫点头表示同意,一句话也不说,好像熄火的马达也带走了她说话的愿望。这之前他们谈了很多,但没问对方的姓名。大丫告诉他,她男朋友很可能会抛弃她,而她已经深深地爱上了。

"为什么?"

"因为他可能会瘫痪,这多可笑。"

他说他能理解的,男人也许该这样。

"该怎样?"大丫问。

"该利落点。"他说。

"你说的对,我能理解,但我不希望他这样。他该让我留下来,我比他大好多岁,我已经老了,无所谓了。"

"他有一天也许会这么做。"

"可惜他不会。我太了解他了。他总觉得自己可以随时死去,他很无所谓的。"

"我能认识认识他吗?"

大丫摇头。大牛也许不会再跟她像情人那样往来,但他仍然是嫉妒的,这一点她那么肯定。这么想的时候,大丫又哭了。小伙子开始说自己的事。他说,你能理解吗,我买了这辆车花了七十多万,其中一半儿是我借的。

"现在能理解了。"大丫一边哭一边说。

"是啊,你能理解了。我父母比你还老,他们恨不得把我吃了。"

"他们至少可以厮守。"

"你说的对,他们现在的关系比从前好多了,老了。"

"你送我回家吧。"

他们在大丫家门口停车后,大丫突然拉住小伙子的手,要他上来坐坐。她知道自己在干什么,心像失去主人的野狗,无法支配这可怕的自由,深深的丧家之感,在推她把自己扔进更深的绝望中。

小伙子没有反应。大丫再次催促,心被揪乱了,想嚎,她抓住小伙子的手冰冷。

"我懂你这么说的意思,可你不会这么做的。"

"你上来,我什么都会做的。"

"你太难过了。"

"我不难过了,难过也没有用啊。"

"如果你害怕,我送你上去,但我不会进去的。"

"我再也不害怕了。我什么都没有了。"大丫哭着,"什么都没有了,就不害怕了。"

小伙子害怕了。他不知道该怎么办。他不想让这个女人更伤心,所以他什么都不做。他把大丫扶下车,拍拍她的肩膀,眼睛也湿了。跳上车的时候,决定晚上回家给父母道个歉,告诉他们七十万他会赚回来。他以后不会再做让他们难过的事情。

人活着是运气,应该高兴才是。

大丫一个人慢慢爬上楼梯,从前让她气喘的体重仿佛消失了。她觉得轻飘飘的,随时可能朝后仰下去。进了家门她对着门口的穿衣镜笑笑,心里想那小伙子的建议是对的,她应该一个人回家,因为以后她将永远一个人回家,即使她有很多别的男人,还是得一个人回家。这跟单数复数无关,这只跟大牛有关,她哭着想着,跟别的男人她再也找不到回家的感觉。

她坐到地板上,心情变得异样。好像明天要出门远行,先去那个她梦寐已久的意大利小城——费拉拉。那里到处都是石头,石头房子和石头房子的阴影,仿佛在把活着的孤独挤出来。那个寂寞的小城将把我逼到孤独的尽头!然后我会像死人一样离开,取道比利时去日本的奈良吧!经常想到的都是奈良山坡上的野花,为什么不是樱花?在那里乡间的小旅馆里,推开院门从里面出来,第一眼看见清晨的街道,已经被露水打湿了……

　　大牛,我爱你。这些因为你才有过的心境,该死啊!大丫像一只从难过起飞的小鸟,再也找不到落脚的地方。她随手拿起地上的一把水果刀,在左小臂的外侧划开了一道,鲜血优雅地沁出来。

　　她心里松开些了。

第二十一章

于水波虽然二十多岁,对谭定鱼来说却是一个复杂的混合体。她既有年轻姑娘幼稚浪漫的特点,也有中年女人的心计。一个多月以来,曲今出国考察,他经常在于水波那里过夜。马副经理的威胁并没十分打扰他,更让他操心的是跟从美国回来的妻弟的合作。如果他们能达成共识,妻弟的眼界和管理方面的学识能给公司带来更广阔的前景。虽然他带入的资金对谭定鱼构不成真正的诱惑,但是多年来的打拼,他身心两方面都埋下了疲惫的种子。每当公司事情少些,业务进展平静稳定,他神经缓松一点时,疲惫的种子立刻发芽,直接表现就是越休息越累。

有一次,他和老婆孩子去了澳大利亚。躺在海滩上,除了吃睡就是晒太阳。妻子和女儿天天游泳,他躺在沙滩上要么昏睡要么胡思乱想一些事情。他发现自己不想干了,这想法固执地敲击他。不知道从什么时候开始,上班前他希望有人告诉他这一天该干什么,而不是反过来;他在跟人谈项目的时候,渴望后面还有可依靠的人或背景,即使因此的收入被人分去些,他也愿意!孤独感在南半球的烈日下几乎击垮了他。

他看着妻子女儿一次次从海里爬出来,重新聚拢到他身边,心好像被绑到了秋千上,上上下下的。他甚至想跟妻子好好谈谈,恳求她让他依靠依靠。但曲今却想提前离开去堪培拉看看。

"这里皮肤癌发病率越来越高。"她说。

"堪培拉不也是这样吗!"他放弃了接近妻子的企图。她是个不错的女人，就是不让人走近。

"城市毕竟不像海滨，这里阳光太强了。"

"我们不都抹防晒膏了吗?"他妻子说那没用。她对自己的爱惜，让他愤怒。他忽然恨她。

"你那么怕死。"他不友好地说。

"我什么都不怕。"她的话提醒了他。跟他比，她的确更勇敢，因为她坚强有头脑，她对感情似乎没什么需要，所以她看不见他内心的渴求。

她能不坚强吗?!

到目前为止，谭定鱼从没把压在自己肩上的责任放下过，也从没对任何人有过真正的依靠，包括对他忠心耿耿的马副经理。这也是她的威胁并不让他害怕的原因。爱上于水波以后，他对工作有了新的热情。但是好景不长。现在他们的关系需要新条件，黑夜中的一张双人床和一夜共眠已经远远不能匹配他们的感情，尤其是她的感情。他开始有良心道德最后是生理上的压力。有一天下午开会，他偶然看见于水波从角落里望着他的目光，眼巴巴的，心里忽然很疼。他想替她租个更好的房子，但所有这些都是权宜之计，他必须在自己的生活中为于水波安排一个位置。他不由得羡慕那些阿拉伯男人，他们至少有几个类似的位置可以"安排"。他只需要一个多余的，但一个他也没有。

再次想到离婚，良心麻烦等等压力，让他烦到底。他恨不得阉了自己，他想，下辈子，如果他可以选择性别，他希望自己当把女的，爱上别人的丈夫，坚决不让他离婚，自己高风亮节到底。

闹过两次的于水波安静了许多。经常和谭定鱼在一起的这段时间，工作太忙，但他们互相合作得很默契。这又让她做梦，觉得自己可以成为他的贤内助。但她知道，这安静就像某些需要潜伏期的疾病，不过是沉睡的病兆，早晚会再爆发。越跟他多处,她的嫉妒心越强。她开始学着吸烟,又不喜欢抽烟时嘴里的味道。于是,自己发明了一种玩儿烟的方法:把烟点着举到眼前,看着烟像两股细线一样,从烟头的两侧向上升腾,摇摇晃晃的,最后并到一处,心里便很安慰,好像她和谭定鱼有一天也会像这两股细烟一样汇合。但不是每支烟都能带给她这样的安慰,屋子里的微风和她自己的呼吸,都会让烟像疯子一样狂乱地飞散。渐渐地,她变得更敏感。

这天晚上,她陪他跟客户一起吃饭,饭后,他们一起回办公室取东西。她突然抱住他,拼命地亲吻。她对他说,黑暗的办公室很刺激。他没什么反应,她以为他不喜欢在办公室,便提议他们回"家"。

"我老婆回来了。"他很无奈地说。

"什么时候?"

"前天。"

"那你然后再回家好了。"她坚持。

"改天好吗?"他一边找东西一边希望这个话题就此打住,他感到力不从心。

于水波心中充满了被愚弄的愤怒,她发现自己只不过又做了一场梦,他们之间关系的本质就是虚幻,毫无信任可言。

"你跟你老婆睡觉了?"她无所谓了。

"你怎么了?你在说什么呀!"

"你听明白了我的话?"

"我现在很难,你不能再误解我。"他说了一句自己也没太听懂的话。

"你在为我们想办法,是吗?你在考虑我们的感情,是吗?还有什么呐?"她吞下最后的半句话没说:再想点儿新的招数骗我。

"她要求我,我又能怎么样?"他奇怪地回到了刚才的话题上,仿佛是鬼使神差。

"那我要求。"她说着走近他,想了想,开始拥抱他,用身体给他压力。他粗暴地推开她。

"现在清楚了?我没有权利要求,对吗?尽管我是你爱的女人,但不是你妻子,所以不能要求。现在你明白了,我的处境,在你生活中的处境?!"她哭了。

"你?!"谭定鱼气疯了。在这个瞬间里,他觉得所有的女人都在侮辱他,他老婆,于水波,马副经理,他恨不得杀了她们。但这愤怒很快转向他自己。他感到自己做男人的失败,让一个比自己小二十岁的女人质问得哑口无言。

于水波看谭定鱼的脸色由通红变成苍白,人也虚弱地软到椅子里。她害怕他犯心脏病,试试走近他,被他阻止。他要她一个人打车先回家,让他一个人呆会儿。

"对不起。"她胆怯地说。

他看着她稚嫩的面庞,看着她迷惑可怜的表情,和对她所有温馨的回忆像一股涓流漫进了心里。因为有了她,他才有了一段新的生命,和他从前任何时间都不重复的新的生命感觉。小于听话地走了,他要她顺手把灯关了。我该感谢她的!他这么想着,决定在黑暗的安静中多留一会儿。

这天夜里,丁冰做了一个奇怪的梦。

  傍晚的时候,我穿过一个工地又到了那里。那地方我以前梦见过,还在那里看见过白中,但他听不见我叫他。这次,我想尽快离开那里,但公共汽车老不来,又找不到出租车。偶尔碰见一个人,我便打听有没有车,公共汽车或者出租车。他们都说有。天越来越暗,我越来越害怕。后来好不容易来了一辆公共汽车,售票员没说车开到哪里,我刚要上车，就看到树叶在晃动，一个声音说，要地震了，过一会儿地震。所以我就没上那辆车。车开走后街上忽然一个人都没有了，好像都上了那辆车。我等着地震，觉得地震以后还会再来一辆车。但是没地震，车也没来。这时出现了一个很壮实的男人，拎着一个皮箱，也等车。他对我很友好，但我感觉他很可怕，我老想知道他箱子里放的什么东西。他让我跟他一起打一辆出租车，我告诉他没有出租车，可他一招手就来了一辆。我们上去，他说先送我，可我不知道我去的地方叫什么。他说他打开箱子看看，好像那里面有我去地方的地址。他慢慢地开箱子，那箱子有很多锁，每当他打开一道锁，我就更加紧张。最后他开箱子的时候，我吓醒了。

丁冰在电话里对朱大者说了这个梦境。他问她，有没有把这个梦告诉白中。她说没有。

"你从不告诉他你做过的梦吗？"

"很早以前说过，他总是劝我，说白天不瞎想，夜里就不会做奇怪的梦。"

"你想吗？"朱大者问。

"我不想。"丁冰笑笑说。朱大者也笑了。他对丁冰的印象也是如此，她看上去总是有心事，但她不是一个能用头脑分析想出个所以然的女人。他希望有时间他们能见个面，吃个饭，但他知道，他帮不了她。

只有爱情和死亡能帮她。放下电话后他想。

丁欣羊拉开门，惊住了：几个月前白玉兰般清纯秀丽的田如变成了另一个女人，臃肿，脸色赤红，像酒鬼。她经过丁欣羊径直走进门,一边走一边抒发自己的感慨:这世界充满了令人失望的人,包括她自己。

"我没对你失望啊。"丁欣羊关门时还打趣地说着,"我只是没想到怀孕会改变模样。"

田如坐下抱歉没事先打招呼就来打扰,丁欣羊认为这没什么不好,朋友就该抓紧时间见面。田如打趣地说,她忘了她们什么时候成为朋友的。丁欣羊说她也忘了,估计上辈子就决定了。

"上辈子,我不知道,看发展,我估计,我们的友谊能延续到下辈子。"田如说。

"你肯定有事求我了。"说完问田如要不要也喝杯啤酒,说着,把手里的啤酒杯推向她。

"要不是因为这孩子,我肯定喝醉。"田如很烦躁,她问丁欣羊什么时候上班。

"下周。"她说,"开发新的旅游线路。"田如问她国内的还是国外的,丁欣羊说可惜是国内的。

"国内有什么可惜的,国外就那么好吗?"田如没好气地说。

"哎,你怎么了?"丁欣羊担心地看着田如。

"我的样子看上去很糟吧?"

"如果连着你的大肚子看,你的样子一点也不糟。"

"可是对男人来说就是另外的了。有多少男人在他们妻子怀孕时出轨,多的都数不过来。我丈夫凭什么例外? 刘岸先生比别人差吗?"

"你说吧,到底怎么了? 刘岸不想结婚?"

"我们已经登记了,法律上已经结婚了。婚礼准备孩子一百天时办。"

"那你还烦什么?"

"那个该死的女人从美国跑来了。"田如气得崩出了眼泪。丁欣羊没想到田如会如此反应。对她来说,田如是少有的真正自信的女人，虽然年轻，却能看透一切。当她把这些告诉田如时，田如的回答又给她上了一课。

"自信？你知道女人的自信是哪里来的？"她问，不等丁欣羊回答便接着说，好像即使她有回答也是幼稚的，不值得一听。"女人必须知道自己拥有什么，才会有自信。我现在有什么？"

"你怎么会这么想？首先你年轻……"

"年轻的女人最容易有错觉，以为自己什么都有。"田如不耐烦地打断丁欣羊，"况且我早就不算年轻了。"

看着田如痛苦的样子，丁欣羊沉默了。她甚至庆幸自己打掉了孩子，好像任何男人都可能变成刘岸或者朱大者的样子，包括车展，他们的任务就是被派来折磨女人的。

"那个女人是刘岸的一个'劫'。"丁欣羊说。

"你说的对，关键是刘岸为什么老这样？他多大年纪了？青春期没头了？要是他还是独身，可以随时随地被那个'劫'绊倒爬起来再绊倒，哪怕摔掉满口牙，只要他自己愿意就是他的幸福。现在他结婚了，他向我承诺过，我信了他，我真他妈的太傻了。"

"你怎么知道她来了？"

"我跟踪刘岸了。"

"你觉得刘岸会跟她怎么样吗？"

"这个我没多想，关键是那感觉很恶心。"田如更加气愤。"她算什么呀，整个一个无耻加丑陋，自己过得好了，就把刘岸甩到一边儿，自己过不好了，就来撩刘岸，我可以尊重一个妓女，但没法尊重这样的女人。我这么说不是想指责她，我没权利指责人家，恶心的是刘岸总是就范，总是买她的账。"

"你肯定是同一个女人？"丁欣羊小心地问。

"你是我见过的最傻×的女人，被自己丈夫扔了，都不知道因为谁。"

"知道又怎么样?"

"这你倒说对了。"

"刘岸没对你提起她来的事?"丁欣羊更想知道一些实际的。

"他要是提我就不会起疑心了。"

"你不想跟他谈谈?"

"我想谈,可我从镜子里看见自己的样子,就没信心了。你看我这个样子,哪个男的看了会动心啊。"田如说着又哭了。"所以,见他妈的鬼去吧,我想离家出走。"

"你的确让我失望。"丁欣羊开始认真了。"我以为你是我见过的最聪明的女人,可你对自己怀孕的态度这么愚蠢。你现在等在这里,我去找刘岸。告诉我她住的宾馆,我也想为自己当年的痛苦报复一下。"

她听丁欣羊这么说,眼睛一亮,脸上立刻绽开笑容,那带着泪花的笑容让丁欣羊心动。她打扮了一下,很牛×地出门了。

中山宾馆,至少在这个城市里很著名。这幢带花园的日式建筑经过整修,像第二次结婚的少妇,依然焕发着诱人的魅力。丁欣羊故意没让出租车开进宾馆的院子,当她在宾馆大门前站住时,宾馆暗绿色的屋顶忽然把她的心绪变得复杂。她从没来过这里,也好久没因为公出住过类似像样的宾馆。出差住宾馆,伴随着让人难以喘息的工作压力,很难让人对宾馆产生特殊的感觉。那些时候,宾馆对她来说只是一个有床的地方。有时,她那么渴望,跟自己喜欢的人住把宾馆,只为享受,没有工作。

她从宾馆的大门看进去,进出的人们穿的要么正式要么休闲,一个拖着旅行皮包的金发女人,脸上带着睡过一夜好觉的满足,告诉出租车司机去机场。她的下一站也许是比利时的布鲁塞尔,也许是意大利的佛罗伦萨,哪怕是上海或者云南的一个边陲小城,也是另一个地方,是别处。这时,丁欣羊发现自己在这个城市留得太久。她想起没能成行的日本之旅，想起已经远在日本的老牧，心里更加翻腾。偶尔那么想看时尚杂志的心情只不过是期望变化而已。一成不变的生活让人窒息。

她眼前的使命让她兴奋，她想看看那个从美国飞来的女人。她所代表的某种生活方式，包括跟男人的周旋，让一贯脚踏实地的丁欣羊嫉妒。走进大堂，她犹豫片刻，一个穿红衣服的小伙子走近她，问是不是能帮助她。丁欣羊谢过之后，摇摇头。

在前台，丁欣羊报上那个女人名字查找房间号码。名字是田如搞到的。前台的小姐问她要不要先打个电话给客人，她说要给她一个惊喜。她踩着松软的地毯上楼，在门前站几秒钟后按了门铃。

丁欣羊她没能很好地打量来开门的女人，因为她几乎是同时看见了坐在沙发上的刘岸。她本能地朝门旁的女人点个头，指着刘岸说要找他，然后便进到了房间里。美国来的女人从容不迫地跟在丁欣羊后面，看看慌乱中站起来的刘岸，她请丁欣羊坐另一只沙发，自己坐到了床上。床上的被子胡乱地堆在一起，像被遗弃的女人。

"我叫吴纯。"那女人大方地自我介绍。刘岸替丁欣羊说了她的名字，好像她是个没见过世面的村姑。吴纯先向丁欣羊问候，后者礼貌地点点头，顺便打量了她。尽管没有国外的生活经验，丁欣羊还是从这个女人身上发现了很多舶来的特征：棕色的皮肤（太阳晒的或者花钱照射的）；贴了膜的牙齿洁白（任何一个年龄相仿的中国人都能想象得到白膜下面四环素牙的颜色）；大嘴薄唇；长发丰胸；裸露的前胸和脸上的几粒雀斑高雅地呼应着（据说，斑点在国外也是被特别看中的）；最后是那迷人的微笑（任何男人都渴望经常看见的表情，即使面对像她这样的不速之客，迷人微笑的魅力有增无减）……丁欣羊明白田如已经看见了这个吴纯，所以自信才会受打击。田如和丁欣羊的共同之处就是，她们都不会像吴纯这样微笑，没有吴纯这样的杀手锏。

　　吴纯面前刘岸所表现出的态度刺激了丁欣羊。他好像变成了一个生人，努力控制自己的情绪，不让心底的气急败坏泄露出来。吴纯镇定地坐在床上，偶尔看看刘岸再看看丁欣羊，没有丝毫的慌乱，也不寒暄，好像丁欣羊来发难，同时也有责任先开口。丁欣羊想起丁冰上大学时，他们班发生的那场悲剧。一个农村的小学教师带着手榴弹，把背叛自己的男朋友和他的女朋友以及支持他们恋爱的一个同学叫到一起，说要最后摊牌，然后引爆了手榴弹。在浓烟中没有人活下来。二十年前的事了，现在观念变了，没人想这么干了。人们多少学会了爱自己一点儿。丁欣羊忽然觉得跟他们理论都不值得，为此丢脸更不值。她甚至想一句话不说就离开，回去好好劝田如。但是，刘岸说话了：

　　"真没想到你能这么干。"他的话刺激了丁欣羊。

　　"那你没想到的事就太多了。"丁欣羊立刻变得伶牙俐齿。"来这里对我很方便，无论怎样都比美国近，你说呐？"她最后一句话对着吴纯。

　　"你去过美国吗？"吴纯笑眯眯地问。

　　"我没去过，但我前夫不是为你去了吗？"听了这话，吴纯依然微笑着，但没有答腔。

　　"也许我不该问，但还是想问，你到底要什么？跟男人，具体说，跟这个男人，"说到这儿丁欣羊指指刘岸，"周旋，你真能得到那么多乐趣吗？"

　　吴纯笑而不答，好像丁欣羊如此幼稚不配知道答案。

　　"你不想回答吗？"丁欣羊加重了口气，刘岸刚想对她说点什么，被吴纯的一个制止的手势打断了。刘岸立刻沉默，丁欣羊被另一个女人的手势和它发挥的作用伤害了。

　　"这是一种古老的感情。"吴纯说完，丁欣羊差点骂人。

"他为你跟我离婚了,那时你为什么不收容他,既然你们的感情那么古老?!"丁欣羊气愤地说,"现在他的新婚妻子怀孕快生了,你又来搅和,你不觉得难为情吗?"

"我从没主动介入任何关系。"吴纯也开始认真了。

"你暗示我是他主动?"

"如果你有这可能,现在就不会是一个人了。"吴纯的话像武器。

"我觉得你这种女人连妓女都不如。"

"那是你太不了解妓女了。"吴纯立刻反驳。

"欣羊!"刘岸忍不住劝阻。丁欣羊立刻回击,"别对我大喊大叫的,我有权利对她这么说话,离婚的代价我已经付过了。"

"刘岸,让大家都把话说出来吗!"吴纯怪里怪气地说。

"我没什么说的了,"说着,丁欣羊站起来,"最后建议你找个真正的镜子看看自己,别老是因为做女人忘了做人。"

"没想到'四人帮'倒了这么久,还能听到这么动听的说教。"

"除了说教,我还有别的话对你说,离他远点儿,不然你吃不了兜着走。"提到刘岸时,丁欣羊朝他歪歪头,好像他现在连看一眼都不值得。

"哈,是威胁吗?"

"看你,离开祖国久了,连想象力都没了。"

"够了,欣羊!"

"是够了,最后再说一句。"说完,她转向吴纯,"我的建议是,你不妨把我们伟大的祖国想得丰富一点,什么都是可能的。不要以为我没给你麻烦,你就永远安全了。"

"我真的同情你。"丁欣羊走到门口时,吴纯挖苦地说。

"打住! 小心别为你的同情失去点儿什么,比如某个器官。"

从宾馆的走廊到大堂到郁郁葱葱的花园,丁欣羊觉得自己像个女豪杰，走路姿势都发生了改变。让她吃惊的是，挺着大肚子的田如居然在宾馆门口等她。当她们像姐妹一样勾肩搭背离开时，田如说，这是她们完美的第一次配合。

"谁知道你老公会对你说什么？"

"他会说你干的不错。"

"他在里面可是帮那个女人的。"

"这你就不了解刘岸了。"

"所以他现在是你老公啊！"

"哎，要不要我把他借给你一年？"

"你不觉得车展比他强多了？"

"不瞒你说，我现在觉得谁都比他强，但跟他我已经很满意了。除了他跟那个下贱的女人来往。"

"啊！"丁欣羊大喊了一声。眼前的心情突然复杂起来，她想念车展，为和田如的友谊高兴，为自己刚才的"侠义"自豪，为身上的阳光感动。"现在，我想喝一杯浓得像墨水一样的普洱茶，再连着抽两根儿一个牌子的香烟，闭上眼睛五分钟，这一辈子就值了。"

"当你睁开眼睛的时候，看见车展站在眼前，这辈子就超值了。"田如说着挎起丁欣羊的胳膊，迎着浓烈的阳光朝一个能喝茶抽烟的地方走去。

第二十二章

等待命运通过一个医生告诉自己，怎样度过剩下的生活，这已经进入了残酷的范畴。为此等上三个月，必须等待的人只有三十岁，残酷升级了。此外，你根本不知道，那个带来最后消息的医生会不会让你厌烦……大牛躺在这些问题上面，尽量保持平静，尤其他母亲和护工都在的时候。有天夜里，他突然醒来，预感告诉他，离开大丫后，他将不会再跟任何人发火。

大丫也把自己的疼痛封闭起来，仿佛在知道最后消息之前，只有僵化机械地对付日常才算理智。她去看一次大牛之后，需要一两天调整，才不至于让自己癫狂。之后她还需要一两天，积攒力量，为了下次再去看望。当她带着调整好的心绪又出现在病房时，被大牛母亲叫出来。

"如果你必须来看大牛，能不能固定时间？"她直截了当地说，"什么时候就是什么时候。"接着又坚决地补充了一句。"如果不能，索性不来。"

她的话拉扯着大丫的神经，一句话说不出来，居然想呕吐。她难过，因为她立刻就明白了，作为母亲为什么这样要求。但她也想对这位母亲喊出来，这痛苦是大牛一手造成的。我不想每天都来吗？我过的什么日子你知道吗？她闭紧自己的嘴巴，防止自己叫喊出来。

"你能说服他跟我一起生活吗？"大丫平静之后说。

大牛母亲说不能，而且也不愿意。大丫感谢她的坦率，马上又问为什么。

"如果我是他,也会这么做的。"她看着大丫说。

大丫转而去看别处,控制自己把眼泪压回去,心里充满敬佩。他们的相似让他们失去彼此。

"那你也别想说服我。"大丫怕自己心软,说完这句话立刻进了病房。她知道,老太太不会跟进来。这个年逾六十的女人,对见过世面的大丫来说,充满了神秘感。从走进病房第一眼看见她起,大丫就想了解她。但她的冷静和冷淡推开了所有人,包括她自己的儿子。那时,大丫就决定不放低自己的姿态,否则从她那里获得认同的可能是零。这同样适合大牛,他们母子太像了。

护工坐在大牛床边看杂志,她看不见大牛睡着还是醒着。每次看到这样的场面,大丫的心揪得紧紧的,眼泪没有感觉地流。她曾经不止一次问过医生,还要多久才能知道最后的结果。医生说至少要三个月,现在大牛才躺了两个月。

护工是个安静的少妇,丈夫和工作几乎是同时抛弃了她。别人把她介绍给大丫时,她给大丫留下的印象很好,她甚至想给这个女人一份长期固定的家务工作,当然前提是如果她能负担得起。

护工姓邢,看见大丫,立刻微笑地对她点头,然后看看大牛,对大丫说,她正好要去买些手纸之类的东西。

护工走了以后,大丫拿把椅子坐到大牛的床头。从大牛躺到这张床上开始,大丫从没在他的床头坐过,也没碰过大牛。她能感觉到无形中拒绝的力量。

"刚才你睡了吗?"大丫问。

"一会儿睡一会儿醒。"大牛说,"我好了以后,再也不用睡觉了。"

大丫笑笑,不知道自己接下来该说什么。她发誓不说那些看望病人的套话,无论命运把她和大牛带到哪一步田地。

"烦了就走吧。"大牛说。

"我说烦了吗?"

"你没说,我说了。"

"你心情不好,我能理解;我心情可惜也不好。"她说。

"我很抱歉。"

"跟你有关系吗?"

"我觉得你今天是专程来吵架的。"大牛平静地说。

"你不要以为你病了,就可以为所欲为。"

"我怎么了?"

大丫气得要死。她站起来,准备告辞。

"你干吗生这么大的气?我们两个以前一直是你为所欲为。你高兴我们就好,你不高兴我们就分开。理由都是充分的而且还不一样,结果都是一样的:那就是我滚开,伤心难过,最后还是舍不下你,跑回去丢人现眼地跟你闹,为的就是不失去你,重新开始。我不也向你求婚了?结果你自己还没忘吧?"大牛说到这里,大丫满面泪水。"大丫,我现在解放了。即使我瘫痪了,还是解放了。我可以对你说不了,我不跟你好了,你真的自由了。再也不用担心我会去闹你,我可能连路都走不了了。所以你也不用因为我现在的态度难过或者生气,我不是故作姿态,因为自己可能残疾,就放过你,为了让你幸福,我没那么高尚。我就是突然没兴致了,不想爱了。我估计大姜现在的心情跟我的差不多。剩下的就是活着,他还有孩子,跟我还不一样,我是彻底自由了。"

大丫再也听不下去了,她跑出医院,沿着大街向前走。尽管人们经常看见一边走路一边流泪的人,像大丫这样哭法人们还是要多看两眼。看过之后人们或许会问自己,真有那么伤心的事吗?

走了一段路以后,大丫泪水的气势减弱了。无论什么样的情感在人那里的储备都是有限的,恨到头和爱到头都难如登天。

大丫盲目地走进一个公园。公园不收门票之后,进公园的仪式感也消失了。大丫看见一条空着的长椅,便躺到上面,旁边长椅上坐着的母子在大声谈话。

儿子说,吃什么都是死,因为所有的食物都是有毒的。母亲笑着说,什么都不吃也得死。所以,你没有选择。

"你长大了,我老了,人,总得缺点什么,不能全合儿。"母亲说。

"妈,你算老奸巨猾的人吗?"儿子突然问。

"你说呐?"

"算。"儿子说。

"放屁。"母亲说。

大丫听了他们的对话,更加觉得生活对自己不公平。她不想什么都有,只要跟大牛在一起,可就是不行。

"啊。"大丫使劲喊。母子两个人走近她,母亲关切地问,是不是心里难过。

"不知道。"大丫躺着对老太太说。

"我也从这时候过来过,相信时间,时间能治好所有的创伤。"大丫看着老太太灰白的头发,睿智的表情,没有缘由地失望。她希望自己老了不这样。

老太太还想继续说点什么,大丫爬起来离开了。

"你还是接着跟你儿子唠吧。"离开前她对他们说。她听见,那儿子在她背后骂了一句:傻×。

大丫想起"升起"酒吧,想起从前自己熟悉的人群,倍感孤独。她身体里过去对付困境的本能在苏醒——大家一起喝醉,清醒之后身体的难受可以让精神麻痹,以便对付那些讨厌的日子。她朝"升起"走去。

除了喝醉,人还有别的办法对付痛苦吗？大丫这么问自己的时候,觉得去过去熟悉的地方买醉有点可耻。她改路去另一个喝酒的地方,把可耻的感觉降低一半。快到"啤酒家园"的时候,丁欣羊给她打电话,她说自己刚出差回来,能不能一起吃晚饭。

"我想去的喝酒的地方估计也有饭吃。"大丫说。

"明白了。"丁欣羊很兴奋,问地址,大丫告诉了她。

全国人民突然发现,喝醉是件好事。于是,喝醉变成集体活动。等丁欣羊的时候,大丫自己先喝了半升扎啤。酒劲上来以后,所有的念想所有的欲望窜上来,把难过压了下去。

"大牛,你是个混蛋。"她给大牛打手机。

"那你正好抛弃我。"

"我不抛弃你,你也别抛弃我,行吗?我求你,大牛,我从没求过你,也不能求你,现在我求你了。"电话掐断了。她又打过去的时候,对方已经关机。她想象着,大牛如何让邢姐把他耳朵上的耳机拿下去,并嘱咐她不要再开机。她想着,喝着,心里对人的失望增加着。

人啊!完蛋!包括我自己。

丁欣羊来的时候,大丫说,如果她自杀,用这个威胁大牛,他最终能否站起来就不再是能决定他们结局的惟一因素。但她不能自杀,她爱他,但她不能为他自杀。这多恶心。

"欣羊,你说,这多恶心,我现在都不相信我真的爱他。"

"你疯了,爱跟自杀有什么关系!"丁欣羊也先给自己点了啤酒。"你别把自己搞得那么病态。"

"我没说爱必须得自杀。我讨厌自杀,用自杀威胁更恶心。我也讨厌大姜老婆干的事,她那么死了活该。但我要说的是决心,我其实还是下不了狠心跟大牛过。我觉得我下了死心,其实没有,我说不清楚了,你能明白了,谁都骗不了谁的。大牛离开我,是对的。他没在我这儿看到真正的希望。欣羊,什么都不用说了,喝酒吧。人啊,真恶心。包括我自己。"

那晚,大丫不停地重复"人啊,真恶心,包括我自己"这句话。丁欣羊听不下去了,建议她别这么说了。于是已经喝醉的大丫说:

"人啊,真恶心,包括你。"

"哎,你还真说到我心里去了。有时候,我真觉得自己恶心。小心翼翼,结果什么坏事都没躲过去。"

"没错,跟我一样。"大丫舌头打卷儿地说。

"你还记得我以前让你看过的一张明信片?"

"你让我看过无数张明信片,哪张?"

"胡说。是那个专拍战争的摄影家,叫什么我忘了。他拍的那个中弹的士兵,子弹在头顶开花,手中的武器即将脱落,人即将倒地……那个瞬间,你还记得吗?"

"我记得。"大丫说。但是,丁欣羊怀疑醉酒的大丫是否真的记得那张照片。她心里突然有种庄严的难过,自言自语地说了一句,画句号的瞬间。

"我们先给爱情画上句号。"大丫努力保持口齿清楚。

丁欣羊连续喝酒,她不知道正在给什么画句号,但能感到某种过去坚信的东西在死亡,心中充满了失望,不仅仅是对爱情的,更多是对人对自己的。仿佛从前人都在夸大自己,实际上,人渺小无比,跟大丫说的一样。

最后,她也喝醉了。两个喝醉的女人东倒西歪地横在长桌上,忘记了付钱,忘记了回家,忘记了所有的责任。大丫手机响个不停的时候,老板抓住了这个机会,接听了电话。

"你能不能来一趟,这两个女的都喝多了。天这么晚了,问她们地址,也说不清楚。你既然是她们的哥们儿,劳驾跑一趟,把她们送回去吧。这两个女的,都挺可怜的,苦大仇深的,哥们儿,你得发发善心……"

朱大者问了地址,抱怨自己倒霉倒霉,再一次大半夜进城装英雄。他一边开车一边对自己说,如果再发生一次这样的事,我也自杀。

酒醒之后的大丫情绪更加低迷,她不敢再去看大牛。她第二次为大牛交了住院押金之后,随手写完了安慰太太的文章,人像被悬在空气中没有着落。

黄昏的时候,门铃响了许多次,可门一直没开。送报人觉得很奇怪,他轻声问自己:难道出了什么事?

她在电脑里抄下这个句子之后,便开始冥思苦想,希望能给它找到一个题目,这样她就可以试着写小说,哪怕只写一个。她必须找到让自己"渡"过去的途径。

门铃响了,吓了她一跳。

是一封国际挂号,老牧从日本寄来的长信。

大丫,大牛,你们好!

来了近两个月,总算安顿下来了。我已经开始在语言学校上课,感觉日语比英语好学些,谁知道以后怎么样。我的一个同学说,日语越往后学越难,也许所有的语言都是这样吧。我注册了一个新的邮箱,但还是用古老的书信方式给你们写了这封信,希望你们已经解决了那些小矛盾,重新幸福地开始了新的共同生活。这么说的时候,我很惭愧,其实,我是没资格这样祝福别人的。

给大姜打过很多次电话,都找不到人。他可能换了新手机。大丫,如果你不是特别忙,能不能路过一下,看看他的状态,然后给我发个消息。今天我把我的邮箱地址给你发过去。我非常想知道他的消息,尽管我不知道该怎样继续跟他交往。已经失去的,人们通过时间渐渐地认可了。但造成的疼痛随着时间的推移,并不能很快地减弱,好像时间越长,不安的感觉越奇怪。你经常写文章,肯定能理解我的意思,而且能找到更准确的表达方式。我想,大姜已经变成我心头的一个十字架,不仅仅因为他妻子的事情。我想,无论我怎样做,它都会树立在那儿。你们能理解我这么想时体会到的绝望吗?

因此,这也是我写信的目的,诚心诚意地向你们表示谢意。大丫,当你带我一起去看大牛,并当着我的面向大牛道歉的举动,以及由此向我表示的信任和期望,现在变成我发誓不再回国的原因之一:我只能辜负你们,因为我是另一种材料制成的,从这个意义上说,我配不上大姜。在这样的理解下,大牛还能送我到机场……那段时间里,我几乎被不同的感情震荡碎了。我摊上了倒霉的事,但没有理由抱怨。生活是公平的,剩下的必须用我的性格解释,所谓的性格即命运。

谢谢你们,我知道光这么说并不能表达我的全……

"去你妈的,老牧!"大丫看到这里随手把信扔了出去。她受不了他对自己的宽容。她仿佛看见如此严格分析自己的老牧在今后的生活中仍然我行我素。他的内疚是真诚的,但永远不会结合到他的行动中。他讨厌自己是怯懦的,但希望保持,这样他就永远有借口,在各式各样的失败的境域中,在别人因此受伤时,他可以分析自己责备自己,同时也为自己解脱:我承认我这样,可是我没办法!

大丫跟丁欣羊通电话时,说了自己的这些感受。后者觉得她说的很深刻,好多事,想透和不想透,得出的结论可能完全不同。后来,大丫读到格林写的一段话,关于单纯,她觉得这句话也间接地对老牧这样的人做了更好的归纳:

他总是单纯无知的。你不能责怪单纯的人,他们永远是无罪的。你所能做的只是控制住他们,要不然就消灭掉他们。单纯无知是一种精神失常。

"你不觉得老牧也是这样?"大丫问丁欣羊。她想了想,然后向大丫提出了另一个问题:你不觉得每个人都是这样吗?

"怎样?"

"为自己的缺陷付代价。"

"我们总是在电话里谈严肃的话题,而且还能谈出点东西,你不觉得奇怪吗?"大丫问。

"缺陷。"

"你没事了吧?"

"吐得一塌糊涂。"丁欣羊说,"第二天,我胃疼了一整天,吃什么药都没起作用。现在好多了。"

"惩罚。"大丫说。"你是不应该喝醉的,没理由啊。"

"我还没理由啊,这么多年独身,既孤独又寂寞,我喝醉的理由比你充分。"

"我这些年没独身?"

"那不一样,你是假独身,男人一把一把的。我是真独啊。况且你最后还找到了爱情。"丁欣羊说到这儿意识到自己说走嘴了。"对不起,大丫,我好像还没完全酒醒。"

"算了,不说这些了。你……"

"对了,我正要跟你说呐,喝多的那天晚上,我好像做了一个春梦,逼真得要命,因为我现在还记得那些细节。"

"你做了什么梦?"大丫询问的口气很认真,但听起来很像要嘲弄人。

"你烦不烦?!哎,我跟你说,我梦见跟一个男的……"

"你认识的?"

"我好像不认识。他的样子一直不很清楚,主要是气氛很那个。哎,你跟那个老板很熟吧?"

"干吗问这个?"

"不是他送我们回家的吗?"丁欣羊说到这个,大丫恍然,心里闪过一个念头:丁欣羊不知道送她回家的是朱大者。那个晚上,的确是酒店老板把丁欣羊扶进车里的。朱大者送大丫回家时,虽然大丫走路东倒西晃,神志还算清醒。她还记得自己问过朱大者,要不要帮忙。朱大者说,你能自己爬上床,已经是帮我大忙了。

放下丁欣羊的电话,大丫立刻拨通了朱大者的电话,开门见山地问:

"谁帮丁欣羊入睡的?"

"我就知道你必须来烦我。帮你们忙得到的报酬就是再烦一次。"朱大者心情很好,开玩笑的口气也温和。

"回答问题!"

"酒帮她入睡的。也帮你了吧,睡得好吧?"

"她刚才给我打电话,告诉我做了一个春梦。我估计,那男主角是你扮演的吧?"

"你让我向她坦白?"

"我不知道。这是你的事。反正人家是真喝醉了,你罪有多大,自己量刑吧?能判七年?"

"我靠,这玩笑不能开下去了。你放心吧,我找机会向你女朋友解释。其实,说心里话,大丫,没什么好解释的。"这是第一次,朱大者制止开玩笑,从前他是不怕玩笑开大的。跟大丫通过电话之后,他安静地躺在摇椅上,那天夜里的画面又浮现出来。

249

他一幕一幕地过，像拉洋片一样，当然不是为了解释，是他愿意再回想一遍。

鲁娜以来丁欣羊是他遇到的第一个女人，让他思念的同时也让他烦，他想摆脱但又摆脱不了。鲁娜死了之后，这疏远的烦恼由丁欣羊再次带近了他。他曾经想过，单单跟女人睡觉是无法引起类似烦恼的，这也是他不能轻易跟丁欣羊开始的原因。

当他看见喝醉的丁欣羊踉跄地奔向卫生间时，一方面慨叹她要强的性格，喝醉了还在控制自己出丑；同时也有爱怜。他想起她在日记中写的另外一次喝醉的经历，心情是希望好好照顾她，至少把她第二次醉酒经历变得稍微温馨些。

吐过之后的丁欣羊躺在卫生间的地上，蜷缩着，四肢都靠向自己，似乎准备抵御随时可能到来的伤害。她的姿态在朱大者看来更像一个心灵受伤的小动物，身体已经失去了意义。他把她抱起来，放到卧室的地板上，然后把浴池中的呕吐物冲掉。做这些的时候，他没觉得格外的恶心。他回到卧室，似乎也没多想，就决定为她冲个澡，让她舒服地睡一觉。他脱了丁欣羊的衣服，把她抱到浴盆中，让她半躺下。她几次好像醒过来，说了几句谁都听不懂的话，然后又昏睡过去。朱大者调好水温，用喷头冲洗她的时候，尽量不让自己的手碰到她的身体。她脸上的表情舒展开来。温水像天使的手，舒展开她的身体。她的头轻轻歪向一侧，甚至露出了微笑。

洗完之后，他找到一个大浴巾，把她裹起来，抱回到卧室。当他把她像一件礼物那样放到床上打开时，忽然发现自己冲动得一塌糊涂。他本想给她穿睡衣的，但他后退了几步，什么都做不了。她的身体像一件柔软的衣服一样摊在床上。她修长的身体伸展着，乳房像两个睡着了的半圆，惬意地躺在她的身体上，似乎正表达着朱大者心中最强烈的愿望。也许是感到冷了，她的身体又蜷了起来,侧向一边,好像不愿让人看见私处。他把被单盖到她身上,自己索性坐到地上,不知道怎么办。

假如他承认被丁欣羊吸引,更多也不是来自身体的。他拥抱过这个女人,也有过机会跟她再往前走。他放弃了那些机会,并不是因为能控制自己,而是他没感觉到现在这样的冲动。他想离开她的房间,但他动不了。她身体的态势还在不停地冲撞他。突然,他站了起来,掀开被单,开始亲吻她的身体。她最初的身体反应是再次舒展开,仿佛这身体喜欢他的亲吻。他慢慢吻得轻柔起来,好像过于激烈会打扰她睡觉。他吻她的脚,由此向上,掠过她的私处,用舌尖轻触她乳头时,她的双手抱住了他的头,把它拉向自己的身体。他激动起来,猛烈地亲吻她的脖子。她好像醒过来了,呢喃着搂住他,同时把自己的身体凑了上去。

他挣脱开她醉酒之后的拥抱,开始脱自己的衣服。当他一丝不挂地站在床前时,“她喝醉了!”的声音冷却了他。他费了好大的劲儿才把自己的衣服穿起来。然后把被子盖到丁欣羊身上,她身体暖和之后,很快安静地睡着了。

他一个人来到大街上,站在路灯下抽烟时,心里的感觉是疲惫和落魄。如果他进城,似乎就避免不了一个人,半夜里站在大街上! 他看着每幢楼黑漆漆的窗口,仿佛正在密谋把几个还亮着灯光的窗口搞得无比孤独。他发动车子的声音,在夜里传得很远。丁欣羊吸引他的同时带给他的障碍,在她喝醉以后消失了。这么想的时候,他发现自己渴望矛盾或者说分裂的东西,一个女人如果是聪明的,很难同时还是单纯和幼稚的。除非那个聪明女人喝得烂醉。跟一个烂醉的非女朋友非老婆的女人睡觉,身体可能很舒服,但他不愿承受接下来心里的不舒服。他在车里给一个他认识的出卖夜晚的女孩儿打电话。对方问他去哪儿,他说,他开车过来,但不去哪儿,在车里。那女孩儿不情愿,他说，钱，我可以按整夜的付。

　　女孩儿答应了。他开车过去，这不是他要的简单，但他只能有这样的简单。

第二十三章

想象远处的时候

远处就更远了。

大丫跟大姜见过几面，说不上很熟悉。老牧来信之后，她更想去看看大姜，但是，心里很清楚，这跟老牧没关系。她约了几次丁欣羊，都没成。上班后的丁欣羊因为忙碌像隐身了一样，只有晚上的时间。但大丫觉得晚上去看大姜不妥。

她先去大姜的店里吃了顿午饭，从饭店松散的管理，大丫不难想象大姜的状态。她发现饭菜的质量也无法跟从前比。她问服务员是不是换了大厨，换？人家溜了。服务员回答得很不屑。大丫问老板在不在，服务员以为她要投诉，便说老板从来不在。

"谁管饭店？"

"有时候老板还是过来，你认识他？"

"对。"大丫说完，服务员吃吃地笑笑，好像在责备大丫骗她了。

大丫终于见到大姜时，已经临近傍晚。大姜看见大丫既高兴又有些慌乱，立刻要请她吃饭。

"去你店里？"她随口问了一句。

"去那儿干吗！这附近有家不错的。"

"算了，我刚吃完午饭没多一会儿，要是你有时间，我们就这儿坐会儿？"大丫边说边指指大姜家的红木沙发。

坐下之后的大姜立刻安定，像一个被从常态下驱赶出去的人，又回到了常态。而他的所谓的常态就是呆坐，不停地抽烟。大丫打量他的家，像是管理不良的小旅馆或者像一个大减价的小家具店，门虚掩着，总是有人进进出出，有的跟他们点头算打招呼，有的像路人一样径直过去。坐在沙发上的大姜像什么都看不见一样，神态安然地吸烟。

"怎么样？"大丫发现自己必须承担带头说话的责任。

大姜毫无含义地笑笑。之后大丫又问了其他类似的问题，大姜的表情终于让大丫明白，已经没有什么值得回答的问题了。

伤心莫过心死。

头发没有突然花白，样子没有突然过于衰老，他把自己安顿在混乱中，让所有帮助同情的企图都变得可笑。在大丫看来，大姜已经不想帮助自己了。她想起自己的一个熟人，一年之内失去了两个亲人，但没妨碍他离婚又结婚。这好像也是一种摆脱痛苦的办法。让大丫不理解的是，大姜完全没有同性恋易变的特点。他只字不提老牧，但他的状态给人的印象是，这件事在他这里变成了不可更改的事实——不会发展也不会恶化。

"老牧给我和大牛写了一封信。"大丫说。大姜笑笑，也许想表示自己听见了她的话。

"他在那边学语言。"大姜听完又笑笑。

"饭店怎么办？"她问。

"到孩子大学毕业，就凑合办下去。"大姜第一次多说了几句话。"现在就剩这么一件事了。"大丫还想说点什么，被大姜打断了。他问，大牛怎么样？

"你们好久没见了？"

"我跟他不熟，就见过两次。但那小伙子给我印象挺好的。后来，老牧跟我说，你们准备结婚了。什么时候吃喜糖？"大姜不紧不慢地说了这么多。大丫的眼泪下来。

她说了大牛的事情之后，大姜只是抽烟，没话。大丫告别前,他问了大牛的电话,然后把大丫送到街上,挥挥手就回家去了。坐在出租车里,大丫忽然明白,大姜的命运是必须对自己忠诚。然后她想到自己的命运,朦胧一片。

晚上,她给老牧写了一个简短的邮件。她说,她去看过大姜,一切都挺好的。对他来说,更好不过的是让他这样安静下去,无论是谁都别去打扰他,包括你。

那以后好久,大家都没再听到老牧的消息。好在他不是个让人记挂的人。当大家渐渐忘记他的时候,他从荷兰发来消息,又让大家小有吃惊。不过,这都是后话了。

"早……"当白中在电脑里敲出这个字时,字的左上方出现了一行小字:"早春寒凉,望自珍慰。"

他吓傻了,盯着这行小字,揉搓眼睛看了几遍,确信不是幻觉后,字迹才消失。

他离开办公桌,朝窗外看去。今年春天来得较早,但暖得晚,一晃进了四月,天还是很凉,居然还飘了两次雪花。他又回到办公桌,再敲"早"字,刚才的话没再出现。他心里忽然很不安,去隔壁办公室,说了刚才发生的奇怪现象。一个电脑还算内行的人问他,是不是最近打过这个句子。他说不仅没打过这个句字,而且好久没用电脑了。在他们单位人手一台电脑,别人用这电脑的可能也几乎是零。

"即使我打过什么话现在忘了,肯定不是这样的话。这么文绉绉的话,我都不会说。"白中说。

"这话也没什么不好啊。"一个女同事说。白中同意她的看法,但他觉得这句话太吻合现在季节天气,所以怪吓人的。

"你信命吗?"女同事又问他。

"你什么意思?"白中敏感地反问。

"就是说你通鬼神儿。"另一个跟白中一起出过差的女同事打趣地说。

"我还是没懂你的意思。"白中继续问第一个向他发问的女同事。

"我就是那么说说,我天天用电脑,从来没碰到过这样的事,你比我幸运呗。"女同事停顿以后又说,"老天的宠儿,到处都有人提醒你加衣服啊。"她说完,大家都笑了。

"老白,我也有类似的感觉,就是觉得你跟咱们大伙儿不太一样。跟你一块儿出差时,我还觉得你这人有点神秘呢。"另一个女同事煞有介事地说,大家又笑了起来。白中说跟这帮人谈不了正经的,然后离开了。他离开后大家接着议论了几句,一个女同事的话得到了大家的认可:白中并不神秘,神秘的是他老婆。

电脑的事一直缠着白中,下班前,他开始头疼,而且越来越厉害。他觉得自己脑子里乱七八糟的,从前现在的事像乱麻一样,出现消失再出现……他试着把这团乱麻弄出去,结果是头疼更厉害。吃了止疼药之后,稍好些,恍惚中,他觉得脑子里的乱麻般的事情虽然还在,但离得远了。压迫感不如刚才那么强烈。

回家的路上有人打他手机,问他是不是丁冰的丈夫,他说是之后,脑子嗡的一声,当他拦下出租车奔向医院的时候,头疼消失了。

他又一次站在丁冰的病床前,看着她昏睡,胳膊上挂着点滴,心情复杂到无法表述的地步。大夫告诉她,她忽然昏倒在大街上,被过路的人送来的。这时,那个送丁冰进医院的男人回到观察室,看见白中说了一句,你来了。白中知道这是给他打电话的那个男人。

"她告诉我打你手机的。"那男人说。

"她醒了?"

"刚才醒了,然后又睡了。大夫说好像是血糖的问题。估计没大事。"

"刚才那大夫说,钱是您垫的,我把钱给您。"

"好吧,我正好是去银行,不然,平时我身上不怎么带钱的。我老婆信不过我,好像我是一有钱就花光的主儿。女人都这样吧。"

剩下白中一个人时,他坐到丁冰床边儿。他想把她放在被子上的手拉过来握在自己的手里,但有什么东西妨碍他这么做。头不疼了,他不知道是不是药物的作用。看着丁冰惨白的脸,揪心地可怜她;他爱她,所以害怕,不祥的预感在她第二次试图自杀以来一直搅扰着他。他觉得丁冰像一只风筝,即使他握着风筝线,也没有丝毫的把握,因为丁冰自己手里握着剪刀。最让他难过的是,他从来就不理解她为什么要这样。这几年来,她忧郁的倾向更严重,看心理咨询的结果连她自己都不满意。那医生说出的道理不仅浅显还很教条。女儿走以后,她的状态更灰暗。

他曾经期望,她们母女关系在蒙蒙长大更懂事之后能因为共同的理解更亲密。丁冰对蒙蒙很好,但她们彼此从没亲近起来。每次蒙蒙从国外打来电话,总是问他妈妈的情况;轮到跟丁冰说话时,蒙蒙便谈一些国外的见闻。

这时,丁冰动了动,白中立刻把她的手抓进自己的手里,好像弥补了过失。丁冰咕哝了一句什么话又睡过去了。

有些夜晚于水波觉得空气都不安静。她离开办公室,带着谭定鱼的承诺,一个人回家等待。自从他第一次失言开始,说来不来的事偶有发生。她闹过,他解释过,最后两个人一先一后地妥协。渐渐地,她的神经坚实了很多,有时,他想他的理由她应该考虑;有时,她觉得自己受够了,但看见他心又软了。表面看起来,她比以前成熟了很多,因为她情绪不再那么波动;实际上,她觉得自己变了。她不再那么痛苦,因为可信的东西越来越少。

她经常忽然愤怒,心里充满怨恨,像是怨自己又像是怨谭定鱼。她觉得,自己在不停地失去,并且担心,有一天失去自己时,自己还懵懂着,全然不知。

有时,她分裂出另一个于水波,看着自己在谭定鱼的意图下忙得团团转:回家,快速收拾房间;快速洗澡;再搞些装点气氛的小把戏……她想到皇帝的后宫,想到那些姨太太,然后再想自己便更委屈。她和那些女人所不同的是,她必须自己养活自己。

房间那束开始腐烂的玫瑰,发出一股难闻的气味。一周前她买它时想,权当是谭定鱼送的。他太忙没时间送她花,所以自己买一束替他送给自己。她站到镜子前,看自己性感的睡裙,蓬松的头发,典型的夜晚的情人形象。她看自己的脸,年轻不失端庄,却被哀怨主宰着。

谭定鱼坐在黑暗的办公室里,正准备去小于那里,妻子的电话打过来。

"小未来了,你回来吗?"

"他没说要来啊?"

"跟他合伙的那个人已经同意一起投资,如果你同意,他们想控股;如果你不同意,他们买下百分之四十九,你控股。"听了妻子的话,谭定鱼的心情像是一个备受阴天折磨的人,忽然见到了太阳。终于可以卸下一部分公司的业务了。让自己喘息一下的愿望,他恨不得马上冲回家,跟妻弟谈妥这件事。他平静地告诉曲今,马上就回去,然后打电话跟于水波解释。

"既然不是约好的,你干吗非得回去?"她说。他很生气,因为她说的有道理。他无法解释自己心里的感觉,于是更生气。

"明天好吗?"

"这是第几次了?"她平静地说,他再次生气,因为她那么平静。

"别这样好吗? 听话好吗?"他说完听见对方放了电话。离开办公室时,好像看见明天将如何艰难。

真累。他想。

也许每个女人都有一个属于自己的夜晚,无论痛苦还是幸福,她在这个夜晚知道自己还有什么,同时更清楚地知道已经失去了什么。那以后,具体的生活变得确定,不再虚无,但也少了幻想。

于水波虽然还年轻,命运提早给了她这样的夜晚。谭定鱼让她白等了一夜又一夜之后,终于有一天,她没在第二天抱怨,一直到第十五天,也没再向他提过此事,好像他们根本没约定那晚见面。

她没有要求自己这样行事,从前她要求自己这样,还是忍不住通过某种方式把自己的情绪表现出来,让对方看到或者感觉到。她的变化带给她一段平静,心情居然很好。

她只从秘书角度出发,圆满地回应了谭定鱼的微笑和指示,而且得体,就像真正受过良好训练的职业秘书。在第十五天的傍晚,下班大家都走了以后,他说,今晚有个工作应酬,希望于水波一起去。后者说今晚另有安排,同时以商量的口气问,能不能请假。

"你不用请假,是下班以后的时间,我只是问问你是不是也有兴趣。"

"兴趣当然有,可惜我已经安排别的事了。"她说着拿起自己的皮包,往外走。

"你怎么了?"他突然生硬地问。

"你指什么?"她礼貌地问。

"什么都指。"他的口气仿佛唤起了她的记忆:他是那个跟她有过那样肌肤之亲的男人。

"我挺好。"她说。

"说实话。"他说。

她被他的话击中了,一动不动地站在那里,担心泪水会涌出来。过一会儿,她慢慢坐下,他站在她面前堵着她的路。谭定鱼扶着她的膝盖蹲下来,抚摩她的大腿,声音轻柔地问,是不是他伤了她,是不是他粗心让她难过了,是不是她开始怀疑他的爱情,是不是她对他们的未来不再抱希望,是不是……

"什么都不是了,谭总。"小于回答,像从一个奇特的梦境中刚刚走出来。

"别这样说,好吗,我求你,别这样跟我说话。我前段时间的确事情太多,没什么好解释的。我现在给他们打电话,说我有事不去了。"

于水波拦住正要打电话的谭定鱼,低声说,她陪他去。

女人,有时像失效的密码……

这个晚上,有两个男人不想事先打招呼,只想顺便路过按按丁欣羊的门铃。在,进去打个招呼;不在也无所谓。

其中一个是朱大者。他进城去医院看望大牛,路上忽然就这么决定了。他一直把那本丁欣羊的日记放在车里,仿佛他每天的使命都可能是站到她面前,向她坦白还给她日记。跟躺在病床上的大牛聊天之后,他沮丧。大牛说了自己的打算,他说,这是懦弱的表现。

"那你呐?"他没想到,大牛会这么反问他。

"你想说什么?"他防御性地反问了一句。

"想说的我都说了。"大牛不友好地说。朱大者在那一刻里责备自己,不该从自己还拥有的双腿出发,跟大牛讨论任何问题。角度,在这样的情况下,几乎决定了一切。

按丁欣羊家门铃时,他想,这也许就是他沮丧的原因,他一责备别人,便看到自己的弱点,最后也是怯懦。丁欣羊惊讶地看着门前的不速之客,半天没说出一句话,他想她也许正好有另外的男性不速之客。

"我可以另外找时间再来,也可以先打电话跟你约好,我只是顺路,刚才去看大牛了。"

"你找我有什么事吗?"她的口气是经过理性缓和过的,但仍能听出伤痕的尾音。

"有事。"他说。

他们斜对着坐在沙发上,丁欣羊倒过茶后,并不寒暄,静静地看着对方,气氛顿时比较紧张。朱大者怀疑自己照顾她的那个晚上是中了什么邪,眼前的丁欣羊跟喝醉的那个,简直就是两个女人。这样也好,不用过渡,直接说然后直接被解脱,像大丫希望的那样,让这个女人好好跟她的男朋友相处。想到这里,他把日记放到茶几上。丁欣羊瞪大了眼睛看着他!

"你从哪里找到的?!"半天后,她甚至感激地惊呼着。朱大者在脑子里快速闪过一两个可以让眼前处境简单化的谎言,但打消了坏念头。

"不是我找到的。"他说。

"那怎么会在你手里?"她拿过日记贪婪地翻看着,带着久别之后重逢的愉悦。

"我拿了你的日记。"

"你什么?"

"在商店里你把日记忘在柜台上,我拿了你的日记。"她的目光变得无比冷漠,充满蔑视。他想,这个女人永远都不会爱上一个他这样的男人。他迎着这目光,然后闪开了自己的目光。

"你看了?"

"一部分。"

"然后你想办法认识我?"

"不完全是故意的,也有碰巧的成分。"

"你真垃圾。"

"让你失望了。"

"为你失望？别做梦了。"她知道自己话说过了，但必须这么说。"门在你后面。"

"谢谢指路。"他站起来，走到门口时，对依然坐在沙发上的丁欣羊说，"看了日记又认识了你，也许喜欢上你了。现在弄成这个样子，运气不好，我是说我的。你好好跟车展相处吧。对不起，再见了。"他说完刚要拉门，丁欣羊哭了起来，吓得他又把手缩了回来。他站在原地，不知道该怎么办。惯常的经验一时间不起作用了。

"你走吧，我再也不想见到你。"

朱大者拉开门，从楼门进来的车展看见了正在关门的朱大者，同时听见了里面传来的哭声。他反应了一下，转身往外走。朱大者虽然没见过车展，本能地认定那个人是车展。他犹豫了一下，还是追上去，问对方是不是车展。对方回答是，然后问他是不是朱大者，他也说是，立刻想解释，车展跟丁欣羊一样冷漠地阻止说，不用解释了。

"不是一家人不进一家门。"朱大者站在公寓的大门口，对车展和丁欣羊的相似发着无用的感慨。走向自己的汽车时，他看到自己回乡的路还好长！

第二十四章

　　这个春天缺少温暖。当土地树木已经发出春天的气息时，空气仍然很凉。中午的太阳突然提升了温度，傍晚更凉。

　　春天的气息透过裸露的土地，透过树木花朵传给人们时，大家却在抱怨，这是个缺少温暖的春天。中午太阳带来的热烈，很快像假象一样消失了。傍晚，在街上能看到穿厚大衣的人。

　　不管怎样，春天已经在这里。

　　丁冰离开医院后更不爱说话。白中试图跟她聊她的感觉想法时，她就温顺地把自己放到丈夫怀里，但这并没有减轻他的心理压力。过去他对她基本状态的把握，现在也没有了。在单位他给女儿打了几次电话，女儿对他的理解给他很多安慰。可惜，他也无法跟女儿说开一切。

　　而人有多容易陷入绝望，似乎从没人做过研究，也许这是不值得研究的事：绝望因为倒霉，意味着更倒霉。如果不能自我帮助的话，绝望的人首先从外部世界得到一副可怕的眼镜，看什么都是黑暗的。这副眼镜惟独把希望滤掉。他们剩下的运气就是有一天能摘掉这眼镜，这件事的难度只有试过的人才能想象。

　　从这个意义上说，丁冰和大姜处在同样的境况下，拒绝自救。

　　于水波因为年轻还在奋勇地摆脱被动的处境。有一天，她想起曾经收到的匿名信，认定是马副经理所为。当时她把那封信藏了起来,虽然没告诉谭定鱼,也从没想过利用它。现在她想跟马副经理聊聊,于是给她打了个电话。对方的反应不是吃惊,而是爽快地答应了。这更加证实了于水波的猜测。

　　小于在贵风饭店落地窗前等着马副经理。饭店是马副经理点的,小于希望她也能因此付钱。她担心在这个饭店请一顿需要自己月工资的三分之一。她看着马副经理从街对面下车,走过来,忽然理解了谭定鱼为什么不喜欢甚至讨厌这个女人。不是因为她不漂亮,很多不漂亮的女人魅力十足。除了能给很多人留下不舒服的印象,她没有任何生动的特点。

　　她看上去有点像中年妇女的概念。

　　"哎呀,小于,好久不见,你可是越来越漂亮了。"马副经理谈笑风生,"怪不得人说,恋爱中的女人总是漂亮的。"

　　小于微笑着,没有马上把自己的吃惊说出来:她对面的女人也变好看了,她的脸不像以前那么晦暗,小于几乎相信面前的女人也恋爱了,所有的女人都恋爱了。

　　马副经理忙着跟服务员寒暄,服务员说她好久没来,大家都不习惯了。马副经理对这个贵州来的小丫头摆摆手,要她别胡说,同时问小于,可不可以让她点菜,她很熟悉这里。

　　菜点好了以后,她跟小于说话时,总是东张西望,好像随时可能碰到熟人,随时打招呼。小于明白她点这个饭店的原因。

　　"这里你很熟?"

　　"这里过去是你们公司的老据点,说不定我们还能碰上你们谭总呐。"进公司以来,小于跟谭定鱼从未陪公司客人来过这个饭店,她不难想象谭定鱼不再来这里的原因,当然这是马副经理无须知道的。

　　马副经理问小于和谭总关系如何。小于不想跟这个女人交心,只想从她这里知道自己想知道的事情。

　　"还能怎么样,我是他秘书,听喝就是了。"小于含混地说。

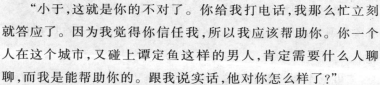

"小于，这就是你的不对了。你给我打电话，我那么忙立刻就答应了。因为我觉得你信任我，所以我应该帮助你。你一个人在这个城市，又碰上谭定鱼这样的男人，肯定需要什么人聊聊，而我是能帮助你的。跟我说实话，他对你怎么样了？"

小于的防御被攻破了。她太孤独，而且真的需要帮助。这个比她年长女人的态度正是她期望的，尽管她还不信任对方。

"你也爱过他，是吗？"小于小心地问。

"那是我这辈子经历过的最可怕的折磨。"

"你现在的样子好多了。"

"我获救了。"马副经理神秘地说。

"是吗？"小于幼稚的口气仿佛在说，人还能获救吗？!

"过一会儿我们再说这个，先说你跟谭定鱼怎么样了？"她说着菜也陆续上来了。她劝小于吃菜，一边吃一边说，然后自己猛烈地吃起来，好像这里的菜是全世界最可口的，尤其是吃惯以后又隔了好久没再吃。

"开始了，现在估计要结束了。"

"你要结束？"马副经理停止咀嚼问了一句，然后又加快速度嚼了几下，把刚才耽搁的时间追补回来。小于摇摇头。

"他爱你吗？"

"他好像这么对我说过。"

"什么叫好像，说了就是说了，爱就是爱。"

"他说的也许是假话。"

"管它呐，说了就得算数。他就得认真对待你。"

"怎么认真？"小于发傻。

"他应该跟他老婆谈这些。"

"你是说离婚？"

"为什么不？"

"他一开始就跟我说了，他不可能离婚。"

"那时他还没爱上你，说爱了就不同了，爱意味着责任。"小于被马副经理的话打中了，好像被块石头击中了心口，疼但安慰。

"可我不能要求他。"

"为什么不能？！"马副经理好像发现了自己的价值，说得更起劲了。"这世界上没有任何可以不付代价的事情。凭什么他谭定鱼可以例外？！"她说到这里，小于的脑海里闪过一个念头，她是想借自己报复谭定鱼。"如果你就这么听之任之了，我就是你的下场，被人一脚踢出去。而你跟我不同，他并没有跟我怎么样，这也是我必须承认的。你不要想，他以后会如何想你，怀念你，他会找到别的女朋友，过得好好的，这年头，发贱的女人有的是。而你却得一辈子生活在阴影下，这些你必须好好想想。"她说完又是一阵猛吃，好像发表这样的演说很耗费体力。小于掩饰着自己的慌乱，便问马副经理是如何摆脱这一切的。

"我参加了一个教会。"马副经理压低了声音说。"在那里我才知道人如何尊重并保护自己，过去我太傻了。有了对自己的尊重，才会真正地去爱。像你这样对破坏你的人听之任之，最后你和谭定鱼都是受害者，因为他不能明白他在伤害别人，他还以为所有男人都可以这么做，而且也没什么大不了的。你好好想想！"她说最后那句话的口气，让小于觉得她好像在对谭定鱼说。

"我能参加你的教会吗？"

"现在不能。我们不是那些邪教，总是想发展好多人。我们是很理智的团体，更在乎人的质量。"

小于不说话了，在这样的心境下，她很难觉得自己是有质量的。离开马副经理时，她浑身发冷，心里的压抑丝毫没有减轻，尽管马副经理付了饭钱。

春天快结束的时候，刘岸和田如生了一个儿子！

儿子叫刘夏。有人觉得这是个怪名字,但在小孩儿办满月的聚会上,说这名字好的人超过了半数。田如穿一件肥大的蓝色亚麻长裙,把生孩子后的身体轮廓神秘地包裹起来。她脸色红润,微笑不断,一个标准的幸福少妇。

刘岸请了好多人,也喝了好多酒。他说,请大家来的借口是儿子满月,其实是找个机会聚聚,大家高兴高兴。借这个机会,他也想把另一桩心事了了:

"我和田如已经正式结婚,从此我们夫妻两个,将互敬互爱,白头偕老。"刘岸说到这里不自觉地瞥了一眼站在角落里的丁欣羊,注意到这眼神的人也跟着看了过去。丁欣羊的目光停在田如的脸上,真诚的笑意表达了由衷的祝福。但她一直没看刘岸,故意的或者不经意的。

田如望着什么地方,脸上的微笑像失效的网页,并没有提供内心当时的状态。大家为他们热烈鼓掌,田如把目光放回到刘岸身上。刘岸走近她,搂住她的肩膀,带孩子的阿姨抱过刘夏,刘岸接过儿子,三口人拍照,一阵掌声。刘岸又是不自觉地看了丁欣羊一眼。丁欣羊觉到了刘岸的目光,心里不舒服,决定找个借口早点离开。

聚会是在刘岸和田如新买的住宅里。这是一套接近两百平方米的跃层公寓,虽然丁欣羊也住在同样质量的公寓里,却从没体会过类似的"公寓气氛"。来的客人都是接近中年或者中年的社会中间力量,谈吐各不相同,无论你想听什么样风格的谈话,都能得到满足。萦绕在屋子上空的嗡嗡声,仿佛就是说话的活体档案:细声细气的,装腔作势的,幽默风趣的,流畅睿智的,嘶哑绝望的……这些都是丁欣羊作为妻子从没经历过的,也许那时,人还不这样。

田如走近她,她立刻说自己要先走,因为有另外一个约会。

"受刺激了?"田如单刀直入。

"有点儿，不过你看上去镇定有余。"

"什么不足？"

"你说呐？"

"我的感觉是尘埃落定。"

"对女人来说这结局应该说不错。"

"对你们那代女人来说吧！"田如对待丁欣羊的态度永远是完全放开的，仿佛她们已经打下的基础是牢固不破的。

"我们居然是两代人啊，这我还真没想过。"丁欣羊半开玩笑地说。"我还以为我们是能沟通的呐！"

"当然能沟通！"从丁欣羊为田如在美国"贱女人"那里插了一刀以后，干脆被当成亲密者，连说话的分寸也不加考虑了。"有好多比我还年轻的，想法比你妈妈的还旧。这是人和人的差别。"

"你刚才话还没说完，固定对你有什么不好？你不是一直想要他吗？"

"是啊，因为你不要他，所以我捡着了。"田如接着蛮认真地说，"以前，我看那些当妻子的女人，总觉得她们的想法可怕，现在我自己也是妻子了，方向就不那么好把握了。"

"我还以为你挺自信呐。"

"不是我不自信，是你太幼稚，总觉得可以保持跟别人不同的心态。其实，只要生活状态差不多，大家想的都差不多。"丁欣羊没有接话儿，无论田如说的对与否，她都觉得对方的思维方式比自己透彻，这当然也是她们彼此跨越这么多障碍成为朋友的理由。

"你说的有道理，但我得走了。"

"跟刘岸说两句话再走，不然他会心里不安。"

"哎，你在说什么？"丁欣羊不自在。

"咱俩当然没说的，但男人就是男人，你跟他说两句话，很可能是帮我忙呢。"

"你少废话吧,我发现你当母亲以后变得邪恶了。"

"那你走前总得跟我丈夫跟你前夫打个招呼吧。"田如说完,一个怪里怪气的男的走过来说,"田如,这么漂亮的女朋友总藏着,也不给我们介绍介绍。"田如听了那人的话,推了丁欣羊一把说,"就是不介绍,有办法自己想去。欣羊你快走。给我打电话。"

刘岸和一个秃子站在阳台上聊着,丁欣羊走过去说自己有事先走一步了。刘岸马上说他还有事找她。秃子识相地离开了,只剩下他们两个人。丁欣羊又在心里慨叹了一次:田如是聪明绝顶的女人。

刘岸俯身在阳台的钢栏杆上,在这座大城市里,像他们这样漂亮的阳台没被玻璃封起来的已经很少,因为房子外面的一片绿草地和草地边缘的几行树林,给这里的住户提供了清爽的空气。为此,这里的平米价格高出一般价格。奋斗这么久的刘岸,应该住在这里,以找平牺牲艺术带来的精神损失。这是朱大者对他的总结。丁欣羊觉得自己没必要主动开口,看着眼前草地的葱绿,忽然发现这被人迁来迁去的绿地,在大城市中已经变成某一阶层居住的标志。她由此想到自己的生活状态,居然一点不羡慕住在这里的人。

"谢谢你来参加……"刘岸无法为丁欣羊定义今天的聚会。

"应该我谢谢你们请我。"

"不开玩笑吧。"他低声说。

"没开玩笑。我为你高兴。到了这个年纪,该有的都有了,该稳定的也稳定了。田如是个聪明可爱的女人,儿子……"

"是啊,我很满足,甚至没想到像我这么个人居然能得到这样一份生活,真是没什么可抱怨的。"

"尘埃落定,我该走了。"她模仿着田如的口气。

269

"欣羊,你好吗? 你怎么样?"

"我挺好的。"

"你跟那个人相处得如何?"刘岸关切的口吻让她不安,她并不希望他这样。

"你说哪个人?"她想起朱大者曾经给刘岸打电话,说发疯的话,又不知道田如跟刘岸说了多少自己的事。

"我说的当然不是那个疯子。你不能跟那个朱大者,那人有病。"他说完,她在心里说了一句,你没病?! "听田如说,你跟车展处的挺好的?"

"慢慢来吧。"她不想告诉他真相,因为她越来越不喜欢他类似的关心。

"欣羊,说句心里话,我有时真是挺惦记你的,尤其是我现在生活得不错。"

"你好像对我有负疚心理?"

"不是,没什么负疚,就是惦记你,希望你能过得好,也希望能帮助你。"

"你已经帮助过我了,多谢。"

"不管怎么说,我……"

"刘岸,恕我直言,我们在一起生活时,我没觉得你那么关心过我。"

"也许,那时候……"

"刘岸,你不能这样! 谁不跟你在一起,你就表现出关心,你有没有想过,你这样,现在跟你在一起生活的那个人怎么感觉? 当年你说走就走了,我那时候太傻,还不敏感,挺挺也就过来了。但田如跟我完全不同,她什么都能感觉到,你继续这样的生活风格,最后意味什么,你肯定有数吧。"

"我没做什么啊,就是关心关心你,就被你说成这个样子。你好像变了。"

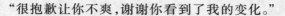

"很抱歉让你不爽,谢谢你看到了我的变化。"

"变化不都是好的。"刘岸说。

"为这个还得再谢你一次。"

丁欣羊的手机响了,她看号码是车展的,没有接。跟刘岸告别后,她一个人来到他们公寓绿地的长椅上,给车展回拨了过去。

重新见到车展,丁欣羊高兴得近乎慌乱。她想过,也许有一天,车展会给她打电话,他们会再见面。对此,她并没有十分的自信,就像她对自己的魅力也没自信一样。

他们坐在劳动公园的一个露天茶室里,享受着初夏的清新。丁欣羊意识到自己不停地说话时,希望自己闭嘴,却身不由己,中邪了似的。车展面带微笑,不停地给丁欣羊倒茶,基本不说话,似乎对丁欣羊不停说话的状态很满意。

她说着,夏天来了,天快热了,田如的儿子满月了,新工作有很多值得学习的经验,你好吗,今年夏天气温低于历史水平……说着,说着。

沉默突然刹住了她,她低头喝茶,一句过渡的话也没有。失去车展,并不像我想的那么简单。她想,也许,他是那个能给我带来正常生活的男人。她这么想的时候,心里任何把握都没有了,包括对自己的。她不知道自己爱他到什么分上,不知道自己能否也给他带来幸福正常的生活。

车展没有问她为什么沉默,好像他给她打电话之前已经设想了无数可能出现的场面,于是,任何场面都在意料之中。

如果真的失去这个人,我未来的生活可能就此拐弯,走上另一条路,充满悬念,但毫无安全可言。她又想起那张海德公园女人的照片,仿佛看见了自己六十岁时的样子,惟一可能不同的是,不会那么昂扬,哪怕是挺出来的。她觉得自己从来都不是一个勇敢的女人。

但她常干勇敢女人不敢干的事。

丁欣羊喝了两杯茶之后,车展依旧微笑地看着她,她觉得他在审视自己,便再次开口说话。说起刘岸家的聚会,说起田如,说起了刘岸,她不想说刘岸,但已经说出口了,只好继续说下去,说到了自己对刘岸的规劝……

车展继续给丁欣羊倒茶,脸上的微笑却在减少,最后少到几乎察觉不到的地步。丁欣羊终于闭嘴之后,去厕所,剩下车展一个人时,心情顿时黯然。他后仰着,看夏日的蓝天,在树叶的遮挡下,湛蓝清澈,一丝云影都没有。他一直希望自己的生活也是这样简单明了。他想告诉她,他们没有联系的这段时间里,他的难过和怀疑。他第一次怀疑自己生活的意义,忙碌,挣钱,为了什么?享受生活,他一点也不反对,但他希望能为此找到一个真正意义上的伴侣。她有另外的世界,他们的理解是这两个各自丰富无比世界的桥梁,有相同有不同……他梦想的情侣关系……他不知道自己做错了什么,眼看着他和丁欣羊的关系走到了另外的路上。在他所憧憬的家庭生活中,他希望把自己想象成勇敢能干宽容体贴的丈夫,根本不会在意麻烦,甚至高兴有麻烦。他有信心在面对困难时赢得她更多的尊重和爱。现在麻烦的确来了,但这不是他希望的麻烦,因为这麻烦涉及的是他们的关系,而不需要他们共同面对。他觉得在这麻烦中,自己毫无用武之地。他终于没有把握,自己在对方那里是不是受欢迎的。

认识丁欣羊之前,他不知道自己到底需要一个什么样的女人,他清楚的只是他不想要的女人(所有跟他前女友类似的女人他都排斥:瘦高,长相妖冶,性感,忧郁得几乎做作,故作神秘,能干挣钱不少自信得近于自负),好在这样的女人也不是随处可见,他可以省去选择的痛苦。他曾经觉得丁欣羊是个可靠善良的女人,跟她一起生活可能很容易建立信任。现在,他觉得自己判断错了,跟丁欣羊在一起生活也许会后患无穷。他听她说刘岸的事情时,他发现自己无法忍受的正是这一点:丁欣羊无法跟周围的男人搞清楚。于是,理智重新控制了他,而他恰恰是这样的男人,靠理智而不是感情决定一切。在丁欣羊回到自己座位上时,他已经决定跟她说清楚,但看见她不安的表情时,便改了主意。聪明的丁欣羊从车展的脸上读到了一切,不聪明的她偏偏要把看到的说出来。

"你已经决定彻底跟我分手?"她冷静地说。刚才一个人的时候,她也充分地想了想。她知道不该这时提什么刘岸,但她偏偏提了。她想到姐姐,怀疑他们家族有精神病史。她已经无法理解自己的行为,所以,看到车展变化后的表情,心情也如死水一般。

车展没有回答。

丁欣羊命令自己恳求他,再给他们一段时间,把症结搞清楚。但命令的同时,她知道自己会拒绝执行这命令。她清楚自己性格中清晰的部分,但不了解那些隐秘的部分。像我这样的女人,就该一个人吧。她想。

"我不知道该怎么说,也许我们两个人再冷静冷静会知道得更清楚,我们要什么。"车展含混地说。

"我们已经够冷静了。"她说。

"你这么觉得吗?"车展说这话的时候还在指望奇迹发生,指望她的一句话,让他们立刻热泪盈眶地拥抱在一起,永远不再分开。

"我这么觉得。"她说。

"那你觉得我们的问题在哪儿?"

"你害怕。"

"什么意思?"

"你害怕我,你对我没把握。"车展从没这么想过,但不觉得她的话没道理。

"就这个样吧,老实说,我也不知道自己是怎么回事。心里想的是认真对你,所以希望一切都能解释清楚。可是好多事居然解释不清楚。"她缓和口气之后说,"我也没想到你会在我生活里变得那么重要。刚才我见到你时,心里惶惶的。但这没用,你很实际,也很理智,而且你是对的。"她说到这里,车展想直接地问她,她到底有多爱他,但他害怕听到他承受不了的答案。

"车展,我知道女人怎么做能收到好的效果,可惜,我学不会。我跟男人交往走的都是弯路,不过内心的收获挺大的,所以也没什么好抱怨的。"

车展看到了另一个丁欣羊,一个他完全不熟悉的女人。她聪明,但活得很累,虽然她的想法值得尊重。她不能像普通女人那样在具体生活中培养感情,必须把在具体中发现的感情升华上去,进入真空状态最后让它枯死。她强调的内心的真实,在车展这里引发的理解就是这样的。他的情感被吸引,他的生活原则反对。

"好了,我该走了。怎么说?祝你顺利,一切顺利。"听了她的话,他只好点头。

她站起来,弄翻了身后的椅子。他替她扶好椅子,好像她还会再坐一会儿似的。她对他笑笑,眼睛里的泪光刺得他心疼。他咒骂自己的原则,他要自己走过去,把她像个无辜的小动物一样抱紧,管她过去怎样,将来可能怎样,只要眼前在一起,让其他的都见鬼去。

可她已经走出去几步远了。

"以后还打电话吗?"他突然大声说。

她没有回头,扬扬手。

车展看着她的背影从自己的视线中消失,又一个人在渐渐衰弱的阳光下坐了一阵，她扬手时手臂好看的轮廓，一次又一次出现在他的眼前，那么优雅性感。但他仍然没懂这手势的含义。

再见？打电话或者不打电话？

第二十五章

　　请你站到远处，再远一点吧，站到伤害无
法到达的地方。别让伤心毁了你的样子，你
原来的样子好好啊，像真真的孩子，可以直接
变成一个可爱的老人。

　　收起这启示，老天让我告诉你的。

　　结果，如果不知道是好是坏，有人希望等待，等待的朦胧可
以缓解最后的疼痛；有人希望马上知道消息，所谓长痛不如短
痛。但是，大丫却表现出另外的个性。在必须等待的过程中，
她渐渐完成了一个心理过程：大牛能否站起来，最后是否坚持
跟她分手，都变得含混了。那悄悄萌芽的信念罩住了她，在最
初的痛苦期过后，她沉浸在想象中——他们将会一起生活，无
所谓医学的结果如何。她甚至觉得大牛的自尊心鼓舞不了多
久。她开始憧憬未来的生活，这些未来生活图景中，有两个大
牛，健康的和残疾的。当她想到大牛会残疾时，便想自己可以
成为一个作家，好像每个照顾残疾的人都可以像大江健三郎一
样成为作家获得诺贝尔文学奖。她愿意跟残疾的大牛过封闭
的生活，完全脱离跟外界的联系也没关系。如果大牛能站起
来，她就得保留现在的职业，不然没法应付她和大牛之间总是
要发生的争吵和伤害。

　　出现这样的心态之后，大丫的每一天变得容易些。她去医
院比平时频繁些，但不是每次都去看大牛。她常去医生办公室

跟他的主治医生谈谈。主治医生姓金，是一个喜欢文学的中年男人。他跟大丫除了聊大牛的病情之外，也聊些新闻出版方面的事情。他羡慕大丫的工作，大丫说，好在自己不羡慕对方的工作，他们可以避免互相吹捧的尴尬。那天，他们刚谈了几句话，跑进来一个气喘吁吁的人，问伍大夫在不在。

"伍大夫不在，谁是伍大夫?"金大夫说。

"你们两个谁是伍大夫?"那人喘得更厉害了。

"谁也不是伍大夫。"金大夫说完，那人跑了。大丫说，金大夫至少退休后可以试试写小说，有幽默的苗头。可惜，伍大夫没什么反应，相反同情地看看大丫，大丫立刻明白了。

"我觉得你已经有准备了。"他对大丫说。

"那肯定的。我什么时候能把他接回家?"

"假如他愿意，下周就可以。"金医生说。

"你这话什么意思啊?"大丫问。

"没什么意思，我只是听护士们说，他要跟你分手。"

"开始的时候，他的确说了，不过，今后的日子得一天一天过。他自己好像慢慢也明白了。"

"你也挺了不起。"

"我想抓一个残疾人当稻草，免得再被男人背叛。"听了大丫的话，金大夫咽下了自己想提醒她的话。面对她的真诚和坦白，他不敢告诉她同样真实的另一面。他心里忽然觉得文学离自己远了，医院里每天发生的事情，比文学强劲百倍也残酷百倍。从前他看到了这些感受到这些，总想有一天能写出这些。今天，他怀疑写出这一切的意义和自己能否写出来的能力，他连告诉一个女人真相的勇气都没有。

　　大丫第二天走进大牛病房时，大牛依然躺着，但床头部分被抬高了一些。护工不在，大牛母亲对大丫点点头。大丫当着大牛的面间她是不是跟大牛说了。

"我知道了。"大牛抢先说。

"你想什么时候出院?"大丫直接问,好像他们已经结婚十几年了,口气像不耐烦的妻子。

"下周三吧。"大牛微笑地说。大牛此时露出的微笑,仿佛带过一股暖流,流过大丫的心。她觉得,时间终于让大牛明白了他们命运的归属。事后很久,她还经常回忆起他的这个微笑,对她来说,这是个单纯的微笑,充满善意,充满亲近,充满渴望。她没看到它隐藏的巨大力量,轻轻地划开了他们最后的勾扯。

大牛出院前两天,大丫从家政公司雇了人,把房子彻底打扫了一下,买了很多鲜花摆放到各个窗台。最后站在门口像旁观者一样打量自己的家,不停地挪动挪动鲜花伸展的姿态,心底充满了欣喜:假如这是她所做过的最重大最艰难的决定,她感谢生活给了她机会,无论怎样她都不会打退堂鼓,坚持到底人生就会圆满。

她打电话给丁欣羊说起自己的想法,希望跟大部分朋友疏远,因为残疾之后,她估计大牛肯定不愿意经常跟朋友聚会。

"你没跟我说,他同意了?"丁欣羊有点担心大丫精神不正常。

"他也没跟我说,他同意了,但我感觉到了。"

"你搞准了?"

"欣羊,你什么意思? 你觉得我昏头了? 出幻觉了?"

"也许我多虑了。你好像突然变成了另一个人。"丁欣羊说。

"你说具体点儿。"

丁欣羊并没说出自己的感觉。她想到自己跟车展的发展,对感情有了新的理解。她认为感情是纯粹个人的事情,没有任何共用的逻辑。

人越来越个人了。

作为朋友,她看到大丫被鼓舞着,像一只皮球滚在自我牺牲和自我拯救的圈子里。她要为大牛牺牲,因为这样她可以离开一直不满意的个人生活状态,进而获得拯救。她好像不需要任何人理解她的选择,所以,丁欣羊也没说出自己的感觉。如果有一天,大丫和大牛一起走完最后的路程,无论之前遇到什么样的困难,他们都是幸运的。这么想的时候,丁欣羊感动了。

大丫去接大牛出院的那天中午,下了一场短暂的暴雨。暴雨过后,太阳猛烈地刺透云层,照亮了一切。大丫来到街上时,天上是暖融融的太阳,空气是湿润的,马路被太阳晒得直冒热气。大丫脱下薄绒衫,里面的衬衫也被汗水湿透了。

夏天已经来了。

她看看手表上的日历,六月二十三日,已经是正式的夏天了。她忽然高兴今天不是自己的生日,也不认识任何这天出生的人。多奇怪的感觉,在这么关键的时刻里,自己居然走神想这些无聊的事,大丫收心,打车,直奔医院。

病房的护士告诉大丫,大牛上午已经出院走了。

大丫反应了一会儿,问金大夫在哪里。护士说,金大夫夜班休息。大丫又问,是谁把大牛接走的。大夫说,没人接,是那个护工陪他走的。这时,另一个护士回到办公室,给大丫一张纸条,说是大牛留下的。

大丫看纸条上一个陌生的地址,人好像被悬起来了。她带着自己的身体,离开医院打车时,才意识到自己有多胖。当她坐到出租车里时,觉得再也站不起来的不是大牛而是自己。给她开门的是那个护工,大丫一句话没有,直奔里面。她在最里面的屋子看见了大牛端坐在轮椅里,好像正等着她。他从容带着笑意的表情,在很短的瞬间里,让大丫产生了错觉:大牛想给她一个惊喜,这房子也许是他妈的,他想暂时住在这里。所以也回答了一个几乎觉察不出来的微笑。她退到走廊,留心地看了看房子。两居室,整洁,简单,厨房朝西,阳光明媚,煤气灶上正坐着开水,她想,护工邢姐也许正在给她泡茶。

大牛坐的轮椅,吸引了大丫的注意力。她问大牛,谁给他买的轮椅。

"我妈。"大牛说。大丫在大牛对面的一把椅子上坐下来,再一次有永远起不来的感觉。

"很抱歉让你白跑了一趟。"大牛抱歉的时候,大丫在他脸上没看到任何歉意的表示。

护工邢姐果然端进来两杯茶,然后对大牛说,她出去买菜。大牛点点头,大丫居然也点头,虽然她不是很满意邢姐对她的态度。

"你想把她长期雇下来?"她走了以后,大丫问。

"估计是这样。"

"什么叫估计,你还没跟她说清楚,她就跟你回家了?"大丫不耐烦地说。

"大丫,那天你如果听我把话说完,今天就不会白跑一趟。"大牛说。

"什么意思? 我没明白。"大丫急了。

"好长时间了,你根本不想明白。"

"你到底什么意思?"

"我没说跟你复合。"大牛低声说。

"你是没说过,但我们就是复合了,我们没复合吗?"

"我开始对你友好,不是想跟你复合,我从没改过主意。"

"什么? 什么? 你再说一遍,我没听懂。"

"我不想保持刚开始的气氛,不想让你那么折磨,反正都是分手,还不如好好散了,大家都轻松些。"

"闭嘴!"大丫火了,"你把话说明白!"

"我就要跟这个女人结婚了。还有她儿子。"大牛说完很安详，仿佛这是残疾人的专利，可以不动感情地表达这样的感情。

"哪个女人？"

"房子的主人。"大牛说。

"房子的主人是谁？"

"邢姐。"大牛声音低得不能再低。

大丫觉得自己被放到了一个震动器上，浑身不停地抖动。好半天，她好像失去了基本的感觉机能，恨，难过，绝望，爱，伤心，怜悯……没有哪种感觉是清晰的。她忽然开始说话，声音低低的……你以为你是谁，你这个瘸子，谁是邢姐，你疯了，到底怎么回事，我一辈子瞧不起你，你不是个胆小鬼，也不是坏人，我看见你就觉得恶心，你不是人，你会后悔的，你应该去死，我应该杀死你，我活得真好，谢谢你送我的礼物……

大丫的疼痛和无助，让人想把眼睛闭上，人幻想得到另一双眼睛，只看见他们的爱情，不看见爱情的伤害，无论这伤害的理由如何充分。

在爱情的世界里，我们何时能放下屠刀？

大丫离开大牛和护工的家时，太阳像逃避瘟神一样迅速地钻进了云层。很快，下起了另一场暴雨。暴雨过后，接着下毛毛雨，连着下了两天。在雨停的前几个小时，大牛对着窗口说，如果今夜雨还不停，他就回去找大丫，他受不了了。

那天夜里，雨停了。大牛的心也死了。

大丫告别：

我为什么要难过，因为这一切太难了，还是太可笑？我想喝醉，但没有喝酒。一滴酒都喝不进去，里面都变成了石头。你能明白的，我什么都不想说了，但我停不住，我好像不是我了。

那么多年，我已经不相信爱情，不指望爱情，有男人，有肉体，还有可以用笔缓解痛苦的可能，我活得挺高兴的，总的来说，挺高兴的，尽管我不能说我很快乐。认识你之后，我发现了高兴和快乐的区别。快乐真好，快乐比高兴好，但快乐离痛苦更近。你赠送给我的快乐有多昂贵，你知道吗？那是我付不起的价格，你当然不知道，不然你就不会这么干了。

我挣钱养活自己，我有自己的房子，似乎也有自己的未来。对晚年我没有特别的憧憬，我可以，就这样一步一步地活下去，高高兴兴的，没有快乐也没有痛苦。而且我有我的自由，我可以随时选择活着或者不活着，因为我没有真正拥有什么，所以也没有失去的恐惧。我没必要为老了以后有个伴儿用现在的时光讨好一个男人，老了以后的孤独真的那么可怕，我可以离开……打扰我之前，你好好看过吗？你清楚我是什么样的女人吗？你不是年轻冒失，你很坏。你因为你是个男人，就可以任何时候打扰任何女人，把她们伤到底，用你的话说，是爱。别让我听到这个字眼儿！我的确想问你，为什么要打扰我？你打扰了我！我曾经对你说，我们的是露水关系，你为什么要改变这一切，终于让我相信，我们有了爱情。

我已经没有气力指责你。当我明白爱上了你，你松开了我，理由不仅充分而且崇高。你那么傲慢地扔下了我。在我爱上了你以后，你懂吗，你当然不懂这意味着什么。你的理由在我看来那么可笑，现在我终于可以说出这句话了，你的残疾在心里。年轻人，现在让我告诉你，我对傲慢的理解吧，傲慢的人都有契约精神，真正的爱情在我这里也是这样被理解的。

我困了，可我睡不着。几天来，我越来越恐惧睡觉，如果我睡下，就不会再起来。为你，不值得这样。没有爱情的时候，我活着；现在我有了爱情，却活不下去了。假如活着像死去一样，我为什么还要活着,你能告诉我活下去的理由吗?我的理由,而不是大家共同的理由,我不要共同的理由,我也不要听你的理由,你为自己的残疾找个护士,我为自己的绝望找个什么呐?你不能这样,你凭什么这样啊?!

你残疾了,便拒绝我。如果你知道我从没把你的拒绝当真,还会走现在这一步吗?大牛,你不能这样,你要维护你的面子,我懂;可我也要我的爱情。我好不容易爱上了你,好不容易啊。这世界已经把我打击得体无完肤,我好不容易爱上了一个人,你不能再这样对我。我爱上了你,爱上了你的一切,即使我明白得太晚,可我明白了。大牛,你可以跟我争吵,你可以永远坐着,你可以不站起来,你可以就这样留在我的生活里,我不会有半点抱怨,我会尽我的全力,相信我,因为我爱你。因为我爱你,所以不能失去你。你留下,留在我生活里,这是我不跟这世界为敌的惟一条件,留下吧,亲爱的大牛,难道你不明白吗,不明白爱情吗?爱情面前没有尊严,我明白了,你呐?你呐?你呐?

我会跟你的护士一样贤惠,会比她更贤惠,会比所有女人贤惠。拉住我,像从前那样,紧紧的,我不会再挣扎,不会再拒绝。只要你拉住我,我就会获救。大牛,别离开我,别让我这样坠下去,你知道吗,深渊是无底的,我害怕坠落。

我好困好累啊,我好像再也找不到任何力量。你不回头,是吗?你必须回头,我要你回头啊,看我一眼,你会改变主意改变我们的结局改变一切。

你还嫌这世界不够丑陋吗?你还要给这世界增加坏人吗?你回答我,如果你不拉上我一起,我希望,我的仇恨现在就把你毁灭。即使我必须因此去地狱,也要带上你。你好狠心,我没想到你会这么狠心。

爱你的过程充满了痛苦,最后我居然明白其中的含义。有爱,便是身在家里,无论痛苦还是幸福,爱是着落,像有巢的鸟,可以飞可以落。你骑着摩托车来我家的那个晚上,我在爱情面前透彻得像个婴孩儿。那个黄昏的昏暗中,我觉得自己跟你合在了一起,身心的,身的,还有心的,还有灵魂的。后来,我觉到什么东西离开了,飞到了另外的一个地方,它在那里遥望我。我因此更清晰地看见了,我对你的爱得到了圆满,我什么都认可了,都接受了,我还从没这样接受过自己认可过自己。在这样的契约中你怎么可以退出去哪?即使你的摩托车永远不能把你带到目的地,你还活着,你活着就不能退出契约。请你原谅我的残酷,不,我不请你原谅,因为你不配原谅我。假如你死了,我们的契约也会永远生效,不是吗?!

如果是那样,我马上死去,还是以后死去,对这爱情都没有区别。我和你的契约,我和你的爱情,我,你,我们都在,生死不过是两个地方而已。如果我们都在,生活才在,对吗?

你没理由离开的,你不能离开,不然我恨死你。别离开我,不然我毁灭自己。

你离开了我,你这信誓旦旦的小丑。你找到了借口,但我不承认你的借口,我不原谅你。你是我第一个敌人,你的女朋友也是我的敌人,我不原谅你们,我失去了一切,也失去了原谅你们祝福你们的可能。

大牛,永别了。

大牛,你伤了我,伤到我永远好不了的分上。

大牛,我再也看不到你了,我不让你看到我,我不让自己看到你。

大牛,所有的白天和夜晚,所有我们共同拥有过的幸福痛苦,现在正在埋葬我们。

大牛,现在松手吧!我再也找不到任何词句,哀求你,伤害你。我再也没有力气表达任何感情,无论爱还是恨。我只感到肉体沉重,沉重到我想扔下它们的地步,就像你扔下我一样。

大牛，我是大丫。

大牛，永别了！

雨停之后的那个晚上，大牛睡着了，仿佛听从了老天的启示，不再挣扎，不再抱任何幻想，日常生活顿时变得秤砣一样，容不下想望。他得听从邢姐的安排：按摩腿部肌肉，锻炼手臂胸肌，吃饭睡觉，听她汇报钱的状况……

大丫以最快的速度卖了她和大牛共同买的新房以及新家具。她把房款的三分之二存到一张卡上，连同一封短信一起交给了丁欣羊。

"密码是六个零。你交给大牛后嘱咐他改密码。"大丫到丁欣羊家之后，先交代了这件事。然后她说，她要出去一段时间，有个在云南的女朋友邀请她去小住。

"你觉得这样妥当吗？"丁欣羊问。

"离开让你不高兴的地方，肯定没错。而且我也不是不回来了。"大丫轻描淡写地说，"这地方已经让我痛苦了。"

丁欣羊攥着大丫的存折，心情很复杂。

"走吧。这一年来，发生了这么多事，好像我们都到了多事的年龄。有时，我想，理解变得虚弱了。人该怎么做就得怎么做，别人是不是理解，你是不是理解别人，好像一点都不重要了。"丁欣羊突然觉得劝阻大丫毫无意义。

"理解让人温暖。"大丫说。

"但理解没有主宰你命运的力量。"丁欣羊说，"其实，我眼前的心情并不是难过。我当然替你和大牛难过，但我羡慕你现在的状态，像你说的那样，离开一个让你不高兴的地方，去一个崭新的地方，也许能开始一个崭新的生活。新的见识，新的感觉，我都有点激动了。"她说着感动了。"人说，性格即命运，我看没错。我和你一样，没丈夫没孩子，但我做不出你这样的决定，尽管我向往这种自由的感觉。我不知道我舍不下的是什么？我几乎一无所有，房子？我一天能在家呆几个钟头？大丫，人多可怕啊！不知不觉中就变了，变得没有勇气没有想象，变得麻木，慢慢习惯无聊，跟痛苦相安无事，接着就老了。"

大丫看着丁欣羊，想说点什么，又觉得不说也罢。她全身心地体会着丁欣羊的话，她的话在她临别的时候，注入了一点诗意，大丫心里无比安慰。老友的理解，明天的远行，未来的悬念……交织一起，把告别变得容易些。

"你总是做让我嫉妒的事。"丁欣羊说。

"我惨的时候，你就不这么说了。"大丫说。

"别说这个了。"丁欣羊说着又想哭。她们拥抱，两人心里都明白，现在是大丫最惨的时候。

"其他的拜托你了。"

离开城市的那天，大丫把行李拿到街上，等出租车的时候，她看见街对面一个巨大的广告牌：男人撅着嘴正俯身去亲吻已经闭上眼睛的女人。他撅起的嘴像鸡屁股，大丫没看清被这广告宣传的产品，因为泪水蒙住了双眼。她朝大牛所在的方向看了看，灰蒙蒙的空气中，她只看见自己的泪水。她听见一辆出租停在自己跟前，心里出现了短暂的幻觉，大牛赶来，责骂她不辞而别……

他赶不来了，因为他残疾了，残疾到无法再爱的地步。

"机场。"她告诉司机目的地。丁欣羊所羡慕的，在大丫动身之后，消失得无影无踪。大丫的心再次被凄楚堵得满满的。飞机带着她离开时，她问自己一个突兀的问题：一个人到底能爱几次？

第二十六章

　　我停止着，其实像死了一样。伴随着类似的思绪，朱大者再次被昆德拉所说的"轻"缠住，无眠，无欲，无求，无为，无不为。

　　每天起床就是跟蜕掉的躯壳告别，像蜕皮的动物，无数层皮囊，呼吸停止的那一天将蜕完最后一层。他想这些乱事消磨时间。有一天人们发现这一层层皮囊根本没包裹过所谓的灵魂，我会怎样反应？他问自己，但不希望自己回答。

　　大牛的结局，大丫的选择，老牧的性格，大姜的命运，他有时觉得自己整天坐在一个皮影戏剧院，睁眼看着真实的东西变成不真实的，变成荒诞的。突然觉得，丁欣羊，车展，包括自己不会再构成悬念，因为已经无聊到顶。

　　一个八十多岁的女作家，一辈子尽情地嘲讽了人性中的虚伪和怯懦，最后一个人躺在家里，安静地离开了这个世界。她的尸体一个星期后被发现，于是，她在人们的眼中变成一个孤独的可怜虫，没人羡慕她弥留之际的宁静……这是朱大者难过时思绪最喜欢停留的地方。张爱玲的死是一个适合她的句号，就像海明威拿枪崩自己脑袋一样，属于彻底的行为。但是，人们对张氏之死的同情总能逗出他心底的恶意，他觉得这是对张爱玲的一贯的嘲讽的人生态度的报复。

　　你看不起我们是吗？我们最后同情你，可怜你。你死了，你还能说什么？他能听见这声音从遥远地方来，渐渐又回到遥远地方去。

活着,其实,没人是赢家。蓝德从美国给他打电话时,他对她说了这句话。好半天她没有反应,他问她怎么了,怎么突然去了美国。

"我要结婚了。"她终于说。

"跟谁?"

"一个住在美国的中国农民。他有五个孩子,妻子去世了。"

"蓝德。"朱大者轻轻叫了一声。

"他有一个很大的农场,五个孩子都很可爱。"

"你是个粗糙野蛮的女人。"他说。

"你是说过去还是现在?"

"永远。"

"我只能随遇而安,我能力不行。"蓝德老实地说。

"这没什么不好,我是想表扬你。"

"那谢谢你。你多保重,以后来看看我们。我也会去看你。"

"别这么说,说得我心里不舒服了。"他总是觉得蓝德是亲人,永远都不会变化的亲人。同时,他也不明白,为什么对这样的人无法产生爱情。

"再见了。别忘了我,美国好远啊。"

第二天,朱大者给丁欣羊写了一封信:

欣羊,你好,

想起一件事,还你日记时,忘了向你道歉,对不?不管怎样,很抱歉拿了你的日记,但这行为是不是还有一点积极意义?有一天,人们对别人的隐私一点兴趣都没有了,我们的日子会更难过。那时,实现的将是萨特的预言而不是马克思的:他人即地狱。

近来,闲着无事,决定度一个"退思假期"。想到一件事,想对你说说。我写出来如何理解就是你的事了。

对那些理不出头绪的事情,最好的办法就是忘记。回忆并不像人们想的那么温顺,谁老是在回忆过去,他当下的生活很可能就是回忆的某种延续。有一天也许会发现,错误的决定跟喜欢回忆有关。这样的人永远也不能真正开始一个新的生活。

给自己一个机会,向前走,别总跟过去的垃圾纠缠,最后觉得自己跟垃圾一样不新鲜。我不是说你像垃圾,我是说自己。我停留在一个阶段太久,已经是垃圾。以上算是介绍教训。

看完信,丁欣羊还不知道自己是否正确理解了,已经被感动了。接着她在信封里发现一个小纸条,上面写着:如果你被这样的信感动的话,就没指望了。

"就太垃圾了。"丁欣羊自言自语地说着,心情轻松很多。她出门替大丫处理一些具体的事情,路上,再一次真切地体会了大丫走时的心境。这是痛楚的自由,但是绝对。

生活还在前面等着我。这么想的时候,她忍不住对路人发出一个由衷的微笑。她顺利地帮大丫处理了卖房子遗留的几个小问题,回家的路上接到丁冰的电话。

"我突然发现,你很少给我打手机。"丁欣羊高兴地调侃。

"大周末,在约会吧?"丁冰平静的语调压平了妹妹的昂扬。

"你在干吗?"丁欣羊不想马上说跟车展的变化。

"我在家,你姐夫有事出去了。"

"什么事?"丁欣羊追问了一句。丁冰含混地说,好像是过去的同学来了,大伙儿要聚聚。丁欣羊怀疑丁冰的轻松是装出来的,但又不知道该怎样深问。

"那我们去吃饭?"

"吃饭……"丁冰犹豫,丁欣羊马上说,今天她不想去烈士陵园。

"我原来想,我们可以去看看朱大者。"丁冰说。

"这我可没想到。"丁欣羊心里又是一阵不舒服,尽管没有任何误解。

"好久没他的消息,不知道他最近怎么样。我觉得他人挺真诚的。"

"我收到了他的一封短信,劝我不要总活在回忆中,说得挺透彻的,看来没少思考。"

"他对别人的帮助很有用,可惜这样的人很难得到别人的帮助,因为他们看得太透了。"丁冰悠悠地说,丁欣羊越听越不高兴。

"也许吧,你也认为我总在回忆吗?"

"他会不会说的是你总是被过去的事情影响……"

"姐,我们别这么说下去了,要么你出来,我们去吃饭;要么我去看你。去朱大者家太远了,我今天不想去。"

"好吧,我们去吃饭,你说地方,我去会你。"

丁欣羊说了一个地方,两个人约好时间,丁欣羊到那里时,一点兴趣也没有了。朱大者短信带来的好心情被别人对他的关心破坏了。丁冰坐到她面前时,她心软了。姐姐看上去像个没人关心的寡妇,她想,苍白的脸色,细密的皱纹,过时的衣着突出着她的消瘦。她点了菜,把话题扯到丁冰身上,结果是老样子,丁冰慢慢把话题从自己身上再扯开。丁欣羊忽然生出很多怨气,她觉得,丁冰原地死守,好像自己正在佳境中,根本没有改变的愿望,变得麻木。她告诉丁冰大牛大丫的事情和大丫离开的消息。丁冰看着妹妹,脸上的表情几乎没有变化。丁欣羊等待她的反应,好像这反应对丁冰不重要但对她很重要。丁冰看看妹妹,好像在问,你想说什么吗?

"姐,好多人都是倒霉蛋,但不能就那么认了,人活着不就是为了争口气吗?"

丁冰笑笑。她知道妹妹是好心,但不想把自己挣扎的过程说出来,那样她会更绝望。她觉得自己陷在沼泽中,越挣扎希望消失得越快。

丁欣羊把丁冰送回家,心情很糟。在她们草草告别时,丁欣羊尽量掩饰自己失望的情绪。回到家里觉得丁冰肯定已经察觉了。她给姐姐打电话,刚想试图解释时,丁冰说:

"欣羊,别说了。我知道这世界上你是对我最好的人。我永远都不会误解你,你说什么也不会伤我。"

"姐,我……"丁欣羊难过极了。

"你甚至能因为我跟父母闹僵,欣羊,我们之间真的不用说那么多。我知道我不行,我什么都试过,可是,我的性格,我不知道该怎么说,你不用担心我,我知道自己该怎样。"

"明天我陪你去看朱大者,如果你能跟他好好聊聊,也是好事,他的确跟一般人不同。"

"再说吧,欣羊,别多想了,好好睡一觉。"

"姐,你刚才说,我是世界上对你最好的人,姐夫呐?"

"我那么说了吗?"丁冰有些意外地问。

"算了,我故意夸张了。我肯定是世界上对你最好的那个人,因为我愿意对你好。"丁欣羊忽然害怕,立刻把话题的重点扯开。"你也好好睡吧,老白还没回来?要不要我过去陪你。"

"不用了。"丁欣羊等着她的结束语句,但丁冰已经挂了电话。

"天!"丁欣羊对着墙壁喊了一声,觉得自己永远也发现不了解开丁冰的密码。

谭定鱼和妻弟曲未去美国的时候,曲今在信箱里发现一封信,信封上写着:谭定鱼妻子收。

上帝捏造女人时的情绪会不会是经常变化的,因此女人有比男人更丰富的性格种类。女人看到这样的信封,通常反应是心跳异样,出虚汗,紧张,整个身体立刻进入戒备状态,好像随时可能发生对自己构成伤害的事。迄今为止,这也许是匿名信还存在的惟一原因,它还有杀伤力。

曲今很少想上帝,神,对宗教没有什么特殊感觉,仿佛只知道,世界上有宗教存在,但不知道跟自己有什么关系。但是,她却有种令宗教虔诚者羡慕的心理状态:总能泰然地保持自己的常态。所以在女人中间,她很不显眼。她看着手里的信封,估计是匿名信,也估计到了里面的内容。她正要上街给女儿买生日礼物。谭谈去补课,约好晚上一起去奶奶家庆祝生日。她把信放进皮包,去商场转了近一个小时,终于给女儿找到一个她认为适合的礼物:牛津版电子百科全书。在丁欣羊曾经丢失日记的包装柜台上,她等着服务员给女儿礼物做包装时,才把那封信拿出来。

拆信前,她想了一下,然后看信。信上写了地点和时间和目的——地点是谭定鱼家附近一家新开张的饭店;时间是星期一傍晚六点;目的是问曲今愿不愿意跟一个她不熟悉的女人见面。曲今看完信笑笑,跟她猜的一样。她离事情的真相总是很近,省略了怀疑的阶段。从这个意义上说,曲今是造物主喜欢的女人,她获得了跟丁冰完全不同的命运,可以活得简单。

她从服务员手里接过包好的礼品,付过钱,然后把礼品和匿名信一起放进包里。回家的路上,她没开自己的车,打了一辆出租车。坐在车里,她脑子里出现几个判断:这个女人挑的时间地点说明,她不仅知道谭定鱼不在还知道他们女儿谭谈寄宿。她从没想过自己丈夫会有外遇,可也从没想过他不会有。对那些已经发生但她还不了解的事情,并不用十分担心,她的方法很实际,知道发生了什么事才能找到对付的办法。

谭谈过生日的晚上,曲今和女儿与谭定鱼父母一起吃了晚饭。女儿收下所有的礼物之后,出去会同学了。谭定鱼从美国打电话祝贺时,女儿已经离开,曲今也正要离开他父母家。谭定鱼问了女儿的礼物是什么,顺便也问了他父母如何。曲今还没拿定主意要不要跟他说匿名信的事,谭定鱼却说,他星期二就回来了,详细的见面再说,手机漫游挺贵的。

曲今离开公公婆婆,到处找自己的车时,才想起来自己的车放在商场的停车场里。她打了一辆车去取自己的车。坐在出租车里,她的思绪有些乱。刚才谭定鱼在电话里关切地询问了一圈儿,这个怎么样,那个怎么样,惟独没有问到她。她继续这个思路想下去,根本想不起来,丈夫什么时候问过她怎么样?!她忽然眼睛发潮,觉得委屈得不行。司机觉察到了什么,扭头看了她一眼,她立刻调整自己的情绪,又想到了还放在皮包里的匿名信。这时,司机的手机响了。

"喂,啊。"司机不冷不热地说。

"我知道了。哎呀,你烦不烦,好,我知道了。我现在有活儿。好了,完了再说。"

"是你妻子打给你的吧?"曲今突然问司机,司机苦笑地解释,女人都这样,啰嗦。他话刚落地,立刻补充说,"对不起,我可不是要冒犯你。我的意思是我老婆这样。"

"你有时候问你老婆怎么样吗?"曲今认真地问。司机却一点也不认真,立刻回答说:

"没等我问,她就都告诉我了。"他的口气也把曲今逗笑了。她又补充了一句,要是她不告诉你,你会问吗?

"那当然,要不然,老婆什么时候跟别人跑了,我都不知道。人吗,得关心别人,何况自己老婆,更得关心了。"

曲今付了车钱,谢了司机,开上自己的车,拐上了环城高速。

这辆帕萨特他们买了快五年了,最近两年几乎是她在开,因为谭定鱼公司又买了一辆奥迪,基本归他一个人用。曲今的车技很不错。上了高速之后,她立刻加速,车子一下子蹿出去,九十,一百一,一百三……已经过了下班的高峰时间,高速上车辆不多。曲今看看车里的表,快九点了,她把速度保持在一百三到一百四之间,同时提醒自己集中精力。这是城外高速容易出事的时间段,出城吃饭的人陆续返回城里,几乎各个是酒后驾车。

开出几公里后,车辆并不多。曲今开始放松下来,放上她平时喜欢听的一首歌《困死我了》。她把音量调大,按下重复播放,保持车速——我困死了/马上就要睡着了/我没喝多甚至没喝酒/我再也受不了了/没有理由没有原因/我永远爱上一样的男人/他们消失在爱情的路上……

歌声既绝望又娇嗲,曲今在后视镜里看了看自己,再把目光放回到路面上。她不会在别人面前反复听这样的歌,就像她也很难向自己承认,这唱歌女生所表现出的女人的特质莫名其妙地吸引她。她很容易想象男人喜欢这样的女人,她甚至想了一下,谭定鱼的情人可能也是这样的。可她自己永远变不成这个样子。怎样发出这样的声音,怎样做出这样的娇态,如果只是技术问题,她不觉得自己掌握不了类似的技术,问题是她对自己不是这样变不成这样没有明确的倾向。她不觉得那样有什么不好,更不觉得自己这样很糟。她能跟自己相安。

高速公路上能看到的景致,并不是令人期望的,但却不打扰曲今。她开车从不在乎车窗外的景致。职业运动留给她的影响除了关节不适之外,还让她保持着对力量和速度的浓厚兴趣。也许她看 NBA 时所获得的快感比性生活更多。她在环城高速开了一圈儿之后,并不想回家,于是,她开第二圈儿。时间更晚了,车也更少了。她关了 CD,集中精力,把速度提高到一百四到一百五。在最里圈的超车道上,她感觉着车子发出的均匀的机械声音,这声音不仅显示着车子运转良好,同时也是对驾驶者的褒奖:和谐的,沉稳的驾驶,带着优秀中长跑选手临近终点时的轻盈和胜利在手的自信。

如今的时髦,除了泡酒吧吃绿色食品开车旅游等等,还有就是女人不停地表述自己从前没实现今后也很难实现的愿望:等我不工作的时候,第一件事肯定是……假如我没结婚的话,我肯定……

曲今不属于这类女人,关于自己她从不多说,也从不多想。这个晚上,在速度的陪伴下,她第一次想,如果可能,很想一个人开车在国内转转,谭谈上大学,就可以了。这么想的时候,她已经把车趴到了地下车库里。爬楼梯时,她决定接受匿名信的邀请。

那是家新开张的饭店,除了牌匾没有格外的霓虹灯之类的装饰,看上去很高雅。虽然这家饭店就在自己家附近,曲今还从没来过。透过明亮的窗户她看见里面座位几乎坐满了人,自己的丈夫也许带他的情人来过这里,这么想的时候,她不想进去了。但她做人的原则又阻止她离开,她只好一个人走进去,门口穿白色制服的小伙子轻声问她是不是一个人。

"里面还有一个等人的女人吗?"曲今一边问一边看表,她迟到了十几分钟。

"没有,女士。"小伙子的礼仪口吻,让曲今觉得自己跟女士一点关系没有。"只有一位先生是一个人,他要等的女士姓黄,您……"

"我不是。"曲今说完走进厅堂,一位小姐再次问她是几个人,她说,一个也许两个。小姐把她引到角落里的小桌上,然后递上菜单。曲今没有马上看菜单,被饭店的环境吸引了:洁白的墙壁点缀几幅日本风格的水彩画;轻柔的音乐控制着整个气氛,没人大声说话,大厅上空的嗡嗡声又重新融入音乐中制造了一种奇怪的安宁;最大的桌子是四人的,最小的是两人的,一律白色亚麻台布,包括高背椅也被套上了白色的套子。根据以往的经验,曲今怀疑这里饭菜的质量。约她的人还没来,她没生气更没沮丧,看看菜单,决定给自己点菜,至少搞定这个饭店值不值得下次再来。

她给自己点了两个菜,等菜的时候,服务员给她送来一个条子,说是门口一位小姐带来的。条子上写着:

我还是无法跟你面对面坐在这里,也许我们以后还有见面的机会。

谭定鱼从美国回来的第三天,曲今把他带到了这家新颖的饭店,坐到她一个人曾经坐过的位子。他们快吃完的时候,谭定鱼发出心满意足的感慨,还是中国好,在美国他差点饿死。说完他看看表,想招呼服务员付钱,这时,大厅的人陆续走了,剩下的都是喜欢悄声说话的恋人。

"再稍坐一会儿。"曲今心不在焉地说。

"回家坐多好。"谭定鱼说。

"你觉得我们两个跟这里的气氛不太匹配吧?"曲今毫不掩饰自己讽刺的意图。谭定鱼这才四处看看,然后有些尴尬地对老婆说,为什么不匹配?! 如果她愿意他们当然可以坐一会儿。

服务员送来两客赠送的冰淇淋,曲今尝了一口之后下定决心地说:

"几天前,我一个人在这里吃了一顿饭。因为一个陌生的女人约了我,但她没来。我想,她应该是你的情人吧?"

谭定鱼好像被冰淇淋噎住了,脸一直红到了脖子。最后连他自己也没想到,他会恼怒地对老婆说:

"你在说什么呀? 太可笑了。"说完,他接着吃冰淇淋,仿佛不这样他就必须承认自己在撒谎。

"那好吧,我们回家吧,这冰淇淋我不太爱吃。"曲今通过谭定鱼的表情证实了自己的预感。虽然她从没有过类似的经验,但她相信自己的直感。回到家里,曲今想泡澡,谭定鱼立刻表示同意。躺在澡盆里,曲今脑子里一片空白。过了一会儿,她悄悄打开浴室的门,听见丈夫在打电话。

"你太过分了,这是我的事。"他气愤地指责对方,"我是说过,但这仍然是我的事,谁让你给……"听到这里曲今关上浴室的门,重新躺回澡盆,水有些凉了,她又添点热的,温暖的泪水汹涌地流了出来。她钻到水中,泪水融成水,心异样地静下来。她重新把头露出水面时,深深吸了两口气,马上又有泪水涨出来,她对自己说:

"该离婚了。"

谭定鱼好不容易熬到了第二天早上。一整夜他都没睡好,醒了几次,听听妻子的动静,呼吸均匀地睡着。于是,他多少有些安心,猜测妻子并没有认真对待那封信,天快亮的时候,自己也小睡了一会儿。

到了办公室,于水波还没米的时候,谭定鱼被突然冒出的一个想法困住了:难道我不希望妻子知道这件事吗?如果我答应小于离婚,如果这是出于我对她的感情而不是敷衍,现在不正是机会吗?我为什么要回避呐?

谭定鱼给于水波打电话,问她是不是已经离开家了。对方回答还没有。他立刻要她等在家里,他马上就到。放下电话,谭定鱼把接替马副经理的于杰找来,交代了几件事。于杰出去的时候,谭定鱼在马副经理辞职后第一次怀念她,如果她还在,他现在可以立刻出门,什么都不必交代。马副经理对公司的一切比他还清楚。

于水波看着自己刚刚写好的辞职信,有种绝望之后的坦然。对错她都把事情做下了,结果如何她已经无所谓。她给曲今写信之前已经对她和谭定鱼之间的关系不抱任何希望。就像她曾经相信谭定鱼会为她离婚一样,现在她认定都是欺骗。看见曲今一个人坐在饭店的角落里,她没任何内疚的感觉。她是突然决定不进去的,好像借此将这个女人的丈夫送给自己恶作剧,还给这个妻子。

跟马副经理见面后,她惟一无法摆平的是:难道她的感情不配放到阳光下展示一下吗?如果谭定鱼试试离婚离不成,她都觉得自己可以接受也可以理解。当她发现自己所爱的男人连试试的勇气都没有,牵扯出的伤害勾连着不公平的感觉,把她伤到了最后的分上。她觉得自己的价值就是被人玩弄一下,戴上爱情的标签,仅此而已。

这样的心情下,再次面对谭定鱼,她有了一种似乎不属于她的自信,到了无所顾忌的程度。

"你到底想干什么?!"谭定鱼把巴掌拍到桌子上时,她从他的手掌下抽出自己的辞职信,递给他:

"想离开。"她平静地说。

"你不觉得你的做法跟你的说法有些矛盾吗?"他这么说的时候,心里也是这么想的。如果你真的想离开,索性离开好了,干吗还弄出匿名信之类的"响动"。

"分手有各式各样的方法,你没听说过吗?"小于仿佛看见了他心里的念头,努力让自己的话变得更加刻毒。她的腔调终于让谭定鱼既感到陌生又感到恐怖。无论他们高兴还是吵架,小于从没这样跟他说过话。他庆幸眼前这个女人还不是自己的生活伴侣。

"你疯了?"

"也许,所以不想干了。这是我的辞职信。"

"你想干吗？"

"也许去精神病院看看病。"

"你是认真的？"他威胁地问。

"如果我还配认真的话，我非常认真，在别人把我当小蜜耍了一通之后，我认真了，你听懂了，我认真的。"

在接下来的几十秒钟里，谭定鱼体会了一种从未有过的极端和决绝：要么说最狠的话把对方钉在那里，让她永远屈服自己，像奴隶一样；要么自己恳求她，像狗一样，以后一切听这个女人的。

他什么都没做，仿佛这两种可能跟他的理智相违背，跟他的性格无关。他站着，像高价雇下的模特，一动不动，直到被画下来，从筋骨到灵魂。

看着谭定鱼失常的样子，于水波动了恻隐之心。她再次怀疑自己错怪了他，他不是敷衍而是离婚的难度太大。也许他需要时间。也许自己把他想得太坏了，也许我操之过急了，也许我正在失去自己的机会，也许他真的爱我，像我爱他那样……她看着谭定鱼鬓角出现的白发，心里坚硬的东西像一只握紧的拳头，松开了。她想过去，抚慰他，给他一个和好的暗示，但内心的积聚的伤痕，新旧层叠的伤痕和不信任妨碍她做出什么举动。

马副经理提醒她的话再次起了作用，她马上想自己对他的怜悯是幼稚的表现，该是眼前这个男人怜悯自己才对，但他从来没那么做过。不公平的怒火燃烧起来，于水波更加坚定，必须为自己的生活做出选择，不然自己的青春将断送在他的手里。

谭定鱼的脑子在这个瞬间里也停滞了，像一架笨重的大型机械，刹住的时候已经预示，再次启动将是无比遥远的事。他好像什么都忘记了，眼前的，过去的，他有的，他没有的，他将失去的……幻觉中他变成了一头被追赶的公牛，没有恐惧只有狂野。他走近于水波，一下子把她扯到自己怀里，紧紧掐住她的双肩，强迫她接受自己毫无温情的亲吻。

于水波像被惊醒的做梦者，第一个反应就是庆幸自己没再犯往日的错误。这个说爱自己的谭定鱼跟那些把婚外恋当成游戏的中年男人没有任何不同。她大声喊放开，你放开我……但谭定鱼把她扣得更紧，以至于她呼吸变得困难。

"你想干什么？"她艰难地说。

没有回答，只有越来越坚决的动作。

"你这个流氓。"他们撕扯在一起。"你这个骗子。"她这么说的时候，心里也相信自己的判断。再也没有误解的空间，她绝望得像一块死去的石头。

"你呐？妓女，变相的。"谭定鱼在空白大脑的支配下，完全变成了公牛。他说话时，已经把于水波按倒在地上。他脑子里的观念倒退了一百年：这就是女人，女人的本质就是这个。他把她的衬衫撕开了一个大口子，毫无障碍地继续着刚才的一切，并不觉得自己正在干一件恐怖的事。

他的话深深地击中了于水波，她觉得心绞般疼痛。她没想到，话语可以把人完全击溃。她浑身哆嗦，心里的疼痛延续着，耗尽了她的气力。她虚弱地想，这就是他们两个人关系的真实面目，但没有任何挣扎的力量，放弃了抵抗，心在最后的绝望中，像小船撞到岩石，碎成无数小块儿飘散了。

谭定鱼把遮盖她身体的衣服都扯掉了，他觉得自己的欲望像二十年前那么绝对。当兵时他只被这一件事折磨，似乎所有其他的事都是可以战胜的。结婚以后，他曾经想，是部队严明的纪律拯救了他。时间久了，婚姻像尘土覆盖火焰，也覆盖了他强烈的欲望。之后，做生意变得更重要。

"你要是碰我，我就告你强奸。"于水波放弃了身体的挣扎，话语的威胁变得虚假。谭定鱼听清楚了她的话，情欲却更加鼓胀。他带着明确的粗暴继续继续，希望她疼，希望她被伤害，希望她恨死自己……好像这不过是他第一次显露自己,好像他今后能找到一条对自己更好的路。因此,如果说这是一件坏事,他居然也做得节奏分明。

"你会后悔的。"于水波说。

"好的。"谭定鱼从来不喜欢听女人威胁的话,接着又补充了一句:"现在你发现了,我只对你的身体感兴趣,除了身体,你还什么都不是。"他说完更猛烈地动作。于水波开始打他的耳光,一边打一边重复一句话:我决不放过你。这话他从前听过,现在再听居然有几分亲切。她曾经在他们做爱时说过,如果你不离婚,如果你骗我,我就告诉警察你强奸我,我不会放过你等等。

差别不过是口气。

他按住她的双手,闭上眼睛不看她,让自己完全沉浸在身体的感觉中。他被抛了上去,下落的时候他感到了从未有过的欢愉,美妙的,非人间的。意识重新回到他空白的大脑,第一个出现的念头是淡淡的,无所谓的……她会不会怀孕?

于水波把他像麻袋一样推掉,她起来一句话都没说,一步一步走向电话,谭定鱼反应了一下,疲惫地闭上了眼睛。当他听见她说话时,再睁开眼睛,目光循着地板上一溜黏液的痕迹,追到了于水波。她对着电话听筒说:

"……三单元五楼左手门,我被强奸了。那男的叫谭定鱼,是方圆广告公司的经理。"

谭定鱼再次疲惫地闭上眼睛,睡意完全笼罩了他。没几分钟,他已经睡得很沉了。

第二十七章

　　越来越喜欢无梦的生活
　　就像喜欢阳光

　　大丫离开后一直没有音信。包括丁欣羊也没有她的音信。那些想知道她去了哪里的人，彼此也没什么联系。丁欣羊没给大牛打电话，原因不知道该说什么，似乎必须解释的事情，都没有解释的理由。有时她想打听打听大牛的情况，万一大丫来电话问起，自己也好有的说。但大丫一直没来电话，她也一次次地推迟去看望大牛。新的工作没什么特别的，干了一段时间，没产生任何感觉，既不喜欢也不反感。有个上午工作间隙时，她走近窗户，从三十七层的窗口望下去，狭窄的街道上跑着玩具般的汽车，人行道走着侏儒般的行人，她突然觉得生活的质感那么强烈地突现在眼前：一切都不过如此！万事悠悠，不如山丘！

　　她常常陷入忘我的工作状态，尽管这工作对她而言没有任何挑战，用在谭定鱼公司积累的经验可以轻松应付。但是，她渐渐喜欢拿出精力去了解市场，开拓新线路，做各种试行方案。这些费时间的工作，充实了她内心的虚无，经常抬头看表时，已经过了下班时间。她因此很受经理的赏识，几次员工大会上被公开表扬。经理是个干练的中年妇女，所以同事不会把丁欣羊跟经理的关系想歪，同时丁欣羊非常收敛，没表现出任何往上爬的企图，所以同事关系当下也是最理想的：大家对她友好，但她不让任何人更走近自己。她下班一个人回到家里，洗澡吃饭睡觉，一天又一天,她意识到从前的孤独感远离了,取而代之的是平静。但她不知道这平静是哪儿来的,对工作的满意还是自己感情疲惫的表现?有个晚上,她对自己说,如果现在就丧失了再去认识了解一个男人的愿望,那就必须一个人度过晚年了。她的理论是一个老年人能很好地接受另一个老人,前提是他们曾经共有过年轻的岁月,不然谁都很难忍受一个到处松懈的身体,尽管自己也变得同样如此。当现实不再美好时,人需要想象或者回忆。每当这样心境光临她时,她还是免不了想车展。有一次她问自己为什么想起来的不是朱大者。

他不能带给任何人安慰,也许包括他自己。她对朱大者新的认识,随着她渐渐改变的心态,把她送到了中年的门口。

她非常想念大丫!大丫的缺席,像是椎骨间起润滑作用的黏膜不在了。椎骨们于是摩擦自己,在最好女朋友缺席的情况下,她觉得自己开始枯萎,没有参照也没有陪伴。

这时,她做了一件通常意义上,她会反对的事:通过一个同事的介绍认识了一个算命的,不仅结结实实地给自己算了一命,还拉着算命先生的手走进了别人的生活。

首先算命先生的长相说服了丁欣羊,她从不认识任何人,无论男的还是女的,长了如此之长的一张脸。他叫萧林,脸盘的长度是宽度的一倍;笔直瘦削的鼻梁是瞳孔距的四倍;好像属于完全不同两个人的小嘴和宽额头,彼此不感兴趣地长在萧林的脸上,加上他对眼儿的毛病,看此处像看彼处那样心不在焉的神态,印象上镇住了初次见面的人。

"按顺序,是这样的:先说价钱,再说过去,最后是未来。"丁欣羊第一次被同事带到萧林家时,这个看上去三十五六岁的中年男人,穿一套肥大运动服,慢条斯理地对她说,好像他正在从事的是天地间最古老最正当的行业。

都谈妥了之后,他让丁欣羊的同事离开,丁欣羊想阻拦,萧林说,看还是不看,不能那么多人在场。他轻柔地说出这些话,让人明白这是威胁但感受却是另外的。丁欣羊躺到一张中式床上,他说,放松,她问,这床过去是不是用来抽大烟的。

"它过去现在将来都是让人躺着的,不用给它算命。"说着,萧林把她的右手握住,让她闭上眼睛放松,再放松,累了就睡。

丁欣羊慢慢醒来,看见坐在旁边的萧林,马上要坐起来,这时,发现自己的右手还握在他的手中。

"不用着急起来,躺着也行。现在说吧,想知道什么?"

"关于过去的?"

"随你。"

丁欣羊为了检验问了家庭婚姻中已经发生的事情,萧林对答自如,都说对了以后,她开始打听自己的未来。

"先说婚姻吧。一般女的都先问这事。"萧林毫无兴趣的表情,加强了悬念感和神秘感。"按理说,你不是寡命,"他看着她的手心,"但能不能再结婚,取决于你的想法。"

"什么意思?取决于我的想法?我想结就能结?我不太明白。"她说完看见萧林眼中闪过一丝蔑视,但她管不了那么多,付了钱就应该问明白。

"你说的那不叫想法,那叫愿望。我说的想法是,你对自己的把握有多少,自己到底是怎么回事,真正要的是什么,这些你有时候不清楚。"

她想到朱大者曾经对自己说过的类似的话,长脸算命先生的权威在她这里快速增加着。

"其他的呐?"她问。

"健康还行,不好也不坏,能寿终正寝。钱财,不多也不少,够花。事业,想干就有工作,基本是这样。恋爱机会很多,但能顺利发展的不多。"

"有忠告吗?"她表现出明显的诚意。

"认可一头。"丁欣羊又有被说中的感觉,想再问得详细些。但是,萧林的脸拉得更长了,看上去已经有点阴森,她觉得最好是马上离开。她付了钱,准备离开时,问能不能再带朋友过来。他点头,但补充说,别太乱。她觉得他担心的是公安局。

"过段时间可能会有点什么事,应该问题不大,感觉不好时,你可以过来一趟,不用另外再付费用。"她临出门时,萧林对她说,好像自己开的是诊所。因为他开的不是诊所,所以,她觉得这不过是算命先生的把戏之一,跟评书的下回分解差不多。

但丁欣羊非常想把丁冰拉来,心里没把握,便先给姐夫打了电话,婉转地说起这件事。让她意外的是,白中想自己先试试。她想都没想就把白中带去了,萧林看着她,示意她该离开时,她发现自己很想知道结果,便告诉白中,自己在街对面的麦当劳等着。

白中来找丁欣羊时,她已经喝了三杯红茶,吃了一个汉堡一包薯条。

"怎么样?"她关切地问。

"哎,就那么回事吧。说的挺笼统。"他看上去不愿多谈。丁欣羊问他吃点什么,他看看表,还想赶回单位。她又问丁冰如何,他说,基本上是老样子,最近要是没什么活,你不妨抽空去看看。她没说自己跟丁冰见面的感受,答应这两天过去。

"我看,还是不让你姐来吧,她肯定不信……"他还想说什么,她打断了他,说她自己考虑的结果也是这样。接着又问姐夫,萧林有没有说让他觉得吃惊的事情。

"他说,我最终躲不过女人的摆布。"白中无奈地说了一句。这句话从萧林嘴里说出来时,的确让他很震惊。他没告诉小姨子,萧林说的不是女人的摆布,是一个女人。但他怕引起欣羊的误会,便省略了女人的定语。

白中先走了,丁欣羊劝阻自己几次,最后还是好奇心占了上风。她回到萧林家，简单说了姐姐的事情，然后直接打听姐夫的算命结果。萧林想了想，对她说：

"没什么大不了的，再说，替客户保密是我的责任。"

"他是我姐夫。"

"那我也没把你的告诉他啊。"

"他打听我的了？"

"当然。互相认识的人总是打听彼此的事情。"

"懂了。我其实不是为自己，是为我姐。她什么事情都压在心里。"这么说时，她忽然想，萧林也许会让她把丁冰带来，但他什么都没说。又是在她临出门时对她说了一句：你姐夫不是坏人，但好人也说不上。

丁欣羊吃惊地看着他，他补充了一句：

"好多人都是这样的。"

大牛的护工邢姐，丁欣羊在大牛住院时，见过两次。但她能登门拜访，还是让丁欣羊吃了一惊。

她应该知道大丫和大牛的事情，丁欣羊把邢姐让进屋，怎样都想不出她来拜访的目的，同时也想不起来她的姓名。邢姐在门口脱下了自己的鞋子，丁欣羊说不用，但她执意说外面太脏，说完光脚进到客厅里。丁欣羊拿着拖鞋追进去，把拖鞋放到她的脚下，后者惊慌地拒绝，说自己不用拖鞋。

"穿上吧，地上太凉。"丁欣羊过分亲切地说。她穿拖鞋之前说了一句："我不喜欢穿袜子，但我没有脚气。"她的话把丁欣羊说了个大红脸，找了个泡茶的理由先离开了。她们重新各自捧着茶杯面对面坐下时，来客发出了一个慨叹，她说，跟你比，我好像就没活过，大牛真的是病了，不然怎么会跟我结婚。

听了她的话，丁欣羊开始重新审视这个女人，也许他们（不包括大牛）对她的印象都不准确。她更没想到的是大牛跟这个女人结婚了。

　　"你们什么时候结婚的?"

　　"他刚出院时。这是我的条件。他如果不答应的话,我也不会跟他搬到一起。我一个寡妇拖着孩子,哪敢乱来。"

　　"是这样啊。"丁欣羊换了话题,"大牛怎么样了?"

　　"还那样。"她似乎不想马上开始这个话题,尽管丁欣羊断定她是为这个来的。

　　"对了,你贵姓啊,我总忘别人的名字。"

　　"贵人。"她憨厚地笑笑,说自己姓邢,比他们几个人都大,"你就叫我老邢就行了。"

　　"那怎么可以,我叫你邢姐吧?"

　　"行啊,如果你愿意。"说完,她提出参观丁欣羊家的请求,也许,我和大牛将来也要装装房子,说着,她一个人先四处看上了。丁欣羊礼貌地陪她转了一圈之后,邢姐连说真好真好,可惜她和大牛现在没钱搞装修。丁欣羊听了她的话一时不知道怎么反应才好,胡乱地问了一句:你们现在靠什么生活。

　　"靠大牛的积蓄,还有我的退休金,那没多少钱,一个月才几百块,我还有个上中学的孩子。"

　　"孩子父亲……"话刚出口,丁欣羊想起她刚才说过自己是寡妇。

　　"对,没了。"

　　丁欣羊没说什么。她同情他们的生活,但不敢轻举妄动。大牛为自尊付出的代价,大家都知道。

　　"你们钱够吗?"她泛泛地问。

　　"现在没什么问题,大牛还不能完全自理,我想,等他稍微习惯以后,我还出去做护工,大牛说,他可以写歌卖钱。我以前只听过唱歌卖钱,不过他说的肯定,我又不太懂,所以就听他的。"她说这些的时候,始终面带笑容,有几分满意的样子。

"大牛精神状态怎么样?"丁欣羊认真地问。

"还那样。"她一如刚才的回答,好像她可以永远这样回答别人对大牛的关心。

"还那样是什么样,我好久没看见他了。"

"大丫走了以后,你们这边儿的朋友就不跟大牛走动了。你要是有空,去串串门呗!"她说完,丁欣羊便答应了。她说,她下周有空,然后问他们有没有时间。

"我们别的没有就有时间。等换到一楼,也许大牛才能出去遛遛,现在三楼根本下不去。"听她这么说,丁欣羊想到,她刚才说的装房子的事,心里感觉怪怪的。

"大牛别的朋友常去吧?"邢姐笑着摇头。

"大丫什么时候回来啊?"邢姐有意无意地问。丁欣羊说自己也想知道。邢姐又问,大丫在哪儿,轮到丁欣羊摇头了。

"她挺有钱的吧,能到处跑,不工作,多好啊。"

"她也工作,不过可以在家里,在路上,反正在哪儿都可以干。"

"在医院我听护士说,她是作家。"

"算不上吧,她给报纸杂志写些小文章。"

"大牛没福气跟那么好的人。有时,我总想我的命,嫁了一个,没了,又嫁一个还残疾。"邢姐说得平坦轻松,丁欣羊听得惊心动魄。

"我走了,去玩吧,大牛一个人很闷,我怕他闷出病。"邢姐离开的那个晚上,丁欣羊想到大牛时很内疚,好像他变成这个样子,她也负着某种责任。接着,她想到自己的生活,又是一阵寒心。在她看来,折磨大牛的是他内心的孤独,从这个意义上说,跟自己没什么差别。她能理解大牛跟邢姐一起生活的决定,虽然被动,虽然有大丫的因素,更主要的还是,人都想找个伴儿。她仿佛看见自己一次又一次栽进没有男人的世界。

男人意味着什么？伤害,痛苦,她不能说这是男人带来的全部。男人对女人来说,还意味着回应,甚至吵架也是一种回应。我也许把和男人的关系搞得太复杂,接着,她又想到萧林对她说的话,也许,我应该向男人学习,像他们对待女人那样对待他们。为自己将来的生活留出两个人的位置……那晚,她躺在床上,想来想去,最后的问题落在一点上:为此,你能付出的是什么?放弃自己的个性去认可一个男人,准确说是认可他的缺点。这么想的时候,她猛地想到车展,他没有那么多缺点需要自己认可,但她还是把他们的关系搞坏了。

　　我是什么样的女人啊?这个问题一直跟着她,在这晚的梦里,第二天一整天的工作中,她几次想到邢姐,比较之后,她有羞愧的感觉。傍晚,下班的路上,她决定顺路去看看车展。

　　她说自己刚好路过他公司,不知道他在不在,也许她可以上去,跟他打个招呼,好久不见了。她没说自己故意来的,是不想给对方压力。上次分手之后的这段时间里,她不知道对方的个人生活是否有变化。

　　车展立刻请她上去,他在自己的办公室。丁欣羊在电梯里居然产生了幻觉,好像他们已经结婚多年,现在她顺路来接自己的丈夫回家。

　　镇定礼貌的微笑,握手,正规的请坐手势,招呼秘书泡茶,然后等待对方开口时的矜持……车展的一系列身体语言,把丁欣羊电梯里的幻觉消灭得一干二净,她恨自己突然变得软弱,跑来找这个冷静无比的车展;同时,她决定报复一下。第一步骤沉默,端过茶杯一边吹一边喝,一句话也不说。车展接了一个手机电话,说抱歉时丁欣羊只是微笑点点头。

　　"你挺好的吧?"他终于开口了。她点头然后露出微笑。

　　"忙吗?"

　　点头。

"新工作习惯了?"

点头。

"经常出差吗?"

再次点头。

车展仍然是一脸平静,没有声色表情。他的手机再次响了以后,他先向她道歉,他立刻接了。

"你稍等我一下,我晚到一会儿,我临时有点事情。"车展的口气多少有些随便,好像对方不是什么外人。丁欣羊心里最先冒出的念头,是车展为了跟她见一面耽误了约会,不免有些感动。但看见车展的淡漠的表情之后又冒出的念头是,他并不想见她只是不好意思直接拒绝。

"耽误你约会了。我走了。没什么,就是路过看看你。"丁欣羊说完快步离开了他的办公室。当她重新站到电梯里时,眼睛潮得厉害。

车展一个人在原来的位置上坐着,直到秘书进来问是不是还有事,他摇头;秘书说那她先走了,他点头。之后,他一个人继续坐着,天色越来越暗,他仍然一动不动地坐在那里,仿佛希望黑暗就这样埋葬自己。

电话又响时,他耸身跳了起来,看了一眼号码便掐断了。他穿上外衣,快步离开办公室。

离开车展办公室后,丁欣羊在大街盲目地走着,除了伤感还有莫名的愤懑,好像她和车展走到今天这地步,都成了他的责任! 他该死的沉默,矜持! 如果他觉得我什么地方做错了,可以问我! 如果他觉得我制造了误解,他可以让我解释! 他凭什么就这样,就这样! ……这股情绪达到最高点的时候,她看见车展开车从地下停车场出来,她几乎是下意识地招手叫了出租。

"跟着前面那辆黑车。"她连想都没想就对司机说,好像这是最常见不过的举动,尽管她从来没这么做过。

"那辆大奔?"

"对。"丁欣羊冷漠地回答,想借此提醒司机:她不想多聊。

"没问题!"司机似乎明白了女乘客的态度,自我解嘲地说,"看来堵车也有好处,要不然,我这辆富康跑零碎了,也追不上大奔啊!"司机的话终于把丁欣羊逗乐了,她说,"能追就追,追不上就算了,千万别弄零碎了。"

"大姐,这你就对了,什么事都是那么回事!"

"哪么回事啊?"

"嗨,想开点比什么都强。大奔又能怎么样,该出事也出事,人啊,该有的不用忙乎,不该有的忙乎也没用。"司机含沙射影地说着。

"怪不得我一个朋友说,现在的出租司机都是哲学家。"

"你朋友那是讽刺我们。说点道理出租车司机肯定比常人强,见的太多了。"

"你接下来是不是要劝我别追那大奔了?"

"你追他干吗?"

"我想看看他跟谁吃晚饭!"

"那咱追他,反正他现在跟咱走的差不多。就看看他跟谁吃晚饭,干吗不追啊!"司机说着超了一辆车,紧顶到车展的车后。坐在后面的丁欣羊也能看见车展的背影,一个壮实男人的背影。丁欣羊心里涌起一股柔情,她几乎就要确定,这感情就是爱情。但她心底还有另一个声音在提醒她:你拥有他的时候想的都是放弃。

"你要是追上跟他打架,挠他什么的,那我就劝你不追了。因为真要是动手,我就是帮你估计也打不过那大奔。"这时,车展开始并线,司机也紧紧跟上,"看来这小子是去顺风,有钱。"

到了顺风酒家,车展听指挥进位停车。丁欣羊让司机靠边儿等一会儿,司机说这里停不了车,她只好付钱下车。当她关车门,出租车开走的时候,车展也从车里出来,丁欣羊立刻躲到一棵树后面。当车展进到饭店里面以后,丁欣羊才穿过马路,走进饭店。她对门口的礼仪小姐说自己找人,便跟到了二楼大厅。她躲在一棵栀子树旁,看见车展走到最后面的那排,已经坐在小桌的一位中年妇女立刻站起来迎他。他拍拍她的胳膊,两个人同时落座。

丁欣羊苦笑着,不得不承认那个女人的风度,同时觉得自己这样做很可笑。她灰溜溜地离开饭店,一楼门口的小姐问她是不是没找到人,她说:

"人找到了,地方错了。"说完,她离开饭店,想到车展正在点菜,想到门口的小姐正在说她有病,那么思念大丫。

她应该在,但她不在,这就是女朋友!

一个性格极端,讲究原则,外表健康漂亮,喜欢唱摇滚的年轻人,被命运按到轮椅上之后,可能有的变化,丁欣羊充分想象过。这也是她一直想看望大牛,但一直拖着的原因,她害怕看见太大的变化,她怕自己掩饰不了内心的感伤和同情。对大牛而言这一切都是可有可无的虚假,但是对她来说,这是看见别人遭难内心最真实的反应。她不要这样,但做不到别样。

大牛坐在轮椅上,在窗前接近黄昏的光线里,大牛像陌生人那样对丁欣羊发出微笑,表示欢迎。他瘦得厉害,满脸胡子,过去他总是刮胡子的,她想,他现在看起来像刚刚结束长跑的阿甘,表情却是另外的:充满不信任,对他人,对自己。她一眼没看他的腿,好像那是女人不该看的地方。尽管让他永远坐下去的原因不在腿上。他们互相点头打过招呼后,没再寒暄。邢姐替他们说着家常话,天暖了,你忙吧,大牛,你别忘了吃药……她去弄茶水的时候,丁欣羊说,早该来看看的。但说不出为什么没来。

"你现在来,我也很吃惊,估计是有人指使你。"大牛开口后,丁欣羊看见了他没有变化的地方,感到安慰。

"没人,真的没人。"她老老实实地撒谎,因为她估计大牛说的指使者肯定是大丫。

"怎么样?"大牛问。

"我找了一个新工作。"大牛听着,看看她,再看看别处,等待她继续说下去。

"你怎么样?"丁欣羊问完,又补充了一句,"平时做什么?"她想到邢姐说的卖歌的事。

"习惯。"大牛说。

多愁善感的丁欣羊觉得这两个字蛮残酷的,好在邢姐端茶进来了。她放下茶,还要去买菜。打过招呼之后离开了。

"别忘了给我买烟。"大牛对着她的背影提醒儿。邢姐说知道了。

"你跟她相处的怎么样?"只剩他们两个人的时候,丁欣羊问。

"挺好。她照顾我。"

"你们结婚了。"她轻声说,把原本的问句说成了陈述句。说完之后,她觉得自己不该提。

"你指办手续?"

"不说这个了。"

"我们办手续了,不然这个女人觉得自己没保障。"

你可以跟她签合同,雇她照顾你,何必非得结婚?! 她想问大牛,最终还是没问。

"她有消息吗?"大牛平静地问。

"你知道了?"丁欣羊见大牛点头,便接着说,"从走了以后还没有任何消息。"

"挺好。"大牛说得没有感情色彩。

"对谁?"

"对谁都挺好。"大牛说。

"大牛,我们相识时间不是太长,我问这样的问题,也许不是很得体,但我跟大丫的关系你知道,所以挺想知道,你心里到底怎么想的。"

"你指什么?"大牛警觉地问。

"你刚才说挺好,我知道你的意思。大丫走了,就是回避,但你先闪了,对不?"

听了她的话,大牛笑了一下。

"我知道这么说很可笑,现在说也都晚了,但我还是想问你,没有别的可能吗? 如果你不让她离开你,你们真的过不好吗? 你真觉得大丫当时的决定是一时冲动吗? 不瞒你说,我相信大丫能做到这一点,跟你一起生活到最后。对好多女人这并不是很难,只要有爱情就没问题。有的女人甚至希望有这样的机会,那样男人就不会变心,自己就可以和爱人厮守一辈子。"

大牛又笑了,笑了两次。

"我们对大丫的了解不同。"大牛说。

"因为我们的性别不同?"

"不知道。"大牛说,"反正,我觉得挺好的,我了解的大丫跟多数女人不同。"

"也许你有道理。"她含混地说了一句,希望自己有一天能看透大牛的理解。

"她走的时候,不说这个了,我总想一些能让大丫好过一点儿的可能性,挺自私的,估计你也能理解。"

"什么样的可能性?"

"比如,你没有马上跟另一个女人……"

"那不是我做事风格。留后路本来就没意思,我现在都没后路了,还硬留,太没劲了。"

314

"有道理,我太傻了。"她惭愧地说,"了解你们多一点之后,希望的都是你们能有个好结果,但同时也忘了,人几乎是无法改变的。你这样,因为你是大牛,跟大丫那样,因为她是大丫一样。好了,我不多说了。今天跟你这么聊聊,我挺开眼界的。"

"这也许是我跟大丫最好的结局。"大牛说得很平静,掩盖了感情。

"可惜,我也没有大丫的消息。不过,你有什么事,我能帮上忙的,千万别客气。"

"你姐怎么样了?"大牛突然转了话题。

"老样子,令人担心,但不知道该怎么帮她。她几乎什么都不说。"

"大者你见到了吗?"

"也好久以前了。"

"车展呐?"大牛又问。丁欣羊笑了。大牛笑着说,像查户口的,但得到的信息量大。

"我想,我们完了。也许都怪我。"

"别怪自己,怪命运。这样自己会好过些。"

"他来看过你吧?"

"你说车展?"大牛问,丁欣羊点头后,大牛也点头。"他帮了我不少忙。"她想问,他们是否谈到了她,但开不了口。

"我想搬家。正在找一楼的房子,那样偶尔能出去。"

"我也帮你打听。"她决定不提邢姐提到的装修,她觉得邢姐根本没告诉大牛,她见过她的事情。

"好的。"

"你妈妈常来吗?"

"最近没来。她在南方。"她看见大牛的脸色暗下来。

"她参加了一个工程,做设计助理。"他接着补充了一句。

"你妈妈是设计师?"

315

"过去是搞水利工程的。"

"现在被返聘回去了？"丁欣羊似乎很高兴了解大牛的母亲，其实，她一直喜欢了解那些与众不同的老太太，好像她们都能变成她的榜样。

"是她主动找的活儿，她想挣多点钱。"

"真挺好的。"丁欣羊小声说。

"没你说的那么好。"大牛说，"工程副总设计师是我爸爸，明白了？过去我妈妈就是他的助理。"丁欣羊没接话，等着大牛说完。

"我很小的时候，他抛弃了我们。那以后，我妈不再跟他一起工作了。现在！"大牛不说了。丁欣羊仿佛看见了大牛母亲的苦涩，看见了大牛的无奈！在这个瞬间里，她理解了大丫对大牛最终感情的升华，她真切地看见了大牛内心世界的全貌时，认可了这个人，由此获得了巨大的力量。

她无法把心里感觉到的说出来，如今大家习惯了嘲讽和打趣，做正面表达已经令人难为情。丁欣羊最后说出的话是，我该走了。大牛点头。

"如果我有大丫的消息，立刻就来告诉你。"丁欣羊像个乖乖的小女孩儿，正崇拜着对面的小伙子。

"如果有房子的消息，也麻烦你告诉我。"大牛笑着说。丁欣羊心情振奋，站起来搂住大牛的肩膀使劲晃了几下，表达了整个心境的一点点。

虽然夏天已经来了，但还没进入真正的炎热，暖融融的空气让人舒展，心里高兴。初夏，如果雨少，的确是个快乐的季节。离开大牛，丁欣羊步履轻盈地走在大街上，晚上的空气开始混浊，饭店排出的油烟和大街烧烤的气味混到一处，引逗着人们另外的欲望，像德国人说的那样，吃，喝，（这是笑话的说法，第三件暗指性）是世界上最美好的三件事。丁欣羊选了一家可以坐在外面的烧烤,决定大吃一顿。

当她吃得嘴巴流油的时候,手机响了。她看着陌生的号码,犹豫之后还是接了电话。是邢姐。

"你已经到家了?"她问。丁欣羊说,她还在街上。

"小丁,我有两句话要跟你说,你看……"

"我在离你家不远的一家烧烤店,如果你有时间就过来,反正我是一个人。"邢姐答应了,几分钟之后,大方地坐到丁欣羊的对面。

"你再点点儿你爱吃的。"

"我不爱吃肉,我喝一瓶啤酒吧。"邢姐实在地说。丁欣羊立刻叫了一瓶啤酒,同时问邢姐要不要点个凉菜,邢姐点头。

"大牛知道你跟我在一起吗?"

"你这么说,我还得先谢谢你,上次,我去你那儿你也没跟大牛说破。我不想让他知道。他人挺好,但脾气挺怪。"

"他跟你发火吗?"邢姐听了摇摇头,然后补充说,她能看出来大牛脾气不好。丁欣羊心里不由得佩服邢姐这样的女人,本能地避免了许多不必要的摩擦。

邢姐很快喝完了一瓶啤酒,丁欣羊既吃惊又不吃惊,她认识好几个女人,喝酒都是好手。她又给邢姐点了一瓶,邢姐没有拒绝,只说了一句,让你笑话我了。

"我有时候一个人也不少喝。喝酒心里松快。"

"你说的太对了。"邢姐好像见到了知心人。"我以前常喝白酒。后来血压太高,不敢喝了。我死活倒是无所谓的事,但孩子还小。"她说话的语气像是在说一件跟自己无关的事,没有任何难过或者说自我怜悯。丁欣羊想到自己的状态,又是一阵惭愧。

"邢姐,如果我能帮上什么忙,千万别客气,我很愿意。"

"小丁,一看你这人就挺实在的。你这么说,我也就不客气了,我还真想求你帮我个忙。"

"你说。"

"那个大丫现在跟你没联系,但我估计她不会总不跟你联系。像你们这么好的姐们儿,肯定都说心里话的。"

"你想说什么,邢姐?"

"哎呀,让我怎么说呐?"邢姐叹了口气,连喝了两口酒,认真地说:

"刚开始答应大牛一起生活,我考虑的都是另外的。老实说吧,跟找个新工作差不多。"她说到这里停停,好像接下的话更重要,想好才可以说。"一晃几个月过去了,人都是有感情的。我发现大牛虽然年轻,但很懂事,心肠又好。他说服我跟他过,一开始,我比他更清楚,都是因为那个大丫,他不想连累她,想通过我让她死心。我再傻也不可能多想什么。但是,时间长了,我发现,人就得信命。大丫走了以后,大牛也安静下来了。我估计他们两个人都认了。"邢姐说到这里,丁欣羊打断了她的话:

"大丫走了以后,大牛真有变化吗?"

"有变化啊,人稳定多了。"邢姐说,"所以,我想求你跟大丫通通消息,别再折腾了,就这样一了百了挺好的。"

"邢姐,按理说,这是他们两个的事……"

"话是这么说,但也不完全是他们两个的事,大牛跟我结婚了。不管我们感情上如何,法律上我们已经是夫妻了。"邢姐的话,提醒了丁欣羊,她觉得自己必须改换角度去看待一切。

"邢姐,如果我没听错的话,你开始喜欢大牛了?"

"你怎么能这么说呐?!"邢姐嘴上这么说,脸却红了。

"邢姐,我是女的,我能理解。"

"哎呀,你这么说,我真不好意思。"邢姐转弄着啤酒瓶子,"像大牛这样的人,要不是出了这档子事儿,跟我有啥关系,要不说,命运无常。"

"是啊。"

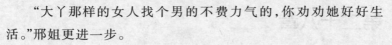

"大丫那样的女人找个男的不费力气的,你劝劝她好好生活。"邢姐更进一步。

"我这么说,你别生气,说实话,她挺爱大牛的。"

"好多搞对象不成的,一开始都这样牵挂,时间久了,也就甘心了。"

丁欣羊突然不想再跟邢姐谈下去了,她已经听见了她还没说出的话。她跟大牛结婚了,因此也有权利想象,在大丫退场之后,通过时间把大牛变成自己的男人。

"我都这么大岁数了,其实……"

"邢姐,你别这么说,我估计你最多四十岁。"丁欣羊心里想的是四十五岁左右。

"我三十九。"

第二十八章

谭定鱼被抓起来了。

告诉丁欣羊这消息的人居然是马副经理。电话里丁欣羊除了轻轻地哦了一声，没什么特别的反应。她不相信谭定鱼会做任何违法的事，在她看来他胆子太小了。她想是马副经理出于对他的愤怒，故意传播不确实的小道消息。

"公司都乱了，老于跟我说，他老婆在公司，但她也不懂啊，你看，我们两个是不是回去帮助照料一下？"马副经理这么说的时候，丁欣羊认真了。她问被抓起来的原因，对方也不清楚。

"逃税？"丁欣羊问。

"不可能。"回答得无比肯定。马副经理差不多在说，除了我没谁能告他逃税，尽管他的确逃过税。这时她想到了于水波，也许这个女孩儿利用了她给她的材料，把谭定鱼告了？但她给她的东西不足以马上定罪，到目前为止，没有任何司法机关的人找她了解情况，所以她基本排除了这个可能。想到这里，她再次伤感，无论谭定鱼把她伤到什么分上，她还是惦记他。

"喂，喂？"丁欣羊不习惯马副经理说话停顿，她从来都是个喋喋不休的人。"你还在吗？"

"我突然想起一件别的事。"

"你真的觉得我们该去公司吗？"

"我觉得！"她口气有点生气，做好事用那么犹豫吗？！

她们约好了见面地点，为了回过去的公司都得向现在的公司请假,这行为也许能给女人带来好感觉:能力毕竟是能力,无论走到哪里,都是最忠诚的支撑。当她们一先一后进入公司时,立刻觉到了紧张气氛。老于过来跟她们打招呼,朝谭定鱼办公室甩甩头,示意他老婆在里面。马副经理跟丁欣羊没敲门就走了进去,曲今正在给什么人打电话,看见她们吓了一跳,立刻对电话说,她过一会儿再打过去。

"情况怎么样?"马副经理像自己人一样亲切地问。丁欣羊却从曲今眼神中看到了冷漠和不信任,但她没后悔跟着来了。她发现秘书于水波不在。

"还不清楚,肯定是警察搞错了。"曲今冷静地说,没问她们来的目的。

"我们来看看,能不能帮点忙,公司的业务我们两个很熟。"马副经理也觉到了曲今的冷漠,但她觉得,自己这么做不是为了她而是为了她丈夫为了她丈夫的公司。

"谢谢你们。你们能来我很感动。"尽管曲今没有任何感动的表示,"我弟弟马上就会过来,现在和过去不同的是公司跟我弟弟在美国的公司合资了。"曲今就这样把她们送到了门口,并让司机送她们回去,马副经理坚决地拒绝之后,很傲慢地告辞出来。

丁欣羊也觉得曲今的态度过分,但她没有呼应马副经理的谩骂,她觉得背后一定有别的原因。

马副经理请丁欣羊去李圣咖啡馆坐坐,后者想去厕所,便答应了。她们伴随马副经理的牢骚喝完咖啡,马副经理的手机响了,她新公司有急事,让她马上回去一趟。

"已经下班了,明天不行?"马副经理在谭定鱼公司的热情全无。对方的回答一定是不行,所以马副经理不情愿地招呼李圣结账。丁欣羊说自己还想接着点东西,马副经理没再坚持,悻悻地离开了。李圣坐到丁欣羊对面,把自己的烟推给她,她抽出一支,李圣替她点上。咖啡馆里人不多,轻柔的爵士音乐,丁欣羊觉得神经终于放松下来。

"看来做好事也不是每个人都有机会的。"丁欣羊说了过程之后,打趣地说。

"我高兴我从来都没机会,我不爱做好事。"他说。

"你也不做坏事,这已经够好了。"

"对,我也不做坏事,做坏事没意思。"他悠悠地说。

"你做什么啊?"

"做事。"他说完,两个人笑了。

"还没被警察抓起来呐。"丁欣羊发现自己真的喜欢跟李圣聊天,有信任有默契,但没有压力。当然也没有感动。她曾经想过朱大者和大丫这样的朋友与李圣的不同,也许更赤诚,所以有感动也有压力。

"我不用警察抓,事情不好时,我先把自己抓起来。"李圣说。

"你今天话真多。"

"主要是你好久没来了,想趁你下次来之前,把话说完。"丁欣羊爱听李圣这样说话,一直呆到了晚上,吃了一碗隔壁饭店叫来的凉面,然后走回家去。夜晚的空气比白天凉爽,很适合走路。

于水波被叫到分局做笔录时,心里忐忑不安,几次想撤消自己的指控,被警察冷漠不屑的表情和周围的缺乏关切的气氛阻碍了。在分局她看到的一切,只增加她的绝望。在做笔录的警察被同事叫出去的时候,一个被铐在旁边椅子上的小偷对她说:

"你做得对。他伤害你,你就让他尝尝你的厉害,不然你没地方说理。人家有钱有势,你还能把他怎么样,就该这么治他,让他丢尽人。"

"你在说什么呀?"于水波很生气,从没想过公安局居然这么简陋,电影里看见的外国警察局几乎每件事都发生在单间里。

"刚才他们在这儿说你的事,我都听见了。我是同情你的。"小偷实在地说。于水波自尊心受到极大伤害,她小声说,我用不着你同情。小偷听到了这句话,也很伤心地摇摇头,然后压低声音,像是在对自己说:

"这年头,人都变成傻×了,怪不得人家强奸你。"

于水波哭了,好像才明白"强奸"的意思。作为报复手段,强奸这个词尤其难消化。做笔录的警察回来,看见她哭,问她是不是后悔了,是不是想撤消指控。于水波继续哭,心像秋千一样七上八下的。

"这事儿您老人家见多了,是不是,女人太傻。"小偷讨好地对警察说。

"闭嘴,有你什么事?!好好想你自己的事。"

"是,我在想。女人太傻,全是弱智。"

"人家再傻也没傻到去偷东西,还比你弱智?偷东西还不说,还被抓住了。"警察对小偷说的话,像刺一样扎到了于水波的心里。她脑子里乱了,无数虚无的声音从各处汇聚来,最终变成对她的嘲笑。她不能忍受的恰恰是蔑视和嘲笑。

"我不撤消指控。"她突然坚定地对警察说。

曲今开车上路,再次故意绕上高速,好像在高速上开一阵儿快车,听点儿大声的音乐,是她让自己平静下来的捷径。她放上艾米纳木姆的 CD,他们在说话和旋律之间找到的和谐,是她喜欢这个乐队的原因,尽管百分之九十的歌词她听不懂。她把他们念出来的歌词都想成自己要说的话,于是听起来格外过瘾。此外他们的旋律能让她在开车时惬意地摇晃,跟她有时想象NBA 运动员投篮获得的快感差不多,尽管她过去没投过那么漂亮的球今后也没任何希望。想象总是带给她实际的力量,这是

323

她自己一直无法解释的事情。今天,她把调整情绪的希望寄托于此,见到那个小秘书前,自己必须有个良好的状态,她想。

她离约定的时间提前一小时出来,在外环高速上开了半圈儿之后,情绪渐渐稳定下来。她关了音乐,准备下高速进城。情绪稳定之后的曲今,身体像石头一样沉重,心里只剩一句话:丢人!

谭定鱼的外遇似乎并没有让她格外震惊,好像这是每个女人都应该了解的常识。她接警察打来的电话时,可以说没任何慌乱。她问了大致情况地点,警察回答之后,问她是不是谭定鱼的妻子,她反问警察什么意思,警察只好道歉。即使警察也不是什么人都见识过。

曲今根本不相信丈夫会强奸妇女,她想到的是他没处理好,一切都搞砸了。现在她完全镇定之后,无法忍受的是对谭定鱼的失望甚至是蔑视:居然能跟告他强奸罪的女人搞在一起。她清楚自己不该仇视情敌,那样等于把自己降到同样的水平上。但是,她仍然愤怒。

"该怎样就怎样。"信心她有,理智更多,她朝约定好的咖啡馆开去,只要稍微调整,她相信自己无论在谁的面前都会有状态。

市中心的咖啡王国,除了那道厚厚的木门之外,没有任何可以称得上"王国"的特点。地点是于水波定的。曲今费力推开木门走进去,里面很凉爽,大木门把闹市的嘈杂关在外面,包括阳光。咖啡馆里放着一贯的轻慢庸俗的音乐,离窗口远的地方,点着灯或者蜡烛。她挑了一个窗口的位置,心里涌起不愉快的联想:这也许就是他们调情幽会的地方。她看看表离她们约定的时间还有十分钟,便要了一杯柠檬茶。

坐在二楼过道上,于水波提前半个小时就到了。她要一个人安静地想想,该说什么不该说什么。她不想在谭定鱼老婆面前败下阵去,因为她心里决定的事情给了她莫名的勇气。曲今提前到达让她很高兴,仿佛看见对方有跟她类似的心态。虽然她见过两次曲今,因为场合心境容不得她多看多想。现在她把她和谭定鱼合起来看成一个整体,最先发现的是,她个子很高,然后想到自己个子很矮。其次,她发现曲今不像自己平时想象的那么老那么俗气,甚至可以说,她根本不俗气。她简单大方中性化的打扮,使得她的风度仪表跟大多数女人不同。走在大街上,她能赢得男人的目光,于水波想着,心里的难过也在增加着,她差不多明白了谭定鱼无法离婚的理由,因为他不觉得我比他妻子强多少……这么想着,于水波强迫自己看到曲今身上另外的东西,而那恰恰是她所缺乏的她希望也能拥有的:从容和自信。好像过去未来的一切她都尽在掌握中。她几乎不再相信,谭定鱼真的爱过她。这时,她命令自己看到曲今另外的一面:冷漠。于是,她再一次相信谭定鱼对自己的感情是真实的,谭定鱼只是从她这里才明白了爱情关爱体贴诸如此类的感情。她忽然找到了心理定位:她把谭定鱼已经弄得很尴尬很惨,但她会兜起一切,跟谭定鱼一起面对,无论未来面临怎样的困境。她决心用自己的青春去支撑。

收拾旁边桌子的服务员问她还要不要加点什么,她说再要一杯苹果汁送到楼下的桌子,然后指指曲今的桌子。曲今坐在窗前被乌玻璃减弱的阳光里,闭着双眼,脸上没有任何表情,像睡着了一样。于水波敲敲桌子,曲今慢慢睁开眼睛,目光落到于水波身上的过程仍然是缓慢的。然后她默默地点点头,示意她坐下。

曲今想问对方喝什么时,服务员把于水波的饮料端来了。于水波说,她早就来了,一直坐在上面。曲今听了她的话,目光没有下意识地往上撩一撩,相反直接看着于水波,表达出自己的决心:不管对方说什么,都不存在理解的可能性,但我要达到自己的目的。

"你不觉得你应该把他弄出来吗?"曲今切入主题,同时没有流露友好的表示,而且不想掩饰自己的愤怒,眼前这个女人不仅偷了她丈夫而且还把他送进了公安局。

"为什么?"曲今的态度刺激了于水波。

"他不可能强奸任何女人。"

"你想说什么?"

"我已经说得很清楚了,他不可能强奸女人!"曲今果断地说,像久经沙场的法官,"我一点也不怀疑我丈夫能有别的女人,但他没必要通过强奸达到目的。"

曲今的话让于水波受到了极大的侮辱。"你对强奸了解多少?"于水波一时找不到更有力的反击。

"我对强奸的了解是,他有钱不用强奸,懂了?"

"你想说明什么?"

"我想说明的是你有义务澄清事实。"

"事实就是他强奸了我。"

"同时是不是还有另一个事实?"曲今也激动起来,"如果他答应你离婚,做什么都跟强奸没关系了,对不对?"

"你怎么能这样说话呐?"

"你还教教我怎么说话吗?"曲今对自己的愤怒感到陌生。好久以来,她对生活很少寄予希望,所以失望也少,没有那么多愤怒的理由。

于水波哭了。看到眼泪,曲今软下来。

"对不起。"她小声快速地道歉。听她这么说,于水波哭得更厉害了。曲今不想进一步安慰面前这个年轻的女人,她也做不到。她叫服务员过来,点了两杯矿泉水,等着于水波自己恢复常态。

于水波止住眼泪,心里对对方的理解忽然多了一些。如果

我是她,也许会比她更愤怒,她对曲今说了一句话:

"我能理解你的心情。其实谭总是想维持你们的婚姻的。"

维持!曲今不知道,为什么她不能忍受这两个字!它在她心里燃遍了愤怒的烈火。在这燃烧的烈焰中,谭定鱼的形象被焚烧了。她一点也不难想象他在另一个不了解情况的女人面前的表演,但是,为什么?这个男人——她的丈夫,一次也没向她流露过离婚或者对婚姻不满的念头!她是不是有权利先知道点什么,哪怕是一点暗示,一点讨论,如果他们婚姻的问题已经大到他必须找另一个女人倾诉的地步!她觉得这是世界上最不公平的事!他们过着平静的日子,像千百万家庭一样!如果这生活并不是他希望的,为什么不说?!曲今在心里喊叫着,脸上渗出细汗。她从来就不是不懂事理的女人,如果她知道丈夫的真实想法,她会尝试改变;假如真的无法改变,她不会不放开他的,这点她十分有把握。她天生就不是男人的衍生物,她从来都没失去过自己的世界,我有我的独立和人格!眼前这个比她小二十岁的姑娘说这句话时所表现出的优越感,所表现出的同情,或真或假,都深深地伤害了曲今。一方面她恨自己的丈夫使她陷到这样的境地;另一方面,她被人家炫耀的青春刺伤了。

"在你看来,我们所维持的一切都太可怜是吗?"曲今平静地说,"如果你跟这个男人过这么多年,相信我的话,你会更惨。"

"我爱他也了解他,我想,你对他太冷淡了。"于水波说得很真诚。

"了解?在几个月之内?你别让我笑话你了。"曲今毫不掩饰自己的讽刺。

"真正的感情跟时间长短没关系。"于水波几乎是在自卫。

"这不是你该跟我探讨的问题,我想知道的是你的态度。"曲今忽然失去了耐心。

"你指什么?"于水波心里乱成了一团。"我不知道该说什

327

么。"

"当你不知道该说什么的时候,道歉总没错。"曲今很讨厌这种对自己所作所为不负责任的表现,在她看来,这个秘书根本不能为自己的所作所为负责任。

"你指什么？ 我向你道歉吗？"

"你不觉得你该向人家妻子道歉吗？"

"也许,但我觉得这样的道歉很虚伪。"于水波说的理直气壮。

"穿衣服是为了遮丑,你能因为看透了这本质就不穿衣服吗？"曲今朝服务员招手,"我现在明白了,你很合适我丈夫,或者反过来说,我丈夫很合适你。希望你们有未来,我不想再跟你们玩了。"服务员小心地接近两个女人。"埋单。"曲今故意把这两个字本来发音念出来,是埋单,不是买单。她付了钱,把钱包放回皮包时,她对于水波说：

"别太依赖你现在拥有的东西,因为它们还没真正地属于你。"

"你指什么？"于水波后悔自己一次又一次像傻子似的这样问,好像除了这句话,她不会说别的。

"比如你的自信。"说完,曲今离开了。

留在座位上的于水波咬紧牙齿,发誓得到这个女人的丈夫,并且跟他相爱到死,让这个女人最终明白可笑的到底是谁。

年轻的于水波带着这样的信心和由此获得的力量,再次朝公安局的方向走去。她要撤诉,把谭定鱼接到自己的家里,用自己的时间和爱情去弥补一切,仿佛相爱不过是一种决心。

第二十九章

> 现在我们睡吧,这将是美梦的一夜,远离
> 痛苦,甘蜜入饴,溶掉我们灵魂最后的经纬,
> 为了醒来后比梦更长的路。

从凉爽的初夏到炎热的酷夏一夜间就变化了。燥热延迟了人们睡觉的时间,除了夜市格外兴隆,人似乎更容易烦躁,傍晚透过敞开的窗口,经常听到呵斥和争辩的吵闹声。树叶的新绿褪去了,开放的花朵败了许多,最旺盛夏季开始透露衰败。对敏感的人来说,心里的秋天已经来了。

丁欣羊坐在公园的长椅上,闭着眼睛。傍晚稍微凉快些,公园里的人也多了。她听着旁边长椅上的一对儿老太太聊天。

"你这气色不行的,身体得自己注意,别人谁都不会帮你管这事儿。身体健康是得自己管的事儿。没有身体你就什么都没有了。"老太太停了停又说,"愁啥,千万别愁。我女儿五十岁去世了,就是操心愁的,最后把自己搭进去了。她那男人现在不又娶了一个,听说还是大姑娘呐。所以呀,天塌不下来,人要往开处看,往前走。"

丁欣羊看不见被这番话劝慰的老太太,自己听得差点儿流泪,只好提前离开公园回家。有时,她能在一面不存在的镜子里看见自己多年来独身生活的轨迹,在脸上浓缩成孤独两个字。应该说,她早已习惯了这孤独,但孤独并不因此放弃对她的折磨,常常迫使她夸张这感觉,直到它变得无法忍受。为了驱逐

它，她所有的尝试都失败了，因为没有阻止这感觉再次袭击她。喝酒，找男人，跟朋友瞎侃，等等，长此以往，她不难想象自己将堕落到何处。堕落似乎并不是她的问题，她不喜欢的是总重复某些做法，明知道它们只是权宜之计。她想改变生活状态，但每次决心行动之后，她得到的结果都是失败。慢慢地，她觉得这就是自己的命运，无法改变。于是，自己再被过去的旋涡卷进去。

她蜷在沙发上，打开电视，不停地换台，直到天完全黑透，眼睛发花时，才关上电视。她肚子不饿，也没胃口。她拿过无绳电话，拨了储存的大丫的号码，铃声响了好久，她才意识到大丫已经不在。对自己发出一个嘲弄的微笑，心里更空。接着她拨了朱大者的电话，听见他接电话时，她顿时有安顿下来的感觉。

难道只有男人才能帮助女人消灭孤独的感觉吗？她这么想的时候，也顺口把这句话说出来了。

"看来你呆在家里净反省了。"朱大者调侃地说。丁欣羊慌乱地改口，说自己刚才在给自己念杂志，以为他不会接电话，自言自语瞎说来着。

"就像女人不自觉地说男人头脑简单五肢粗壮。"

"什么？"丁欣羊脸红了，她以为自己听错了，同时知道自己肯定没听错。

"没什么，瞎说的，是个病例。怎么样，最近好吗？"

"挺好的。你哪？"

"我也挺好的。"朱大者说完对墙咧咧嘴，好像它是旁边的一个熟人。说完，他转身，另一面墙上的镜子照出他的样子：瘦了很多，半个月没剃胡子，大半个面孔像被藏起来了。恍惚中，海外生活的时光重现了，那时，他更瘦。

"挺好就好。我没什么事，就是打电话问候一下。"

"多谢你。那你多保重。"朱大者要挂断电话。

"等一下。"丁欣羊违背自己的意志，"我给你打电话是想驱赶一种莫名其妙的感觉。"

"说说看。"

"我一个人生活了这么久,早就习惯了孤独,但有时候还是能被这东西击倒。估计你能理解,因为你曾经阻止过我。"丁欣羊想起那个晚上,朱大者疯狂的举动。"也许我不该这么直接说,这差不多等于告诉你,我在抓你的稻草。"

朱大者没说什么。他能理解,因为他自己眼前的状态也很类似。生活从什么时候开始变成这样,他没有记忆,也不重要。重要的是什么时候能结束这样的状态:自己总是找不到自己。

"你还在吗?"丁欣羊问他,他好像刚刚醒来。这不是他的排解方法,他也曾阻止丁欣羊类似的行为,现在他想,他不该那样绝对地看待她。在那样的状态下,她自己也未必好过。

"当然,当然,坦率地说,你刚才的话说到我心里去了。"

丁欣羊从没想到一贯调侃讽刺挖苦的朱大者会说这样的话,吃惊不小。

"你在讽刺我吧?"

"怎么会!我讽刺过你吗?"丁欣羊正在想怎样回答,她的手机响了。

"你不光讽刺过我……"

"讽刺别人我知道,你,我好像没讽刺过。"

"你刺我还少啊?!"这么说委屈被勾起来了。

"刺跟讽刺两回事,你不觉得吗?"朱大者说完多少有些后悔。他已经决定不再试图改变他和丁欣羊的朋友关系,他对自己能否让一个女人幸福越来越没有把握。而丁欣羊又是个内心经历太多痛苦又过于认真敏感的女人。她的生活态度跟他的差距太大,他觉得这狗屁生活不值得认真对待。

"你想说什么?"她的话音刚落,手机又响了。

"没什么,你的手机响了。"朱大者想转移话题方向。

"对不起,我看一眼,估计有什么急事。"丁欣羊打开落地灯,从皮包里掏出手机,是姐夫白中的电话,她立刻就接了。

"喂?"她听对方说完,"还是那个医院? 我马上就去。"丁欣羊掐断手机,哭了起来。当她发现自己另一只手还握着无绳话筒时,哭得更厉害同时掐断了电话。她到处找自己的衬衫,找不到,最后索性穿着背心出门了。在出租车里,她哭着好不容易才说清楚了地址,司机不说话,飞快地开车,好像这是对这个难过女人的最好安慰。

丁欣羊赶到医院没多久,朱大者也到了。看见白中像死人一样坐在急诊室的走廊上,他证实了自己的预感。

丁欣羊对朱大者点点头,他无声地在她旁边坐下。她看着白中的双手悬在膝上,时间久了已经失去血色。

白中在电话里只说,你姐又自杀了,现在他们等待着丁冰生死的消息。丁欣羊心堵得慌,忽然问白中,她要不要给父母打个电话。白中看了她一眼,没说话。朱大者按住她的手臂,示意她安定。

"我没找到衣服,穿这个行吗?"她又对朱大者扯扯自己的背心。

"没关系。现在是内衣外穿的时代。"朱大者亲切地说,心里理解丁欣羊的紧张。他自己也有不好的预感。

医生终于出来了。

他是个中年医生,也是个外表漂亮的男人,像电视连续剧中扮演医生的演员。他低声对白中说,患者死了。

丁欣羊没有哭,但泪水流了下来。她想的是,他太漂亮了,业务肯定一塌糊涂,他缺乏经验,根本就不会判断死亡。他知道什么是死吗?

白中又坐回了原处,停顿了几秒钟,好像相信一个自杀三次的人终于死亡是件需要时间的事。然后他用手捂住脸,大哭起来。

医生拍拍白中的后背，离开了。朱大者追上他问死亡原因。

"你是谁？"

"朋友。"

"失血过多。"医生说。

丁欣羊冲进抢救室，里面的两个大夫正要出来。她从他们中间挤进去，来到丁冰床边。丁冰躺在那里，好像是自己名字的注解。她闭上了眼睛，再也不是具体的丁冰。她的面容没有半点挣扎的迹象，好像终于遂了自己的心愿，提前离开了。丁欣羊拉起她的手，绑着绷带的手臂也从床单下露出来。她哭了，丁冰的手臂像残破的木偶，肢体随时可能脱落。朱大者进来，把她拉到走廊上。

"商量一下后事。"他低声对她说。她抬头看姐夫白中，他站在对面，脸上罩着一片黑暗。丁欣羊心里突然涌起说不出的愤怒和难过，命运对丁冰太不公平。她想对姐夫说点什么，但一阵眩晕，她自己先倒了下去。朱大者和白中接住她，立刻拖进另外一个抢救室。赶来的医生开始忙活，脉搏血压，最后告诉他们，没大问题，空腹加上血糖太低，输点糖就会好些。看着丁欣羊昏睡过去，白中和朱大者离开，回到死者丁冰的床前。

朱大者在不远的地方看着白中。他握着床栏的手掌因为用力一阵阵发白。床单盖住了丁冰的身体，白中站了一会儿，回头看看身后的朱大者，后者走近。

"我替你通知太平房吧？"

白中点头。

"应该先给她取套衣服穿上。"白中哽咽着说不下去了。

"我留下，你去吧。"

白中点头，但没有马上离开。他继续站在床头，看着覆盖丁冰的白床单。

"我恨你。"他说。

"她已经死了。"朱大者说。

"所以我才恨她。"白中对朱大者说完快步离开抢救室。随后进来的一个年轻男医生问朱大者家属为什么走了。

"我留着,他去取衣服。"

"给尸体中心打电话了吗?"医生问。

"对不起,什么中心?"

"尸体中心。"医生说完瞪了朱大者一眼,好像从没见过连这点常识都不懂的人。

"尸体中心干吗的?"朱大者想到捐献器官之类的事情。

"你说干吗的?"年轻医生生气了。

"你别这样好吗!我肯定不会跟你打架,不然很难说这儿有几具尸体。我真的不懂,你告诉我清楚一点!"朱大者认真的态度不仅镇住了年轻医生,也让他感到害怕。他从对方的眼睛里看到无所谓的凶狠。

"尸体中心就是太平房。"他说。

"在几楼?"朱大者问。

"不是医院的,医院都没有太平房了,都归到尸体中心去了。所以你现在得打电话约时间,他们才能过来把尸体拉走。"

丁欣羊恢复过来以后,朱大者拉起她的一只手,把它握到自己的手里。她看着朱大者,目光中有成千上万的疑问。

"尸体已经拉走了。"他告诉她。他还想告诉她许多别的。当他和年轻医生说着关于尸体中心的废话时,突然觉得丁冰不是死了,是解脱了。

"她死了。"丁欣羊轻声地说。

"对。"

"她丈夫呐?"

"还活着,但走了。"

丁欣羊流着安静的眼泪，无声无息，一点一点地接受着亲人的死亡；一天一天地加深着理解。死，是个缓慢完成的过程，它或许包括在人们记忆中逐渐的淡漠。当人们说，一晃，他死了十年了，这时，死者才真正死了，跟世界脱离了干系。当他死了二十年之后，再被某人提起时，已经是跟死者无关的事了。

"我送你回家，好好睡一觉。"朱大者对丁欣羊说。

"不知道该怎样感谢你。"她说着眼泪更加汹涌。

他把她送回家，帮她躺下，交代了明天要做的事，嘱咐她好好睡觉。他说，他明天可以给她向单位请假，然后记下了她老板的手机号码。他说，他还要跟白中商量一下后事。他说，他走了。

丁欣羊深深点头，一切尽在不言中。

朱大者离开丁欣羊家，知道她会沉沉地睡一大觉，心里悬着的东西有一个先放下了。他在深夜的大街上贪婪地呼吸清新的空气，拖着变沉的脚步朝丁冰家走去。

他觉得丁冰是自己的同类，都属于深深怀疑这世界但无力抗争的那种人。在她活着的时候，他那么想帮助她，但他知道，他永远也帮不了她。一个人改变生活或者命运的前提，在他看来有两个：爱和死亡。后者帮助了丁冰。

作为一个需要拯救的人，他不仅无法帮助丁冰，他帮不了任何人，就像鲁娜也不能帮助他一样。

人，应该放弃帮助别人的奢侈。这么想时，他抱起双臂，在炎热的夏天，觉得很冷。

田如看着自己的孩子和季节一起慢慢长大，心里很饱满。他们给儿子取的小名"年年"被大家叫成了"粘粘"，当"粘粘"偎在她怀里，用小手拨弄她的嘴唇时，她对自己的生活从没像现在这样满意。她觉得粘粘的到来替她把握了她未来生活的面貌，粘粘将变成她的中心,她不用挣扎,不用抵制,甚至不用判断,对与错,好与坏,粘粘都替她衡量了。她因此获得的安全感,让她不止一次想起丁欣羊。她想跟她交流这体会,劝她跟车展生个孩子,之后,生活将自动改变,步入"正轨"。在田如看来,所谓的正轨就是安全省力的路,避免复杂避免痛苦。

　　一天夜里,她离开粘粘和阿姨回到刘岸身边,紧紧地拥抱他,想表达的正是这样的感受,所以刘岸体会到的也不是情欲。他喜欢自己的儿子,甚至是非常喜欢。他无法忘怀的还有跟田如包括跟别的女人的激情时刻。他看得见田如如何沉浸在儿子的世界中,也看得见她幸福的疲惫,他能体会也能分享,但无法安静。他觉得自己的情欲因为被压抑格外强烈,奇怪的是每次跟田如睡觉之后,他更渴望别的女人。他能感觉到自己对田如的爱情每天都在加深,可惜这爱情居然脱离他的情欲活在他的心里。有时,他想给丁欣羊打个电话,暗示她点什么,但始终没打。好在别的女人对他同样有吸引力。

　　田如没事先给丁欣羊打电话,因为是顺便路过,她只想跟她打个招呼,一起喝杯茶。她不愿意离开粘粘时间太长,尽管她信任保姆。她在丁欣羊家门口碰到朱大者时,既有点吃惊,又不吃惊,她脑子里飞快地闪过一个念头,丁欣羊最终还是跟朱大者在一起了。他告诉她最近发生的事情,田如真正吃惊的表情就是平静,平静得近于冷淡。

　　"我不会安慰人,那就先不去看她了。"她对朱大者说,后者笑笑没说什么。虽然他们只见过一次面,因为丁欣羊的缘故,他们彼此觉得很熟悉。

　　"你跟她好了?"田如忽然问。

　　"没明白,再说一遍。"他说。

　　"其实你明白了,我问你是不是代替车展了?"

"我怎么觉得是他代替我了呐？"

"哎，我不舒服，不想开玩笑，她跟车展到底怎么样了？"田如不耐烦了。

"这跟她现在的状态有关系吗？"

"当然有，我比你更知道如何帮她。"田如不客气地说。

"那我必须说实话，我没问她跟车展的关系，因为我和她不是那样的关系。"

"明白了，再见。"田如在大街上慢慢地走，外表一副悠闲的样子。她脑子里不停闪现的都是丁欣羊常有的表情，安静中含着些许忧伤。她不认识丁冰，想到的都是丁冰做法对丁欣羊的打击。她希望这打击不是致命的，丁欣羊的个人生活状态田如知道得太清楚。一个快到四十岁的女人其实已经失去了真正改变或者说变通的机会，这是田如为丁欣羊难过的原因，认真，无奈，妥协不妥协，理想，感情，日常的提醒或打击，压力，孤独……这些纠缠丁欣羊的一切，田如即使没有全部经历过，也能理解。她觉得，这时能给丁欣羊带来最有效安慰的不是她，也不是另外的女朋友，而是一个男人，一个男朋友。她从不觉得男人能说出比女人更动听的安慰话，但性别的差异在这样的状态下能起的作用，不是能用理性解释的。

田如给自己丈夫和车展分别打了电话。

"你想跟我一起出去吗？"朱大者没对她提起碰到田如的事。丁欣羊摇摇头，接着再次表示谢意。他似乎能看见她平静表情下正在失去的东西，类似希望的东西。他早就觉得希望是人们从这世界得到的幻觉，看破这一点，他并没因此活得更悲观或者说更绝望，相反更踏实更平静。但他仍然不希望别人也这样理解这种感觉，这是他自己也不能解释的。所以他走近她，让她在自己身上靠一会儿。

"我陪你去他们家里,也许有些东西你要帮丁冰收拾一下。"朱大者轻声地提醒。丁欣羊又哭了。当她把所有的泪都哭出来了以后,他递给她一块温热的湿毛巾擦脸。她再次平静下来,刚才死气沉沉的表情又回到了她的脸上。电话响了,他把听筒递给她。

"你好。"她说。"谢谢你。我还行。"她目光定在对面的落地灯的灯伞上。"不用了,谢谢你。"接着,她半天没说话,然后直接放下了电话。

二十分钟后,门铃响了,朱大者替丁欣羊打开门,车展站在门口。

车展开车送丁欣羊和朱大者到丁冰家。

车,在这场恋爱中变成车展惟一能熟练支配的道具。他开车时,天阴沉着。天气预报说的暴雨也许快来了。他毫无缘由地希望这个夏天快点过去,尽管它不比往年更炎热。坐在后面的朱大者说,看样子快下雨了。车展马上说,他们完事他可以来接他们,或者派个司机来。

"你不一起来?"朱大者问。

"不了,我还有事。"车展说话时,已经把车停到了丁冰家门口。

朱大者先下车,说他先进去了。

丁欣羊坐在车展旁边,没有做任何解释。她觉得自己被一块无法掀动的石头紧紧地压着,无力左右任何事情。她觉得自己再也起不到任何作用,像一个报废的机器。

"我很抱歉,早知道的话,我会早点过来。"车展说。

"已经很感谢你。"她说着苦涩地笑笑。

他想抱住她,告诉她,他仍然愿意为她做一切。但是,他从她的脸上看不到允许。他害怕自己打扰别人。

"多保重! 有什么事一定给我打电话。"他只说了这句话。她感动地点点头,然后下车,慢慢地朝姐姐从前的家走去。车展看着丁欣羊的背影,心里替她难过,但想不出她要什么,希望什么。他不知道自己该做什么,朱大者再次出现,摧毁了他的决心。他发狠地一脚把车子踩出去,烦乱。

白中堆在沙发里,像积压产品。屋子里的窗帘都没有打开,像仓库。朱大者按了好几次门铃才被放进来,白中回到刚才自己坐过的位置。朱大者没有征得主人的同意拉开了客厅的窗帘,白中本能地用手挡挡眼睛。朱大者说了声对不起,问他为什么不拉窗帘。白中没有回答。

丁欣羊按门铃,朱大者去开门,两人同时回到客厅时,看到了地上已经凝干的血迹。

"你跟我说说当时的情况,行吗?"丁欣羊小声问姐夫。白中看看他们,脸上的表情好像在说,你们来就是为了这个? 他的脸发暗看着很脏。

"如果你觉得不方便,我可以出去。"朱大者说。白中说没什么不方便的,人都死了。

朱大者和丁欣羊围着他坐下,他却站了起来,一个人站到窗前,靠着窗台,他说:

"和第一次没什么不同,夜里,她把我推醒了,到处是血。我打电话叫了救护车。"

"救护车来晚了?"丁欣羊问。

"谁知道救护车应该什么时候来?!"白中生气地说。

"算了,不说这些了吧?"朱大者劝着。

"事先出什么事了?"她问。

"你问我? 我问谁? 我太想知道出什么事了?"白中压制不住的愤怒冒了出来。"她为什么这样对我?! 我什么地方对不起她了? 让我向孩子怎么交代?"白中说着哭了起来。

"至少她现在不会回来找你了。"朱大者话到了嘴边儿，又咽了回去。他和丁欣羊互相看看，都没去劝白中。他哭了一阵，自己不哭了。这时，丁欣羊问，是否通知蒙蒙了。

"她后天回来。"白中简短地说。

"她情绪如何？"

白中迟疑了一下，看看丁欣羊半天才说：

"我告诉蒙蒙是姥姥去世了。"白中补充说。朱大者忍不住笑了出来，但他道歉的速度快得几乎赶上了笑声。

"我能理解。"丁欣羊对姐夫说。

"我不忍心再让蒙蒙受打击，除了她我什么人都没有了。"白中说。他也这样爱过我姐吗？她心里想。

"老白，后事，我和欣羊帮你处理。"朱大者话音刚落，电话响了。朱大者刚进门时，电话已经响过几次，现在白中仍然不想接电话，朱大者觉得奇怪。丁欣羊问要不要替他接，后者说随便。丁欣羊及时地拿起话筒，喂了两声。

"挂了。"她看着姐夫说。

"这样，你和欣羊收拾一下丁冰的遗物，我来打扫血迹。"朱大者接过话说起别的事。

"都不用了，我会做的，只是现在，我不想做。"

"欣羊很想看她姐的日记。"丁欣羊没想到朱大者会直接提出这要求。

"她记日记？"白中问。

"你不知道她记日记？"朱大者问。

"我不知道。"白中说完，迅速地站起来，走进卧室，拉开窗帘，不高兴地喊丁欣羊进去。当着她的面，他拉开五斗橱的抽屉说，找吧。找到拿回去读，然后告诉我，她都写了什么。

"我想你姐恨我。"丁欣羊找日记时，白中在她身后说了这句话。她没有转身，继续找日记。

夜晚读一个自杀者的日记,自杀者是自己的姐姐,亲情把悬念变成无法抑制的恐惧,丁欣羊胃里偶尔痉挛一下。她蜷缩在沙发里,看第一篇时发现手也在发抖,便躺到床上看。姐姐娟秀的字迹在她眼前纠结到一起,仿佛正在掩盖一个巨大的秘密。

丁冰的忧郁以及随之而来的两次自杀,从未动摇过丁欣羊的感觉。一方面她害怕丁冰再有极端行为;另一方面,她从没想过也不相信丁冰真的会死去。她更相信另外的说法,自杀者通过未遂的自杀达到自救的目的。因此,丁冰死了之后,与其说她沉浸在难过中,不如说震惊中。看日记的时候,她无法镇定,看过的马上忘记了。她给朱大者打电话,他劝她从后往前看,看看丁冰临死前写的东西。

"你怎么感觉这件事?"丁欣羊突然问。

"什么感觉现在都不重要,人已经死了。先看看日记,然后给我打电话。"

丁欣羊看最后一篇日记。没有年月日,好像她写时想写好后撕下来,装入信封。

亲爱的丈夫:

　　或迟或早吧,你会看见我写的这些。我一直都有这样的感觉,我会走在你前面。很感谢你这么多年对我的相信,还是这感觉告诉我,你从没试图看我的日记。也许你觉得已经很了解我,不用再进一步了解,我们一晃结婚二十多年了。

　　我被一个念头跟了很多年,在我还没看清它的真正面目时,折磨就在了。当我看见它的真实脸孔时,就再也忍受不了,尽管不知道为什么。

我想离开你。请你原谅我存了这念头，我曾那么努力消除它，但都没有做到。可悲的是我也无法实现这个念头。我离不开你，你看见了，我是试过了，但最后还是希望你能留下我。

你是个好丈夫，你尽你的所能，关心我宽容我，尤其是我被忧郁症折磨时，给你带来了很多麻烦。应该说我没有什么好抱怨的，可我总是无法心安地受用这一切，这几年来，我总是有种感觉，我在打扰你，甚至拖累你。你对我好，是因为你认为你必须对我好，因为你跟我结婚了。每当我看见你表现出耐心的时候，我心里的反应不是感谢是内疚。你肯定无法理解我说的这一切，坦白地说，我自己也不理解。欣羊曾经多次侧面问过我类似的问题，我从没把这感觉告诉她，因为我觉得，我没道理这么想，但我仍然这么想。这很折磨，你都看到了。这一切都像是空中落下的一块陨石，砸进我心里，再也搬不开了。

这几天夜里，听着你的鼾声，看着黑夜的黑色，并没有往事进到脑海。我好像跟过去将来都割断了联系，像孤岛一样被留在失眠中。我不知道我还会做出什么事情，所以想写份东西留给你，免得意外发生时，留下太多的怀疑。

让我最难过的是，童年，我过得一点不比现在容易。这时想到命运，我无力再挣扎了。

我不知道我会以什么样的方式离开，有一次，我梦见跟你离婚了，在一个黄色的电话亭给蒙蒙打电话……不说这些了，我所写的肯定都是不能自圆其说的东西，所以一直不能说出来。现在为了做个决定，都说了。我想我不是个依赖别人的人，但却很依赖你。你看到了，当我想死的时候，还是推醒了你。我不说了，因为我说不清楚。

照顾好蒙蒙。希望她幸福。

另外的信请你交给欣羊。

看完这篇日记，丁欣羊觉得自己被抛到了空中，久久落不下来。她心跳越来越快，仿佛要跳出来跳到另一个地方。她抄起电话，但不是打给朱大者。

"是我，姐夫，欣羊。姐姐留给我的信在哪里？"

白中说他没有看到任何信。丁欣羊请求他去找，然后给她电话。半个小时后，他打电话来，仍然没找到信，接着问，日记里写了什么。

"我只看了一篇，没写什么，类似遗书，觉得对不起你。"她说到这里，对方挂断了电话。

第三十章

　　一个二十五六岁的女人,不留神,很容易掉进痛苦的深渊,尤其是那些与众不同或者自以为是这样的个性的女人(在好多事情的初级阶段,这二者的分别并不明显)。

　　于水波刚失业时,用积蓄付房租,省吃俭用的同时拼命找工作。但她内心却是澎湃的,像是一面迎风鼓舞的旗帜,充满了对未来的憧憬。有时,她从镜子里看自己的脸,除了力量就是勇气。她去派出所把自己说过的而且被记录的一切都推翻之后,终于找到了一个新工作,给另一家广告公司的老板当秘书。老板是女的,于水波忽视了其他不利条件,几乎是马上就答应下来,并开始了工作。她想,放出来之后的谭定鱼情绪上会有段反复期,女老板可以为他们即将开始的未来生活避免很多麻烦。

　　谭定鱼从看守所被放出来的那天,于水波站在远处隐蔽的地方,就像她曾经在谭定鱼家公寓对面当观众一样,看着曲今接走了谭定鱼。她看见这对夫妻互相点点头,甚至连话都没说,曲今就把车开走了。于水波的心情跟前一次偷看他们时完全不同,她不仅没有任何嫉妒,而且充满信心地相信,他是属于她的,谭定鱼是属于于水波的。这么想的时候,她想象着今后的日子里,她必须宽容他的诸多细节,因为他年长,因为她伤害了他,因为她爱他……

　　想象的世界里,美好居多。

曲今却是一个很少滞留在想象中的女人。她专注地开车，期间只说了一句话，告诉谭定鱼，女儿去姥姥家了，要呆上一段时间。谭定鱼本想问女儿是不是还上学，一想到曲今的性格，立刻觉得自己瞎操心，她会把一切都安排得很妥帖。于是他不仅闭上了嘴也闭上了眼睛，但心里清楚，女儿被送走是怕受这件事的波及，他已经被悄然地重新归类。曲今当然也不会说他们怎样给谭谈安排学校和家教，怎样努力保证女儿的学习质量在另外的中等城市里没有减损。曲今对此事的考虑简单：女儿不该听风言风语！

车快开到家时，曲今说，你好像困了。谭定鱼说，还好。她把他领到卧室门口，像对客人一样，说他最好先睡一觉。看见双人床上的单人卧具，谭定鱼走向客房。

"还是我睡这里好些。"他对曲今说。

"你能习惯这床吗？"她知道他不喜欢睡床垫。

"没问题，我什么都能习惯。"说完，他进门，回身关门前，看看站在门口的老婆，勉强发出一个微笑。

"你先休息一下，晚上，我弟弟想请我们吃饭。"曲今说。

"好的，到时你叫我。"关上客房房门时，谭定鱼想，要是必须留在监狱里，也许不比现在必须经历的更糟。

他穿着衣服躺到床上，掏出看守所里买的红塔山抽起来。没找到烟灰缸，他就把烟灰弹到掌心里。他毫无睡意，尽管看上去一副困乏的样子。曲今的脸像画儿一样挂在他眼前，他盯着看这幅不存在的画，很想一拳打破它。他觉得这面孔表现出的尊严消灭了他的尊严。接着他转移思路去想一些他根本不认识的女人，抽象的女人，想象她们经历这样事之后的反应。她们也许会吵闹，会质问，甚至会动手打他，他也许会出于本能替自己辩解两句，但可以在心里老老实实地承认自己的错误，然后真诚地道歉，发誓重新做人。但是，对他来说，并不存在这样的女人，失望像一片浓重的乌云压过来,首先是对自己的,也有对他人的。他已经没兴趣认真去想象另外的可能,他想按照自己在看守所里考虑的结果去做。这样,就不用再烦,其他的他无所谓。

烟头烧手了。他索性把它捻灭在床头上,然后把烟蒂扔进床和墙的缝隙中。出事以来,他经常头疼,有时疼得厉害,有时轻些。现在他想到晚饭,胃立刻不舒服。

"我操!"他低低对自己吼了一句,曾经熟悉的生活在他现在的心境下,突然变得那么扭曲那么无意义。

他一次都没想到于水波,甚至也没意识到自己没想到这个他该想到的女人。而此时的于水波在不停地拨谭定鱼的手机,但他的手机一直关着。她再也忍不住,终于拨了他家里的电话。电话里传来女人的声音时,她立刻报了自己的姓名。

"我是于水波,能跟谭总说两句话吗?"

"很抱歉,谭总在睡觉。你能留下电话吗?谭总醒了以后……"

"你是谁啊?"于水波不耐烦地打断她缓慢的语气。

"我是他们家的阿姨。"

"曲今在吗?"于水波几乎有些不礼貌了,她自己也不知道她为什么这么愤怒。

"她出去了。你打她手机吧。"对方说完挂了电话。于水波把手里的话筒狠狠地扔出去,听筒却像被拴住的狗,在碰到墙之前,无奈地落到地上。

曲今晚上回来,轻轻敲了敲谭定鱼的房门,听到里面哼了一声,推门,迎面扑过来的是臭烘烘的烟味儿。她没想到他会抽这么多烟。她的平静有时建立在一种想当然上面:你做错了事,就该承受然后改正。对她来说没有另外的可能,比如什么人犯了错索性一路错下去,懒得再改变。即使她承认生活中有这样的人,也认为他们跟自己毫无关系。她不屑认识这样的人,如果她已经认识了这样的人,她不屑继续认识他。

谭定鱼勉强坐了起来,但仍然闭着眼睛。曲今把窗户打开。谭定鱼说外面下雨。她说,不开窗户这烟味就会留在房间里,很久都去不掉。

他觉得自己就像那烟味儿,不该留在这里,石头般坚硬的心又被碾成粉吹散了。

因此无论曲今、曲未还是曲未的合伙人,看着低头猛吃的谭定鱼,都没想到他吃饱之后会说出那样的话。

"公司下一步怎么办,你们商量一下。我不干了。你们每个月发给我三千块工资,一直到我死。"谭定鱼对着曲未和曲今之间的空当说了这句话。

"姐夫?"

"我不是你姐夫了。"

"那我姐呐?"曲未扭头看看姐姐,曲今脸上一点表情也没有。他只好把目光挪回到谭定鱼那里。

"跟你们干呗,你说呐,曲今?你怎么打算的。"

"我打算跟你离婚。"曲今一字一字地说完了这句话。曲未低低地喊了声姐,曲今没有理睬,冷静地看着自己的丈夫,满脸愤怒。

"所以,我这么提议,大家就省得去法院了。你没损失的,谭谈的利益也有保障。你们要是没意见,这事就定下来了,我想回去睡觉了。"

"你没事吧?"曲未的合伙人关切地问。

"你指精神上?"谭定鱼指指脑袋,"很太平。"

"那你刚才说的光是口头,恐怕……"合伙人操着华侨汉语,居然一点不影响效果。谭定鱼招呼服务员拿纸笔,合伙人立刻阻止，从自己的皮包里拿出派克钢笔和印有公司名头的信笺，递到谭定鱼眼前。

"很正规。"谭定鱼说着飞快地写下几行字。

> 我在公司的股份离婚后属于我前妻曲今。条件是我每月从什么地方得到三千元生活费。其他的我都同意。
>
> 谭定鱼　××年××月××日

他把写好的东西交给了合伙人，然后点上烟抽起来。他抽烟的姿态在曲今脸上引出新的蔑视，好像他作为一个男人，做了这么多男人不该做的事情之后，连抽烟也不配了。她的表情差不多已经否定了谭定鱼的性别。

"这样好像不行，有很多漏洞。"合伙人说。

"其他的你们跟我律师说，反正我说了只要你们付三千块钱，我什么都同意。"说到这里，他转向曲今，"你送我回去，还是我打车？"

曲今什么话都没说，起身朝门外走，谭定鱼立刻跟了出去。开车时曲今问他为什么这么干，后者让她稍微开慢点。

"没想到你还怕死。"曲今说时并没有减速，仍然是七十左右。

"不是我，是你。"

"你还没回答我呐？"她似乎更不能忍受他口气中的无所谓的态度。她最恨的就是他无所谓的反应，好像任何负责任的人，都不会在关键关头表现出无所谓的态度。但谭定鱼的理解是，他怎样表现，她都必须愤怒，因为他们已经不再是同路人。

"你干吗还那么愤怒?!"他说。

"因为我瞧不起你干的好事。"曲今愤怒地说。他却从她的愤怒中得到了一点安慰。

"我也没指望你能瞧得起。"

"聪明。可惜这么聪明还让人给涮了。你真应该看看你女朋友的表现。我可怜你。"

"你终于说心里话了。曲今,离婚没问题,但我不想再跟你谈这些了。我们关于这件事情说的已经够多了。"

曲今没再说话,把车开到了自家的车库。下车前,她突然俯在方向盘上哭了。看着她抽泣的肩头,他的眼睛也湿了。他小心地把手放到她后背,却被她甩了下去,她说,你别碰我,恶心。谭定鱼的难过马上被另外的清醒代替了。他知道,他们性格的差异已经不再接受感情的支配,再也无法调和。他无法面对的不仅仅是刚刚发生的一切,还有未来没有发生的一切。

他站在淋浴喷头下,水流似乎冲开了他的思路:现在回头看,过去吸引过他的那些事情,好像跟他拉开了无限的距离,变得毫无意义。他甚至不理解为此所付出的努力。他一直不喜欢也不愿忍受的是自己对自己缺乏说服力。因此他做事从来小心,从不失去控制。现在发生在他身上的这件事,在他看来,把他分成了两半,过去的谭总和看守所出来的谭定鱼。他必须消除其中一个,而消除后者是他做不到的事。这么想的时候,他彻底平静下来。当他穿着浴袍进到他们过去的卧室时,曲今无言地看着他。他在她床边坐下,想了想之后说:

"别再改变这个决定了。离婚后你跟谭谈好好过。也许对我们两个人都不是坏事,我们性格差异太大。孩子也不小了,长大之后,她也许会理解,也许不用去理解,反正她会有自己的生活。"他说完把自己的一只手放到曲今的手上,曲今没有把手抽回去。手和手之间传递的温暖,在两个人心里掀动了尘埃一样的深情。分开,这深情将从此被保留在心底最隐秘的角落里。谭定鱼点点头。站起来要离开。

"你会跟那个人结婚吗?"曲今小声问。

谭定鱼摇摇头。

"我一直都是爱你的,但我不知道怎样跟你相处。我没找到表达的……"他走到门口时说。

"我也是……"曲今俯到被上大哭。

谭定鱼轻轻关上妻子的房门,心里一片坦然,好像也关上了另一扇门,他们的过去将被妥善地安置在门里。他们不用继续伤害彼此,他们终于不再有瓜连,他们分手了,他们回到相识之前的起点,各自的生活继续下去,但没有崭新的开始。在生活真正开始之后的重新开始,不过都是延续。

他继续抽烟,在客厅里兜了两圈儿,在阳台的落地窗前站了一会儿,然后又去女儿的房间站了站,厨房,储藏室……他想自己搬出去的事情,也想起了他们刚买这房子的情形。孩子在这个房子里慢慢长大,房子接受了他们然后加入了他们。房子和房子里的一切,构成了他们每个人心里,家的概念。这里曾经是他们的家……他转移了思路,换上衣服,出去。

田如几天来总在家抱儿子,保姆开始担心自己失业。田如代理的一个画家几次打电话催画展的事,她告诉对方,画廊的老板最近有事,所以布展得拖拖。放下电话,她又给画廊老板打电话,请求他看在朋友面上,把布展的事拖几天。

"你干吗?"对方问。

"我家里有事。"田如说。

"没什么大事儿吧?"对方问。

"想静两天,最近我心里乱。"田如诚恳地说,对方停顿了一下然后说,有事别客气。田如突然很感动,觉得任何一个男人都比刘岸强。

刘岸并没有察觉妻子情绪变化,他高兴她想在家里多呆,反正他也是经常不在。有时,他抽时间早回家,提议出去吃饭,但都被田如拒绝了。

"你不想抱抱儿子?"她几次问他。"刚回来又想出去,你好像变成大树了,整天长在外面。"

"你放心,我和儿子以后交流机会多着呐。父子关系是世界上的几大挑战之一。现在他还什么都不懂。"刘岸故意回避另外的不谈。

"如果你是特别喜欢孩子的那种男人,我们肯定能过得挺好。"田如说。

"谁说我不喜欢我儿子?"

"你当然喜欢你儿子。但你懂我的意思,别跟我装傻。你知道我不傻。"

因为田如拒绝出去吃饭,他们便在家里吃保姆做的饭。刘岸因为田如的责备,情绪消沉,闷头吃饭。田如在他脸上扫了几眼,一种莫名其妙的感觉攥住了她。

"你去看过欣羊吗?"

"我哪有那么多时间,看这个看那个的?!"

"我觉得你应该去看看她。"

"再说吧。"

"你好像没兴致去看她了。"

"这对你不是好事吗?"

"这对我不是好事。"田如说。

"你到底怎么了?"刘岸放下筷子,愤怒地看着她。这个瞬间里,他后悔结婚了。

"我也正想这么问你呐!"田如说着用脚把饭厅的门踢上。

"就因为我没去看丁欣羊,你就跟我说这么多……"刘岸声音有所提高。

"你现在跟谁搅在一起?"田如突然低声问。

刘岸怔住了。他意识到自己失态之后,立刻找话说。

"你说什么?"这时,田如心里不仅清楚而且肯定,她的丈夫有外遇,跟她感觉到的一样。她爱这个男人,所以能看见他的隐秘。爱就是为了痛苦?她仿佛看见一个理智聪明的女人,把爱情带进了婚姻,现在正在吞食苦果。她忽然无法忍受自己的表现,我怎么会变成这个样子?!

田如笑了,居然不是冷笑。冷笑表达在意和愤怒,她只想嘲笑自己,好像她婚前的努力都是为了今天的感受。她心里乱了,转了话题。

"丁冰自杀了。"她平静地对刘岸说。

刘岸大吃一惊。

"为什么?"

"因为这世界丑陋!"田如讽刺地说。

"不开玩笑,告诉我原因。"他正经地说。但田如能看见他躲开刚才话题的窃喜,又是一阵失望。

"白中有外遇了?"他试探地问。田如没有回答。

"不可能。"刘岸走近阳台吸烟,"我虽然不太喜欢他,但还是想为他说句公道话,他不可能有外遇。丁冰不离开他,就算他烧高香了。"

"也许你觉得像刘岸这样的男人有外遇才令人信服,是不是?"田如微笑地说。

"你到底怎么了?"刘岸心里烦,恨不得马上结束这场谈话。他过去抱住她的双肩,差不多在恳求了。田如提醒他,别用你的烟把我点了。

"你怎么这么烦啊?!"

"你不用告诉我那个女人是谁,是谁对我都一样。"田如笑着说完,便一个人离开了。刘岸站在原地,一句话都没说,心里掠过一阵担忧,不知道自己是否过得了这关。

半个小时后,他的手机响了。他看是田如的号码立刻接了。

田如说：

"刘岸,你想过没有,你到底是什么人?! 你跟欣羊过的时候,心思都在那个女人身上,也许你也有别的女人。现在你跟我过,跟我生了孩子,惟一没变的是你的心思仍然在别处。"田如喊了起来。"你知道我现在想的是什么吗? 应该把你赶出去,让你永远见不到我们。可惜我不能这么做,不是因为别的,是因为我做不到。我没办法把我对你的感情立刻消灭掉,而我又不想犯那些女人常犯的毛病,做出一个决绝的决定,然后再反悔再决绝。刘岸,我想告诉你的是,你是垃圾。"电话里传出哭声。

"如果你觉得我们的结合是个错误,你可以明说,我们立刻离婚。我一个人会把孩子好好养大的。但我知道这不是你想做的,既然你不想这么做,你为什么同时总是做那些伤害我们之间感情的事情。你这么做,对另外的女人有好处吗? 我不想眼前跟你偷情上床的这个女人会感谢你。你到底是什么人?"田如第二次喊出这个问题。

刘岸沉默着,觉得自己坠到了很深的地方,耳朵里发出嗡嗡的声音。他体会到一种类似虚脱的感觉,力量慢慢离开他,身体瘫下去。

"你见过大街上那些美男广告吧,无论是香烟广告还是脚气广告,他们都做深情凝视状。凝视,你看见过吧,恨不得把两只眼睛凝成一只。任何看他们的女人,瞬间里都会产生错觉,觉得他们是在深情地看自己。你玩儿的就是这把戏,在镜头里看见的是自己,自己跟自己玩儿。你知道吗? 你跟广告上的人没区别。"

"你说不画画了,光做生意,我并没有因此失去对你的尊重。但你用别的办法破坏我们之间的尊重和信任,继续下去,我们之间只有一个结果,那就是仇恨和蔑视。我不是威胁你,我说的是实话,我没权利威胁你,因为你并不爱我。令人绝望的是,你到处说爱,也许连你自己都知道,你爱谁。我估计你谁都不爱。"

田如上了一辆出租,但不知道自己去哪儿。她说了中山宾馆的名字,半路又觉得现在去刘岸跟别的女人幽会的地方太可笑。她忽然想见车展,坦白地跟他聊聊。在她眼里,车展是另一种男人。她打电话问车展在哪里,对方回答说还在办公室。她问能不能马上过去一下,有事要说。她得到了肯定的回答之后,告诉司机地址开了过去。

田如只见过车展一面。有一次她跟丁欣羊一起逛街,车展赶来跟丁欣羊约会。后者给他们介绍了一下,简单寒暄了几句,便分手了。但是,田如不觉得自己没有理由打扰他,因为她想了解男人。

"没想到是我吧?"田如大方地问。

"现在想不到的事很多,所以习惯了。"车展不反感田如,尽管她不是他喜欢的那种类型的女人,但是他能欣赏的那种。凭感觉,他对田如有信任。

"你去看过丁欣羊了?"田如这么问的时候,车展笑了,好像她是专门监督来的。

"笑什么,你去看她,对她很重要。"

"谢谢你通知我。"他说。"你好像很了解丁欣羊。"

"我想是。对我来说她是诚实的女人。女人很少有诚实的。所以,我很看重跟她的友谊,其实说理解更准确。"

"你觉得你们有相似的地方?"

"内心的某个角落里,也许,我不知道,我来就是想跟你聊聊类似的事情。"

"那你看她的状态如何?"车展问。

"我还没去看她。"田如坦率地说。车展很吃惊,但没问为什么。田如自己说了,"眼前的情况下,我能帮的忙不大,再加上,我自己状态也不好,弄不好倒给她添乱。"

"是吗。"车展含混地咕哝了一句,"你没事吧?"

"我想问你男人是怎么回事?"田如说完,车展笑了。他说,他还不知道问谁呐。

"生活中你算正常的男人,所以……"

"所以我找不到女朋友。"车展打断她的话。

"男人不坏女人不爱。"他接着又补充了一句,很得意自己的幽默。

"坏男人我们就不说了,那些不坏的男人好像总是找不到不坏的女人。从这个意义上说,你算幸运的。"

"你这么看吗?"

"丁欣羊不是好女人?"

"当然,肯定是。"车展慌忙说。

"不过……"

"不过什么?"

"她挺复杂的。"

"什么意思?"

"朱大者好像总横在我们中间。"

"明白了,所以你又退缩了。我原来以为你是例外的。"

"什么意思?"

"你好像爱她是不是?"田如问。

"好像是。"

"天呐,好像是,这事儿你还弄成好像是,别的事你怎么办啊!"

"这不是我一个人能决定的。"

"什么妨碍你了?"车展被田如问得语塞。

"好了,车展,对不起了,我说得太多了。现在我该回家了。"田如突然很失望。她怀疑女人们期望的男人现实生活中

355

根本不存在。好不容易碰到个正常的，又那么缺乏勇气和魄力。我以后再也不用了解男人了，她边想边礼貌地跟车展告别，男人这一点上都是一样的，那就是他们跟女人想的不同。他们是他们。

但是，田如莫名其妙的拜访却给车展鼓了劲，他似乎又看到了一线希望，在他和丁欣羊之间飘起。

我觉得他人永远都不能像你期望的那样，所以你不能对别人抱有期望。这世界是冷酷的，人们必须为自己拼搏。我无法证实我的感觉，我怀疑它是错的，是我的某种病态造成的，但是我仍然怀疑。这简直是魔鬼的圈套，我好像被两种均衡的力量拉扯着。

昨天，我梦见跟一群认识的人在田野上散步，但他们都像不认识我一样。我跟任何人打招呼，他们都像没听见一样，只顾跟其他人说话。

当我看见白中和蒙蒙在人群中时，便惊醒了。我讨厌类似的梦境，但我只有类似的。此外的一切像空谈一样。

丁欣羊看丁冰这篇日记时，哭了。她写出的心境抓住了她。她想起自己的生活状态，也充满了丁冰写到的灰色感觉。越来越经常的迷惘和胆怯，不知道自己想要什么，拥有什么。高兴和昂扬的感觉要么短暂要么少见。她想起"亚健康"这个词，觉得自己过的是"亚生活"。突然她发现自己紧紧地跟随着姐姐，崭新的亲近在生者和死者之间凹凸出来。她的某种感觉和丁冰的融合了，在丁冰变成死人之后。假如，她早一点体会到这些，会不会改变丁冰的生活？她离开卧室，坐到客厅的沙发上，也许丁冰的死让她明白了这一切，这么想的时候，她觉得自己老了很多。

白中来电话,告诉丁欣羊追悼会的日期。

"蒙蒙回来了。"

她想问问蒙蒙如何,但话到嘴边又咽了回去,只让姐夫替她问好。

"我妈那边都说好了?"丁欣羊问白中。

"我都通知了。"

"他们另外给你打电话了?"她又问。出于对自己父母的了解,她觉得有必要问问。白中回答说没有。丁欣羊非常生气。她把姐姐的事告诉父母后,也没接到他们的电话。她的手机二十四小时都开着,作为父母打个电话问候一下也是人之常情。想到了丁冰的选择,她心凉。

放下白中的电话,她给家里拨了电话。父亲接的。她说,听说,他们参加追悼会。

"什么话,当然参加。"父亲生气地说。

"丁冰没了,你怎么想的?"她也不知道自己为什么要这样说话。

"你怎么说话呐? 我和你妈都难过得不行……"

"可你们连个安慰的电话都没打。"

"打给谁? 说什么?!"父亲愤怒,话语中带着哭音。丁欣羊心软了,但嘴没软。

"这是最基本的。"

"跟他说什么? 谁知道小冰的死跟他有没有关系?"

"现在说这些有什么用?!"她哭了,"你不知道跟他说什么,也不知道跟我说什么是吗? 你们也没给我打电话,像你们这样的父母,少见,是不是?"丁欣羊喊的同时听见父亲挂上了电话。

丁冰追悼会前,连下了两天暴雨,气温急剧下降,人们开始穿风衣或者夹克。请了几天假,忙完后事,在丁冰追悼会的前一天,丁欣羊一早去上班,照看一下工作。坐在公共汽车的窗边,清晨由暴雨转成的小雨依旧下着,她发现满地落叶,都是被暴雨冲掉的。一晃,时间走到了九月,夏天已经在事情的缝隙间溜掉了,它的炎热根本没在丁欣羊的记忆中留下痕迹。伴随着类似的感觉,丁欣羊坐过了站,仿佛车厢中人群组成的温暖可以抵御季节的变更和年华的流逝。

在丁欣羊的办公桌上放着一束插在花瓶中的百合,旁边的卡片上写着:保重。卡片没有签名,同事告诉她,是老板送的。她去看老板秘书,秘书说老板今天去南方了,走前交代过,让丁欣羊再休息两天,有急事会打电话叫她。离开公司,丁欣羊不想马上回家,她打着伞,慢慢在大街上走,没有目的,没有感觉,人像一片漂在水上的叶子,无足轻重,自由自在。

刘岸给她打电话时,她一个人已经走了一个小时。他问她有没有时间去李圣那里简单吃点东西,坐一会儿,喝杯咖啡。她感到潮湿的凉意钻进身体,便答应了。她打车到了咖啡馆,李圣看了她一眼,没说话,拍拍她的后背,冲里面甩下头,丁欣羊看见刘岸坐在那里,对她摆摆手。

"我都知道了。"李圣说。"你去吧,我先给你上一杯柠檬茶。你想吃点儿什么?"

"有什么?"她努力微笑,"我吃牛肉饭吧。"

"好的。"李圣又看看她,"你坐过去吧,多保重。"他说完转身进厨房去,丁欣羊疲惫地朝刘岸走过去。

他们各自喝着杯中的饮料,除了寒暄,谁都无法开始一个能延续的话题。刘岸内心很起伏,他没想到丁冰的自杀能把丁欣羊打击到如此地步。她外表的样子变了。过去因为她脸上的线条过于柔和,他从没想过要画画她。现在她的脸仿佛被刻刀调整过了,瘦削,线条格外突出。黑眼圈除了表明她睡眠不好,也更换了她面部表情的基调:忧伤遮盖了过去的一切,包括平静。

刘岸感到强烈的冲动,想画她。

丁欣羊对他笑笑,好像这样可以缓解他们沉默带来的不适。"你好吗?"她的语气很疲惫。刘岸勉强笑笑说,他都听说了,然后问她怎么样。

"我估计我还是老样子吧。"

"你的样子变了。"刘岸试试准确表达,丁欣羊苦笑一下。

"有什么需要帮忙的?"

"谢谢你,都安排好了。"

"但你要振作。"刘岸说完,丁欣羊又笑笑,然后说:

"可能我心理状态变化了。"

"什么样的?"

"有点彻底了。我说不好。"她突然改变了话题,"田如怎么样了?"她喝了口柠檬茶,看见李圣端着饭过来了,便挪动桌子上的东西,腾出地方。"昨天我给田如打了一个电话,好久没消息,所以。"她话说了半截,闻闻牛肉饭发出的气味,脸上的表情放松下来。"不管怎样,还有饭吃,这已经很幸福。"

"田如跟你说什么了?"刘岸多少有些紧张。

"没说,但我能感觉到。"接着,她又问刘岸要不要尝尝,他说已经点了乌东面。

她一边吃饭一边掩饰对刘岸的反感。虽然田如电话里没说什么,但凭她对刘岸的了解,她能够想象刘岸又出了什么事。她怀疑他这样的男人是不是有特殊基因,对谈情说爱之类的事情永不厌烦。想到这里,她笑了。

"你笑什么?"

"你说,男人什么时候才能收心?"她温和地问,尽量让他觉得这是个针对所有男人的问题。

"你是想问我什么时候……"

"也包括你吧。"

"爱情,事业,疾病都是能起作用的因素。"刘岸没有生气,反而认真起来。"但是,爱情本身很短命,如果事业不是那么了不起,慢慢地兴趣也没了。我说不好,其实,我也觉得挺奇怪的。"他说完,接过另一个服务员送来的面条。"我不想伤害田如,也不想在外面怎么样,但有时候,好像自己还不知道怎么回事呐,事情已经开始了。"

"你不爱田如了?"

"我当然爱她,但是,怎么说呐,两码事儿。"他因为说不清楚,不想再接着说了。

"但是她会受伤。"

"所以,我停止就是了。"

"更重要的是你是不是必须再开始。"她本不想说这句话,不想给对方留下自己喜欢教训别人的印象。"是啊,别瞎闹了。孩子都有了,而且田如比较了解你,人聪明又懂事,这么好的老婆,你不会经常遇到。"

"我们离婚终于有了伟大的意义。"刘岸忍不住讽刺一句。

"是啊,这些话应该你妈告诉你。"她看着自己餐盘里剩下的饭,忽然没胃口吃下去了。她想找个借口立刻离开,想一个人呆着,哪怕哭一会儿也好。刘岸看着她表情的变化,不知道她情绪突然变化的原因,但能理解她眼前的心态。他放下筷子对她说,他看她好像很累,想先送她回家。

"的确。"她老实地承认。"你不用送我了,我打车回去,我突然不舒服,恶心得要命。"

刘岸送走丁欣羊,回到自己车里,透过车窗看街上行人。他想起刚从美国回来时的状态,想到现在的心情,仍然觉得自己的生活处在某种不确定的漂浮中。他似乎希望找到一块沉沉的基石,把自己拴上,让自己稳稳地附在上面。但是,无论经商赚钱还是画画,都没带给他这力量。他想起多年前读到那部昆德拉的小说《生命中不能承受之轻》,内容他都忘记,但那个"轻"字留了下来。他发动车子,并不急于把混乱的心绪理出头来,但有一件事他想清楚了:他不想失去老朋友的尊重,第一步骤保住老婆。

第三十一章

　　一个寻常的初秋的早上,树上变得稀疏的叶子,使地上的阳光斑驳。渐渐告别夏天的人们聚集在两辆中型面包前,等着司机把他们拉出城,跟丁冰的遗体告别。大家谈着昨天电视中的新闻焦点,谈着单位的事情。有几个远离人群的人,要么低头抽烟,要么无聊地看看远处。阳光比刚才强烈许多,有人脱了风衣或者外衣。

　　车子终于开上路,车厢里熟识的人们继续谈着各式各样的话题,但都避免笑谈,尽量保持严肃的气氛,像一次不情愿的郊游。

　　坐在最后面的丁欣羊没发现有人谈有关生死的话题,更没人谈到死者。她不知道这是禁忌还是礼貌,只觉得陌生。到了陵园之后,朱大者走近她,问是不是跟蒙蒙打过招呼。她说,昨天她们见过面。

　　"别的没什么吧?"他又问,想她能明白他的问题包涵的意义。

　　她摇摇头,心里却是茫然。大家等在灵堂外面,朱大者先进去看看。这时,丁欣羊听见几个人说,可惜。她想离开一会儿,但看到站在身旁的父母,只好留下。他们一句话也不说,在场的多数人不知道,他们是丁欣羊的父母。她看着自己的父母并肩站在一起,既欣慰又悲哀。她想问一句,没什么吧,像朱大者问她那样,但她发现父母的表情十分坚硬,好像他们正在执行一项艰苦的任务。她刚想说什么,看见刘岸和田如朝她走过来。

"别怪我没去看你。"田如拥抱丁欣羊在她耳边说。丁欣羊摇摇头,眼泪含在眼睛里,田如这份实在的感情在她心里变成感动。她们说话时看见刘岸在跟丁欣羊父母打招呼,于是互相看了一眼,一同离开了。

"车展没来?"田如问。

"他给我打过电话,他必须出差。"

"葬礼完了,你能请假吗?"

"干吗?"丁欣羊问。

"我想跟你一块去个地方,呆几天。不干什么,也不用谈什么,对着老天发发呆。"

"多谢了。"丁欣羊再次被感动。她甚至想,和田如交上朋友,是老天给她离婚的补偿。

遗体告别仪式终于开始了。白中,丁欣羊,丁欣羊父母,蒙蒙依次站在丁冰的遗体旁。哀乐盖过了一切,人们陆续进来。白中呜咽地哭着,丁欣羊不停地流泪。她站在父亲身边,听见了他的哭声。朱大者看见丁欣羊的母亲紧绷着脸,表情沮丧,好像皮肤被灌了铅,拉着脸往下去。他走近这个家庭,在离丁欣羊不远的地方站住了。蒙蒙跟姥姥的表情近似,脸也是紧绷着,脸上的皮肤好像因此拉薄了,她过于白皙的皮肤泛着蓝光。他想,如果凑近肯定能看见蒙蒙的细小的蓝色血管。她始终看着妈妈遗体的方向,目不转睛。蒙蒙脸上的稚气被愤怒笼罩了,看上去令人心疼也令人担心。昨天,丁欣羊离开他们时,单独对蒙蒙说,她们应该好好谈谈。蒙蒙的回答像射钉一样,把她挂到了墙上:跟你们我没什么好谈的。她说。

一个丁欣羊不认识的男人站到了麦克风前,用平淡的语调回溯丁冰短暂的一生。尽管事先她知道这样的安排,当耳朵里充满一些年月的数字时,心里更加凄凉。她想到丁冰艰难的内心历程,被概括成数字的流水,突然觉得生活中的荒诞变得那么真实。

生活给继续活着的人提供了活着的理由,给另外的人提供的是离开的理由。

哀乐响了起来,丁欣羊告诫自己不要哭,朦胧中她觉得丁冰一直希望的是平静。一切终究沉寂下来,哪怕是通过死亡。

人们,熟悉的,不熟悉的,流泪和没有流泪的,缓缓地走过来,然后走过去,对白中说点什么,或者直接离开了。灵堂有两个门,一个让人进来,离开必须走另一扇门。有人问为什么,有人回答说,因为这里没有回头路可走。丁冰的父母哭了,白中哭了,蒙蒙流泪时,脸依然是紧绷着。丁欣羊没哭,她看着为丁冰哭泣的人,像看着陌生人。她看见朱大者,刘岸,田如……一个接着一个走过来,最后一个走进来的居然是大丫!这时,丁欣羊哭了。

她像一个走在长长的黑暗地道中的孩子,因为惊恐忘记了哭泣,忽然看见获救的稻草,于是,坚持的紧张和痉挛,都松开了。她哭得那么肆意,那么安全,那么享受,在她瘫软下去之前,被大丫抱住了。朱大者帮助大丫搀扶丁欣羊,让她能自己站稳……

朋友们带走了丁冰的父母和女儿,看着丁冰被推进去火化的人是白中和搀扶丁欣羊的大丫朱大者。丁欣羊哀戚地看着吞下丁冰的那扇门重重地关闭。白中突然嚎啕大哭,不知所措的双手,在空中抓来抓去。丁欣羊哭着拉住姐夫的一只胳膊,他的另一只手仍然在空气中抓挠着。她看着这个伤心欲绝的男人,她丧失了对所有感情的理解,无论爱情还是仇恨,无论理解还是误解,在死亡面前都变得无足轻重。最后的意义早已被莎士比亚说出来:活着还是死去。

丁冰死了。

丁冰的骨灰摆到眼前时,白中坐到地上停止了嚎啕。他呆呆地看着那个雅致的陶罐,人涣散了。蒙蒙走进来,跪到白中跟前摇晃他,白中又开始哭。随后进来的刘岸拖起白中往外走。蒙蒙也站起来,白中走出大门时,蒙蒙忽然对旁边的丁欣羊大喊:

"我恨她!"

丁欣羊没有马上反应过来,下意识地问了一句,你恨她?

"我恨她。"

"你恨谁?"

"我恨我妈。"

"你恨你妈?"

"你别再说了。"蒙蒙绝望地对丁欣羊喊。

"为什么?"刚刚醒悟过来的丁欣羊也提高了声音,接着又问了一遍,"为什么?!"

"她为什么这么干?!"蒙蒙毫不示弱地说,"这对我爸不公平! 她这么干,我爸怎么办?"

"蒙蒙,你知道你在说什么吗?"

"我当然知道!"她有些亢奋,"她没必要这么干! 她不满意可以离婚,可以出走,为什么这么干? 为什么!"

"蒙蒙,她是你妈妈!"

"我知道,那我也恨她。你看见我爸爸了吗? 他的头发都白了。"蒙蒙说到这里哭得近乎歇斯底里,"她为什么这么干? 她想也害死我爸……"

"闭嘴。"丁欣羊低声地吼了一句,打断了蒙蒙有杀伤力的话。丁欣羊突然感到寒冷,好像正在感觉那些姐姐活着的时候说不清楚但备受折磨的感觉。她的泪水消失了,心里突然清晰无比。她走近蒙蒙,被大丫拦了一下,她摆摆手,示意大丫不用管她。对蒙蒙说:

"你爸会活的好好的,这一点我可以向你保证。"丁欣羊非常认真地说。"你不小了,如果你刚才说的话是因为一时冲动,我给你解释的机会,如果不是,我们从今往后是陌路人。你可以对你母亲说三道四,但别当着我的面,不然我对你不客气!"说完,她抱起姐姐的骨灰离开了。

外面的阳光还在,懒洋洋的,全无热情,仿佛早已了然人间的悲喜,像钟摆一样悠然荡去。丁欣羊走到朋友中间,衰弱的阳光让她觉得刺眼,白中走过来,想从她手里接过丁冰的骨灰盒,她躲了躲,然后还是把骨灰盒交给了他。她看了一眼蒙蒙说的他一夜间愁成的白发,冷笑了一声,把骨灰盒交了出去。她心里说,如果有一天你们没地方放这东西的时候,还给我。她心里堵得死死的,丁冰好可怜。她无话可说,一个人朝陵园外走去。她对跟过来的人们说,她想一个人呆会儿;她请求让她一个人呆会儿。人们还要劝阻时,朱大者拦住大家,放丁欣羊一个人去了。

看着她的背影,他在心里向她告别。

中央公园梧桐树的叶子,所剩无几,秋天已经来了一些时候。说不定哪一天,在人们不留神的时候,它就悄然地离开。季节的痕迹越来越被人忽视,有一天我们可以离开季节生存,在一个恒温的空调世界里。

丁欣羊一个人坐在一条长椅上,把烟灰弹到地上,像叶落归根。她看着树上残留的叶子,想不出它们是被抛弃的,还是留下来坚守的。她想到丁冰,又是满眼泪水。追悼会之后,她请了一周的假,每天来公园坐一阵,坐久了就把风衣裹紧些,以驱赶寒意。无论她看见什么想到什么,最后的思绪总是回到丁冰那里。她放任自己沉浸在这难过中。

她没想到的是父母在丁冰追悼会的当晚就坐夜车回去了。他们匆匆来了,又匆匆离去,像拜访灾区的领导。站台上,他们嘱咐女儿注意身体注意一切,但如果丁欣羊说点什么,他们开始注意听,但无法听完,好像他们早就知道她要说什么。母亲总是打断丁欣羊的话,给她一个结论性的忠告。当丁欣羊说工作的时候,她插进来的忠告是:无论怎样都不能丢了工作。丁欣羊差点说出来,丁冰不仅有工作而且有两份儿工作。但她懒得再说话了。她等着,越等越恨送站的习惯。她听见母亲问了两次,能不能把中铺调到下铺,加钱也行。她在问自己的丈夫,但她还是无法忍受了。她胡乱地说了一句祝顺利的话,对父母和姐夫点点头,便先离开了。

　　她记得那天夜里,她做了一个奇怪的梦。现在她回想起梦境,想起日有所思夜有所梦的说法。她梦见自己站在站台上,看着父母在另外的站台上等火车。火车已经开过来,但在离站台几米远的地方停下了。她觉得自己在朝前走,快到站台边缘时,她还想往前。她控制自己不再往前走,然后觉得自己后退了两步,但马上又到了站台的边缘,她甚至觉得自己的一只脚已经迈下去了。这时,她抬头看父母,他们并肩站在那里,相依为命地依靠着,像丁欣羊跟他们告别时那样。她再次试着控制自己……最后终于落下站台。她被惊醒前,一直在等待自己的叫喊,但她总是落不到底。

　　一阵秋风刮过去,落叶哗哗响了一会儿。她想,接下来春节不回家了,也许可以一个人出去旅游一趟。她又想,下一个春节也不回去了,也许可以一个人过个春天。大丫在的话,她们可以一起过。当她起身离开长椅时,她想永远都不再回家了,除非父母病了。她好像理解了命运的安排,当她长大成人独立之后,她的父母开始珍视对方,不再争吵,但她被留在了外面。她能原谅父母的自私,对她来说,父母自私与否都是父母,但她无法摆平自己的孤独。友情好像变成了她温暖的惟一来源,她不知道,友情能否能承担得了这使命。看着经过公园里的一对对恋人,她居然开始羡慕父母的状态。即使他们狭隘自私，他们互相的依靠，足可以撑起一个虚幻的世界，对付外面的一切冷暖寒热。

又一阵风刮过来，卷起一点尘土，经过她刮向她身后的松林，发出不清晰的回响。冬天的公园应该关闭，她边想边用手掐紧大衣的领子，防止尘土落进领子里。这动作让她想起多年前看过的一张印在明信片上照片，摄影家的名字她忘了，但是，照片的名字她还记得：海德公园的女人。

傍晚结束时的光线下，海德公园大片的绿地尽头的长椅上，一位穿灰色厚花呢大衣的老妇人，看上去有七十多岁，清癯，斜靠在椅背上，上身挺直，硬朗；她的双腿交叉着朝前伸去，露出大衣的部分仍然有美丽的线条。大衣的厚度表明，该是秋天即将结束的时候，冬天已经不远。大衣遮盖的美丽的残存还是岁月的痕迹，对这个老妇人来说，早已无所谓。她身体的姿态是坚决的，微扬着头，脸上的表情严肃，仿佛在表明依然坚持的不妥协的态度。丁欣羊第一次看见这照片时，仿佛听到了老妇人的声音：我已经这么老了，没必要再妥协。后来，每当她想起这照片时，想象的声音也会随着来，然后脑海里会浮现出这张照片的"眼"——老妇人双手交叉在胸前，其中的一只手揪紧大衣的领子，也许是不让风进来，像丁欣羊现在做的这样。这个细节在丁欣羊的记忆中，莫名其妙地跟尊严联系到一处，老妇人的揪紧衣领的手变成最有质感的画像，仿佛那就是尊严的另一种解释，是不妥协的代价。

无论怎样，她不能想象自己像丁冰那样生活。即使她能够确定，自己被爱情抛弃，也无法从家庭中获得依靠，她还是想把自己抛到友情中间。如果有一天她必须死，她希望跟朋友在一起，做个真正的告别，然后安乐死。

她希望自己能慢慢活得从容，离死亡越近越从容……她放纵地想着,脑筋疲劳了,但她无法停止想。这一切消耗大量的体力,快到公园门口时,她再次坐到长椅上休息。如果不是朱大者找到她,她已经悲观地把下辈子想象完了。他坐到她身旁,像亲切的兄长。

"你不能把难过当大麻吸。"他轻声地说。

"你怎么找到这里了?"

"我不是看过你的日记吗?"

"对,这我不该忘的。"她忽然好过很多。"我临终之际,你能来看我吗? 也许你会在很远的地方,比如非洲之类的地方。"

"假如我在非洲,我活不到你临终的时候。"他说完,她笑了。

"我觉得,你在努力把自己弄死。"他半开玩笑地说。她没有回答。"你知道,失望并不是最后的阶段,你不能永远停顿在这里,你还年轻,干吗把自己搞得那么悲观。"

"你说我把自己搞得悲观?"

"我是这么说的。命运并没有把你划到丁冰的世界中,虽然你是她妹妹,你要珍惜自己的时间。这么过日子和振作不一样,你能把握自己的。"

"你想说的是,丁冰没能把握自己?"

"她的力量不够,也许有别的原因,老天知道。"他说完,她沉默着。他们静静地坐了几分钟,晚上来了,风也停了。他说,突然想买份晚报看看。

"十年后的今天你会在干什么?"她问他,他摇头。

"你有什么计划?"她又问他。

"计划活到那时候。"他说完,他们都笑了。丁欣羊在难过中稍微舒展了自己,她轻轻地问了一句,问对方或者问自己,活着不容易,对吗?

"对。"他说完拉起丁欣羊,"我送你回家吧。"

他们一起离开了公园,走到报亭时,她问他还买不买晚报。

他点头掏钱买晚报。走到她家门口时，她对他说，她知道，他不想进去的。他说，是的。于是他们告别，心里都清楚，作为一个男人和一个女人，命运送给他们的联结结束了。她转身要进院子时，他说：

"活着也不难。"他们大笑，互相摆摆手，道了再见。他没说自己的决定，来，为的就是这个。他握着晚报朝回家的方向走去，心里对自己说，等等再说也不迟。

第三十二章

　　听说动物彼此间了解闻闻味听听声音就行了，据说人们的相识交往高级多了。除了闻味儿，还有精神灵魂的交流，结果除了理解还有误解。人类因此骄傲，因为我们的世界复杂，所以多彩。有人推测，这是痛苦的根源。动物没有痛苦只有疼痛。

　　人类的复杂产生了对时间的要求，因此人通常而言活得比动物长，仅次于那些非养殖的乌龟和另外一些我们不认识的动物。谭定鱼从家里搬出之后，一个人住在一个两室的房子里，脑袋里想的都是类似古怪的事情。所以他没想到，第一个找上门来的居然是马副经理。

　　马副经理看出来了，自己和从前一样不受欢迎。但他们还是在这间偏冷的房间面对面坐了下来。他没问她要不要喝茶，好像喝茶会延长她滞留的时间。但他问她要不要一个毯子披到身上。她说不要，尽管她觉得冷，她担心他在嘲弄她。她穿了一件很薄的羊绒衫，可以把她捆绑之后的线条含蓄地体现出来。她是经过长时间考虑之后决定的，当然，她忘了考虑温度。她没想到谭总居然能住在一个十一月才来暖气的住宅里。她记得他过去的家，暖气来得总是比冬天早。

　　"你找我还有什么事？"他问得既不友好，也不是不友好。

　　"看你说的，谭总，闹矛盾归闹矛盾，我们毕竟这么多年共事。"马副经理说完这话，对自己非常不满意。想象中，她可以把

371

这句话说得更亲切。谭定鱼并没受任何打扰,他闷头抽烟,等着她继续说话。她看着眼前的人,到处找自己从前喜欢的正经、向上、认真甚至拘谨、整洁的谭总。她听说了谭定鱼的决定,再看眼前他破败的样子,怀疑跟他放弃权利有关。一个男人没权利接着就是没地位,然后是"没自己"。这一切必然马上表现到外表上。

"这屋子得好好收拾收拾。"她说,很想立刻开始这么干。她仍然爱这个人,哪怕他完全变成她丈夫那样的男人,什么都不突出,什么都没有。

"我已经收拾过了。"他冷淡地说。

"不过,一个人住还行。"她说。心里恐惧的是他会和什么人一起住,比如那个小秘书。她现在想起于水波,心里还是老大的不舒服。

"你会再搬家吗?"她问。心里期望他说,他只想一个人住。他可以永远不再和她往来,但只要他是一个人,她就像获救了一样。

"老马,你都不赚我的钱了,还管那么多事干吗?"

马副经理突然呜呜哭了起来。谭定鱼又点上一支烟,等待一切重新恢复刚才的正常,然后找机会打发她走。

"我知道你不爱听我这么说,可今天我必须说。"

"你说。"他不带任何感情色彩地说。

"我知道我不该总是盯着你,可是我做不到。我对你的感情也让我自己感到屈辱。我越爱你,你越烦我。我也知道你为什么烦,你从没给过我任何承诺,也没利用过我。因为这些,我特别尊重你,所以我无法放弃这感情。"她说到这里,用纸巾捂住了脸,尽情地哭了一会儿。谭定鱼没说话,心里空空,偶尔响起几声冷笑。

"你不用害怕,我不会再见你了。今天想把堵在心里的话都

爱情句号

说出来。"她用纸巾狠命地擤鼻子,恨不得把下一个月的鼻涕都擤干净。"我觉得老天爷恨我,让我爱上一个对我完全没感觉的人。"她说完又哭了,又继续擤鼻子。他依然无话,好像接话,无论说什么,都会掉进陷阱。

"一晃,我们一起工作了这么多年。我最后想说的就是,我有什么不对的地方,请你原谅。不管怎么说,我高兴跟你在一起工作。"她说完,他皱皱眉头。她心里立刻恐惧得不行,怕刚营造出的氛围消失,怕他把自己赶出去。于是,决定见好就收,告辞。

"我走了。"她站起来。"但有件事,我还是想跟你说。也许我这么说不对,也许你会反感我这么说,不管怎样,我还是说吧。"她铺垫得越来越厚,直到看见他再次皱起眉头,才把话说出口。"别跟小于好了,她会接着毁你的。"说完几大步走到房门口,回身看见谭定鱼在点头,心都不跳了。

"那我走了,你多保重。"他的点头给了她巨大的安慰。她伸手拉门时,心中充满了幸福感。这是她爱的男人第一次在工作以外的领域,对她的话表示首肯。

她拉开门,门外的冷风迎面扑过来,他轻轻关上了门,说等一下,他忘了一件事。

她估计她的心跳偷停了。

"你刚才说老天爷,我突然想,应该提醒你一下。尽管我不代表老天爷。"他说。"老天爷很公平,你知道吗?你爱上了一个对你没有感觉的人,就是因为你忽视了一个爱你的人。"

她惊讶地张着嘴。

"你别再傻了,除了你丈夫,别的男人跟你都没关系。这就是你的命,你应该认的。我见过你丈夫,挺好的人,不比你差,你还要什么呐?别再闹了,这么大年纪还让人背后议论,该收场了!"

373

马副经理哭了，无论她哭的理由如何，她哭得像个无助的小姑娘。她好不容易把自己擦干时，感谢他指点了她的命运，激起他一身鸡皮疙瘩。他一直无法忍受她的感激。但她接着问他，是不是也了然了自己的命运。

"当我明白我应该怎么做做什么的时候，对什么都没兴趣了，这就是我的命。"他说完笑笑，"满意了？"他发出了一个男人对女人的微笑，别的他做不到。如果换个女人在他面前难过成这个样子，他会做点什么，拍拍肩膀诸如此类的。忽然他觉得命运蛮残酷的，换个女人也不会这么死心塌地爱他。

"满意了。"她说完，推门出去，随手又把门关上了。从此，这个女人从他的生活中彻底消失了。他想走到窗口望她两眼，心里明白她不会再烦他了。但他走到屋中央的时候，碰到一把椅子，身子发沉，顺势就坐下了。点上一支烟以后，心里翻腾的都平息下去。

在丁冰追悼会短暂露面的大丫又匆匆地离开。她在机场打电话给丁欣羊说，所有你觉得奇怪的事情，等我们安静坐到一起的时候，我再详细给你解释。丁欣羊说，她不需要解释就能理解，毕竟大家朋友一场。但她想知道大丫怎么会突然出现在丁冰的葬礼上。

"丁冰去世的医院，我熟得不能再熟，你明白了？我只回来一天，因为有件事跟医院有关系，我听说后，多留了一天。"

"你真觉得你在外面的时候，不打电话，不通消息，很必要？"丁欣羊问。

"欣羊，我不知道是不是必要，但割断联系对我帮助很大，好多事情能想得透彻些，请你包涵我了。"大丫认真地说。丁欣羊说，应该把她留下的存折都兑现消费掉。

"我就知道你不会怪我。但我听朱大者说了你这段时间的情况,我自己挺内疚的。我欠你情,欣羊,如果我在,至少能起点作用。"大丫难过地说,丁欣羊调侃,想借此调节气氛。

"你不是说女朋友之间帮不上忙吗?"

"但我已经不是女的了。"大丫说到这里停顿了一下,"我得登机了。欣羊,不管怎么说,坚强些,我们永远都是最好的朋友。"

放下电话,丁欣羊在电话机旁坐了好长时间。她相信她说的话,因为这也是她想对大丫说的。人生得一知己足矣,安慰忽然压住了难过。她肚子饿了,在厨房给自己煮面条时,她又开始难过,不过不是为自己,而是为大丫,她一次都没问起大牛。她能想象大丫多想知道大牛的情况,而且她相信大丫不可能直接跟大牛联系。她关了火,吃面前拨通了邢姐家的电话。邢姐说大牛睡觉了。丁欣羊看看表,才晚上六点多。

大牛坐在封闭阳台上,他告诉邢姐不想接电话。

"你在那儿坐了快一天了,躺一会儿吧。"邢姐放下电话,第五次劝大牛。阳台上凉,大牛身旁开着一个电暖气。邢姐心疼电费,但她知道怎么说话,所以很少有让人感觉不舒服的时候。跟大牛在一起之后,她觉得自己从身体上变回了女人,比从前年轻时的感觉还好。因此,她伺候大牛也更尽心,愿意讨他喜欢。大牛今天的情形让她心里不舒服,她知道,他又在想大丫,所以她更努力掩饰自己的心烦。

天黑了,一颗星星也看不见。大牛等了一天太阳,有时云层已经薄得要露出太阳。最终,太阳没出来。他让邢姐帮他上床,并告诉她自己不想吃晚饭了。邢姐习惯了大牛的反复无常,也没多问。她说,等孩子补习回来,照顾他吃了饭,她也过来。

"今天天气不好,我也想早点儿睡。"她说。

"今天天儿的确不好,你跟你儿子挤挤,我想一个人睡,心里不舒服。"大牛说。

"不是心脏吧?"她知道这是必须忍受的,就像她知道如果不是心脏不舒服,所有心里的不舒服都能过去,或迟或早。她的"准则"维系着他们的生活。

午夜时,大牛还睁着眼睛。

但他心里在渐渐显露出一线光亮,如彻悟。总有这样的一天,人明白必须明白的。

大牛明白,自己开始变成真正的残疾人。

他听到丁冰自杀的消息时,最先出现的感觉是欣慰。他从自己的心望到了丁冰的心,看见摆脱最终需要的那样东西——勇气,他想不出,谁或者什么能带给丁冰如此的勇气。他为自己无法摆脱惭愧。有时,他觉得自己每天都在变化,变得软弱。他几乎能想象到那一天,他无法再主宰自己的精神,就像他现在主宰不了自己的双腿一样。

邢姐曾问他去不去参加追悼会,他坚决地说不去。到现在为止,还没人告诉他,大丫去了追悼会。

他给朱大者打电话,铃响三声之后,他想放下时,朱大者接了电话。

"你没睡啊?"大牛问。

"你应该问我有没有被你吵醒,绅士你是成不了了。"

"哪有坐轮椅的绅士?!"

"有爬在树上的子爵,肯定有站不起来的绅士。"

"你想进城吗?"大牛不理睬对方的玩笑,直奔主题。

"我已经发誓不再夜里进城,感觉不好。一件好事也没有。"

"说的对,如果我现在逼你来,也不是因为好事。"

"你没事吧?"

"我想我不会再有事了,你终于不用担心我了。"

"变化谁都有。"

"越变越不好。"大牛说。

"越变越好的,肯定有,但我见不着,你比我幸运?"

"你是悲观症,没资格讨论这个问题。说点儿别的。"

"你是不是失眠?"朱大者问。

"你才失眠呐！我是白天睡多了。"

"你小子开始不老实了。"

"那好,我问你一个老实的话题。你总是一个人,咋解决那事?"

"啥事儿?"朱大者装傻。

"你现在身边躺着人呐吧,怪不得不敢说话。"

"我身边躺着我的尸体。"朱大者说。

"你别说的那么恶心,那么哲学。我跟你说实在的,中央运动至少能解决男人的问题。"

"我没有男人问题。"

"你没病吧?"大牛为自己突然生发出的无聊兴奋起来。

"你是说我那玩意儿是不是废了?"

"废了?"

"真废了,就好了。我就彻底透了。"

"那你怎么办?"

"我认识几个姐儿,跟我挺好的。交易一直很顺利。"

"真有你的。"

"小鸡儿不撒尿,各有各的道儿。"

"我操,有你的,哥们儿。"大牛心情好起来,"丁欣羊跟别人了?"

"不归我管了。"

"我要是你就去问问。"

"还好,你不是我。如果你是我,你会更难受。"朱大者说完,大牛没有接话。"不过,前两天,我还是去看她了,她姐的事对她刺激太大。"

"有没有戏？"

"对我来说，她跟我好，或者对我彻底死心，都差不多。"

"哪一个，你都无所谓？"

"不是无所谓，是都行。"

"那还不是他妈的一样？"大牛提高了声音，"你绝对是害人精，下地狱去吧。"

"我会去的。"

"天快亮了。"大牛说。

"能睡了？"

"行了，不说了，我把老邢喊过来干一阵儿，你操你自己吧。"

"中。"朱大者放下电话，从裤兜里掏出一枚一元的硬币，翻来覆去看了看，最后并没把它抛出去，好像它是一枚重要的色子，可以决定他的余生。

传来老牧结婚的消息时，人们已经穿上了最厚的衣服，心里好像也因此增加几分安全感。一个周末丁欣羊和田如一起逛街。田如说，她喜欢穿厚羽绒服，像一个温暖的男人在拥抱你，而且可以像你希望得那么长久。这时，丁欣羊说，老牧结婚了。

田如停住脚步，看着丁欣羊，好像她必须对此做出解释。

"看我干吗，他没跟我结婚。"

"跟谁？"

"一个在日本认识的荷兰人。"

"我问的是男的女的。"

"当然是前者。他要是跟一个女的，那不是走回头路吗？！"

"很讽刺。"田如若有所思，重新挽起丁欣羊的胳膊向前走。

"对谁很讽刺？"

"对大姜。"

"何止讽刺！"丁欣羊说到这里看见橱窗里摆了一件超厚的羽绒服，便摇晃田如动员她买。"你买这件超厚的，下辈子的温暖都够了。"

"你居然敢讽刺我，要不是看你前段时间经历太苦难，我就不客气了。"田如开玩笑说，突然转了口气，严肃地说，"我特别同情大姜，甚至有点恨老牧了。"

"能理解。你和刘岸怎么样了？"丁欣羊不愿继续谈这个话题，否则她会联想到大牛，最近一段时间，她努力避免难过。

田如说，她需要好好想想，春天前她不做任何决定。

"别太心狠。"丁欣羊说。

"心疼你过去的丈夫了？"

"怎么会，我还指望你给我复仇呐。"

"心里话？"田如站住认真地问。"我替你做了。"

"你疯了，什么做了做了的，你以为你是黑社会大佬啊?!"

"你跟我说真心话！"田如忽然无比认真起来。"你现在对刘岸的感觉是什么？"

"如果我说的真心话不是你希望听的，你也相信它是真心话？"丁欣羊差点没说清楚。

"别绕了，我相信。"

"一个熟人，如果保持晚节，我还会尊重他，没有性别的意义。全部！"

"胡说！"田如说着推搡丁欣羊，"他刚回来时，你还跟他上床呐。"

"你问的不是现在吗？时间除了改变大自然，也改变我，懂了，所以我才有救。"丁欣羊大声说，经过她们的一个男人看了她们一眼，被田如回瞪了一眼。"那时候，一是我太孤独；二是我还太幼稚，心里是摇摆的，不知道自己要什么，经常是先犯错误再改正，结果是在原地打转儿。"

"现在你知道要什么了?"丁欣羊点头。"经历了这么多事,我觉得我已经老了,好像还没成熟直接就老了。"田如没说什么,她接着说,"不仅跟刘岸上床这样的事我不会做,跟朱大者我也不会,跟……"

"好了,你别给我列黑名单了,你想把自己赶尽杀绝啊?"田如打断她,"跟他们你什么都不做了,就剩一夜情了,你行吗?"

"也许。"

"我的天,你进步真快。一步到位哎。"

"我只是不会再做不清不楚的事,烦。如果有一天我没力量改变,就惨了。我不想变成一个自己对自己不满意的老人。丁冰如果能改变,我想就不至于到那一步。反正,我想了好多,希望想法变化也能带来实际的变化。"

田如静了静,没说什么,然后问丁欣羊她们能不能去她家里坐会儿。

"你不是没时间吗?"丁欣羊反问她。

她们半躺半靠坐在丁欣羊家沙发上,田如说,她一直想劝丁欣羊先打个经济基础或者射下个能养你的男人,然后再考虑晚年也不迟,浪漫的,进步的,悠闲的,高雅的,所有所有的都是可能的,如果你有饭吃。

"假如保障你饭碗的那个男人每天气你,可能都活不到晚年。"丁欣羊苦笑一下。

"有道理。"田如接着问,蒙蒙是不是走了,有没有向丁欣羊道歉。后者摇摇头,田如说,"她像谁,心很绝。"

"也许现在年轻人都这样思考。"丁欣羊想了想又说,"但我能理解她的感受,她一直亲近她爸爸,所以觉得这做法对她爸爸不公平。我什么都能理解,但还是受不了她当我面那样说话。我有我的角度,就像她有她的一样。我无所谓,以后反正也不会再有什么过多的走动。"

"有时，我想，我们活着的人，是不是应该向那些怀着怨恨死去的人道歉，因为这世界在他们活着的时候没有好好地待他们。"

"也许。可惜，我不知道丁冰走的时候是什么样的心境。我不相信她能怨恨。平时，她很收敛，凡事宁可苦自己也不愿打扰别人。"

老牧结婚的消息继续被传播着。很多人听了，笑笑，过后就忘了。可惜，大牛却做不到这点。出事后躺在病床上的那些日子里，身体的虚弱几乎消灭了他内心所有愤怒的萌芽。他听到老牧的消息之后，心里折腾得要命，好几天一直转着跟大姜见个面的念头。最后他还是鼓足勇气给大姜打了电话。既然无法驱赶这念头，就应该这么做。

他自报姓名，然后问对方是否听说过自己是否还有印象。对方立刻说，当然，当然。还没等大牛往下说，大姜爽快地说：

"多奇怪，我也一直想给你打个电话，我们见个面吧。"

"好啊。"大牛问对方的时间，然后说自己总有时间。

"我也有时间。"

"你的店呐？"

"没事儿，一点儿事儿都没有。"

他们约好第二天见面的时间，大牛放下了电话，心里一阵畅快，喊老邢喝酒。

大姜来了，拎着一个小型旅行袋，里面装满了各种卤制熏制的肉食。邢姐高兴地接过这些东西，实在地承认，这够他们吃一个星期的。大姜窘迫地告诉他们，这些东西可以在冰箱里存一段时间的。为了交代这个，腼腆的大姜弄了个大红脸。这给大牛留下了深刻的印象，他想起自己开车送老牧去机场的情形，忽然觉得老天作弄人，把如此不同的两个男人拴到一处。

寒暄终于过去,邢姐摆好酒菜关上房门,和大姜面对面坐好,大牛心里属于男人的某种感觉苏醒了,喝酒,说痛快话,谈点儿只跟男人有关的话题。他搓搓手,立刻给大姜倒酒。

"干。"他举杯敬大姜,大姜说谢谢,自己先干了。大牛也干了杯中酒,两个人内心的亲近感通过酒到了嘴上;通过时间保持了下去。

"哥们儿,你这腿再没希望了?"大姜实在地问。

大牛摇头。大姜难过地看别处。

"你怎么样?"大牛继续倒酒。

"就这样了。"

大牛点头。

"已经有了这么大的问题,小问题就不是问题了。"

"是啊。"大牛劝酒,"咱俩差不多,都太平了。"

"大牛,我先干了。以后,你有什么事,只要我办到的,二话没有,你的事儿就是我的事儿。"

"你千万别这样。"大牛把"客气"两个字儿省了,大姜愣了一下,突然笑了起来。这时,大牛也反应过来,两个人都笑了。

接着,他们谈足球。从眼前国家队的教练谈到辽宁当年输掉十连贯;然后从汽车堵车谈到第一批买摩托的人已经有多少不在了;然后,两个人同时说,喝酒喝酒,干干干!!! 喝了几轮之后,话题又转回到辽宁足球。

"最后输的那场,我赶上了。从球场出来,光我就看见好几个老爷们儿哭了。"大姜说着又喝了一大口白酒,"那滋味真他妈的不好受,心像死了一样,没指望了,没劲了。"

"我太知道了!"大牛说了一句不完整的话,两个人立刻碰杯。

"心这东西挺奇怪的,死一回还能死一回,好像能死好几回。"大姜的醉意出来了。

"假死。"大牛打趣地说,"干。"

"假死几回,就真死了。心死以后它就简单了,光跳不再想别的了。"大姜说。

"你真哲学。"大牛忘了劝酒,只顾一个人干杯。每当大姜看见大牛干了一杯,自己便立刻跟上。

"心死几回,我们就毕业了。"大牛的舌头不灵了。

"从哪儿毕业啊?"大姜带着醉意却问得真诚。

"从活着这儿。"大牛含混地说,"毕业了,然后就该死了,真死,不光是心死。活着,死了,像穿过了一条小胡同,也没看见啥,你说呐?"

"就是,一条短胡同。我老婆几步就走出去了。"

"丁冰不一样吗?!"

"比我们强。"

"谁说的,我们不是在喝酒吗!"

"就是,就是,喝!"

他们完全喝醉了,之前之后都没提老牧大丫,也没提他们现在的生活,好像他们即使喝醉,也上着保险,不会让自己撞上那些伤痛。为了让它们过去,他们每天付着疼痛的代价,直到有一天付清之后,他们才会获得解放。

喝到最后,他们完全醉了。大牛歪斜在轮椅里,大姜趴在饭桌上。邢姐和儿子一起,把他们安置到床上,沙发上,把他们吃剩的东西放到冰箱里,然后关了房间的灯。她挤到儿子的房间里,临睡前,正儿八经地对自己的儿子说:

"都看见了,千万别学他们的样儿。"

"他们怎么了?"

"都是倒霉蛋儿,玩把戏的时候动真心了,结果不是把老婆就是把自己赔进去了。"儿子没说什么,邢姐又补充说,"让女人给伤了,最后什么都没捞到,就给踢出来了。"

"玩什么把戏?"儿子带着睡意问了一句。

"你爱我,我爱你,除了这套把戏,还有什么把戏能把人伤到这分上。"

儿子好像睡了。邢姐仍然不放心地嘱咐了一句:

"以后,你可要小心。"

第三十三章

　　老了的时候我想结婚,跟一个我认识的人。

　　谭定鱼被放出来之后,于水波做出决定,无论怎样都跟谭定鱼留在一起。在后者还没从家里搬出来的时候,她拼命打电话,但是联系不上他。他的手机关着,不上班,家里接电话的永远不是他。就在这时,她听说谭定鱼从家里搬出来而且辞去了公司的职务。她顿时恍然,为他的沉默找到了妥帖的解释:他还在恨她,不想面对她! 但是,他爱她,终于为了她离开了家!

　　那之后,她不再着急打听谭定鱼新住处的地址,她相信爱情的力量不仅能帮她找到他,还能让他们实现梦想,最终生活在一起,永远不分开。

　　新工作一切都还顺利,她从宜家买了两件新家具,皮制的单人沙发和一盏落地灯。她把它们摆到窗前,想象着暂时不上班的谭总白天坐在上面看报纸,晚上就着灯光打盹儿。她不止一次下决心,无论以后谭定鱼老成什么样,无论他们的年龄差距在今后的日子里多么明显,她都能好好照顾他,让自己因此成为一个平凡幸福的女人。她停止联系谭定鱼的这段时间里,把精力都放到了装饰房间上,户头快出现赤字时领到新发的工资,她的感觉好到了极点,比她躺在谭定鱼怀里说情话时还好很多。

　　爱情是女人的上帝。她已经这么相信,同时相信爱情的美好是无可比拟的。

　　作为作者,谁可能都不忍心把这种状态下的于水波送到谭

定鱼的眼前。但是,于水波开始找他,走的居然是条捷径:找到丁欣羊,要到马副经理的电话,然后找上门去,开门见山地说:

"如果她不说出来谭定鱼的住处,她就……"没等她把自己想好的恐吓说出来,马副经理已经在一个纸条上写好了地址递过来。于水波吃惊得没敢马上接,她怀疑地看着面前的女人,心往下沉,一个古怪的念头出现在她脑海里。

"他没事吧?"于水波低声问。

"我就见过他一次,还是因为过去公司遗留的一点问题,而且已经是好久以前的事了。最近他如何,我就不知道了。"马副经理的阴阳怪气的本领无人能超赶。于水波嘴上道谢,心里想,眼前咽下的这口气以后一定吐出来,不管怎样她都要报复这个丑陋的女人,因为她也爱自己爱的人,还因为她对她从未友好过,一次也没有。

发生一件大事儿之前,当事人往往注意不到周围的一切,比如天气,大街上的状态,路上经过的行人等等。但他们能在事情过后真切地回忆这一切。于水波已经变成另一个女人之后,她几次回忆起,她去看望谭定鱼那天下午的情形。在连着几个阴天之后,太阳出来了,大街上的行人似乎也比往常多一些,有几分喜庆的气氛,虽然离春节还有一段时间。在她后来的回忆中,她能看见自己穿着新买的深绿色的羽绒大衣,提前一站下了大巴,步行朝谭定鱼住处走去。大衣下面是呢子短裙和单丝袜,加上紧身的毛衣,她一路上的想象都围绕着,如何在他面前脱下蓬蓬的羽绒大衣,如何在那之后展露苗条身材,如何把性感稍做掩饰,为的是让它更凸现。她相信,从看守所出来之后的谭总不可能跟他的妻子睡觉;她还相信,他不会马上对她做出亲热的举动……她从没像现在这么有把握,相信自己能应付一切,包括可怕的局面。寒风从大衣的下摆飘进来,惹起一阵又一阵鸡皮疙瘩,她心里仍然充满欲望。这之前的两个晚上,她躺在床上想象和他重逢的情形,如何抱住他,如何亲吻他,如何引逗他,如何让他生气狂野,如何让他在做爱时把他心里对她的怨恨化解掉……她被自己的想象烧灼得无法入睡,一直处在准性高潮的状态下。从她了解男女风情到跟男人有了性,从未有过如此强烈的欲望。她甚至能在黑暗的空气中看见自己噘嘴要亲吻的样子,看见自己沉醉性事中眼神的迷茫。她想的越多,便出现更多的细节,渐渐她发现,对性的想象遮蔽了她心中神圣的爱情。她珍视爱情,她从爱情中获得的感觉是无价之宝,她要保持它的纯洁,最后用自慰了结这焦灼。

当她终于站到谭定鱼面前时,所有设想过的细节和场面都没出现。有好长时间,她连大衣都脱不下,因为谭定鱼根本没请她坐下更谈不上脱大衣了。他们面对面站着,于水波的感觉是对方在等自己开口告辞,泪水冲撞着她,但她居然把它们忍了下去。她在心里发誓,自己决不先开口。

谭定鱼就近坐到了一把椅子上,继续不解地看着他从前的秘书兼情人。于水波自己走到另一个椅子跟前,坐下前考虑了一下,要不要脱掉大衣。最后,她穿着大衣坐下了,心里的寒冷让她不停地发抖。

然后他们面对面坐着,看对方或者不看对方,谁都不说话,仿佛空气中漂浮着一个需要认领的错误,它会落在先开口的人身上。年长的人也许在想,我没请你来。年轻的人也许在想,你为什么要这样对我,难道你看不见我对你的爱情吗?在这样的较量中,输掉的将是于水波,因为她只是他的情人而非女儿。绝大多数中年男人通过各式各样的情感洗礼,成熟得不能再成熟,只有他们的女儿还能抓到他们的软肋。对此,年轻的于水波把自己估计高了。当她意识到这一点时,鼓舞的姿态泄了。

"你并不想看到我。"她终于坚持不住,说话了。谭定鱼看看她,没有说话。

"我想,我得先向你道歉。"事先她想过这个问题,但她觉得她不是必须道歉,她可以通过别的举动把道歉的必要掩饰过去。

他仍然沉默。

"请你原谅我,我还是太爱你了,无法想象跟你分开。"

他开始抽烟,依旧沉默着,好像这是他达到目的的手段。但他似乎还不想公开自己的目的。

于水波站起来脱下大衣,走近谭定鱼。他没有躲闪,但也没有慌乱和不安,夹着烟的那只手往旁边伸伸。

"你别这样对我,好吗?"她语调中的女性柔媚首先让她自己感觉好些。他又抽了一口烟。她坐到他的大腿上,像从前经常发生的那样,他一动不动。她搂住他的脖子,拥抱他,他不接受也不拒绝。她亲吻他的脖颈,他又抽一口烟。她转向亲吻他的嘴,他扭头去吸烟。

"你到底怎么了?"她带着哭腔。

他看着什么又像什么都没看,脸上的表情没有任何变化。

"你到底怎么了?"她摇晃着他,他脸上开始松弛的肉也晃了晃。他的老相提醒了她。她说:

"我知道我伤了你,对不起,但我已经下了决心,一辈子跟你在一起,不管你怎么样,我都不会再离开你,难道你真的不能原谅我吗?! 你不爱我了吗?"

他扭身费劲地掐灭了手中的烟,没有把于水波推下去,也没有回答她的话,好像他什么都没听见,永远也听不见了。这时,她从他的平静中看到了绝望,心里充满难过和自责。她温柔地抚摩他的脸,轻轻亲吻他的嘴唇,她含着泪,捧着他的脸……他呆坐着没有任何回应。他皮肤的质感,他的气味忽然唤起了她的情欲。她把手伸到他的衣服下面,抚摩他光滑的身体。她从他的腿上滑下来,用手去抚弄他!

无论什么都没有反应。

她好像被弹开了,仿佛触到了强电上。这一刻里,她感到的屈辱几乎窒息了她,想哭,哭不出来。她发呆地看着他,好半天才流泪,流泪之后,她才能说话。

"我太傻了。"她说。他听完又点了一支烟。

"你在报复我是吗?"这句话她说的很轻,好像还在期待他能有所反应。

他没有任何反应。

"你倒是说话啊?!"她再也忍不住了,大喊了一声。但他不说话。

"你为什么侮辱我?"

他不说话。从他的沉默中,她读到的是,是你自己在侮辱自己。于是,她更加愤怒。

"我恨你,我决不原谅你,我会永远诅咒你。我希望你死了。"在没有任何准备的情况下,词语把她的愤怒淋漓地表达出来。

"亲爱的谭总,你肯定搞错了,你以为你是谁啊,你搞错了。就像别人说的那样,你只不过是个高级流氓。"她有些语无伦次。

谭定鱼把抽了一半的烟掐灭,起身在旁边的抽屉里拿出一个东西,攥在手里,走近于水波。她还想说更狠的话,正在找词儿,被他的举动吓住了。他拉起她的手,把她扯近自己,然后把自己手里的东西拍到了她的掌心。她低头看了一眼,是一张银行卡。

"密码是你的生日,日月然后重复一遍。"这是她进门以来,他说的第一句话,看上去也是最后一句。他说完就把她往门口带。

"你放开我。"她更加愤怒,挣开后把卡举到他的眼前。

"你能告诉我,我值多少钱吗?"她气得发抖,"你以为这就是我来找你的目的,是吗?"她越说越气,"有钱的感觉太好了,是吗？"说着，她把卡撇到了他的脸上，像过去电影里表现尊严的标准动作。"你为什么要侮辱我，为什么？"

"因为不想让你以后再被别人侮辱！"他说，声音平静。

她愣了。

"拿着这张卡，离开这里，找个地方去上几年学，然后找个安稳的工作，好好生活。"他说话时没有流露任何感情色彩，于水波被镇住了。

"如果你现在不拿，我也会想办法把它交到你手上。如果你想去国外两年，这钱也够。别再啰嗦了，拿着，你走吧。"

于水波的情绪被谭定鱼的冷静和由此而来的陌生控制了。朦胧中她感到，他们的关系发生了变化。她眼前拿着银行卡的人是她的师长，正在像她曾经希望的那样指引她走一条合适的人生之路。只是那张赤裸裸的银行卡打扰了她此时此刻庄严的感觉。

"条件是我从你的生活中永远消失，不再打扰你和睦的家庭生活，不再烦你，是吗？"她在对那张银行卡说话。

"条件是你不许再跟中年男人混，离开你现在陷进去的地方，好好学习尊重自己，重新开始生活。找丈夫还是找情人，找跟自己合适的。你走吧。"

于水波崩溃了。她不知道自己那之后是不是哭了，不知道自己是不是被鼓舞了，不知道自己是不是被指引了，不知道自己是幸福还是难过，不知道自己心中对这个男人的爱情是不是升华了，是不是永恒了……她只知道，她再也见不到他了，永远。他现在的样子就是留给她的最后的样子，他将永远这样，他在她眼前死了。

她从没如此清楚地看见过自己，清晰地看见自己掩埋着的人生愿望，自己究竟想要的是什么，自己实际上是怎样的。她觉得身体变得越来越沉，仿佛也死去了。同时，她感到心里在诞生一个新的东西，带着光亮，带着温暖。她穿上大衣，艰难地挪动每一步，走近他。他把银行卡装进她的大衣兜里，重复了一遍密码，然后看着她。她点点头，表示自己接受他的馈赠。她想拥抱他，作为最后的一次，但她没动。他也没动。

她走到门口，他跟在她身后。他先开了口。

"再见了，多保重。"口气平静。

"再见。"她拉开门，突然回身问他，"关于我们的过去，你能说句话吗？"

"你改变了我的生活。"他依旧很平静，仿佛他改变之后的生活只有平静。

她点头，最后看了他一眼，离开了。

于水波彻底离开我们的故事之前，去了银行。她对窗口的女服务员说，把卡上的钱全部存成定期。

"几年？"

"二十年。"说完，她把自己的生日作为密码输入了两次，知道自己正在用的就是这笔钱的价值。

再见，小于，一切顺利。

大丫终于回来了，站到丁欣羊的面前。她说，我回来，完全彻底地回来了。

"我还以为一小时以后你还得起飞呐。"丁欣羊悠悠地说，好像她们昨天还见过。

"像玛丽·波平阿姨一样，回来了。"大丫强调地说。《玛丽·波平阿姨回来了》是她们共同读过的一本英国儿童书。丁欣羊笑笑，忽然被唤起的温暖回忆感动了她。那时她们还年轻，只有那时她们才能共同读本儿童书。

"你不说，我都忘了。"大丫回来，丁欣羊觉得自己生活的一部分立刻正常了。

"你看上去好些了。"大丫坐下之后说。

"先不说我，你现在坦白还是过后？"

"过后是什么时候？"

"比如每个礼拜你请我吃顿饭，一点一点地坦白，还可以把感受加进去。我们可以把它看成是一个项目，最长期限一年，最短三个月……"

"行，我服你了，欣羊。我没什么好坦白的，但我可以请你吃饭，直到你吃腻。"

"什么叫没什么好坦白的，你音讯皆无，干什么能让你藏这么久？你去印度苦修了？"

"差不多。我从五台山去了厦门，在那儿我碰到了艾录。她教我唱歌弹吉他。"

"那人男的女的？"

"女的。"

"不是同性恋吧？"

"你受刺激了。"

"的确是。你不是会弹吉他吗？"

"现在的水平远非当年能比。"

"那人干吗的？"

"什么时候我介绍你们认识，然后你让她自己向你坦白。现在我跟你说另一件事，你坐稳，别吓坏了。"

丁欣羊皱皱眉头。

"两个星期后的星期六晚上，在'升起'酒吧，我有个演唱会……"

"你有个什么？"丁欣羊仍然坐着，但很惊奇。

"演唱会。"大丫认真地说。"该通知的我都通知了。八点开始，但你得早来。之前我得排练，所以不知道什么时候有时间，反正我们打电话联系,如果你有空就过来,先和艾录认识认识。"

"好的。"丁欣羊的应诺带出了一个长长的尾音,她似乎看见发生了那么多事之后,几乎每个人都有改变,但只有大丫一个人往高处去了。活的面貌清新昂扬。她为那些留在原地的人沮丧,主要是为自己。

"有需要我帮忙的,你肯定不会客气。"丁欣羊说着,把大丫的银行存折交给她。"不够我还有。"

"肯定够了,我在厦门时,帮艾录打工,教吉他,有积蓄的。"

"大丫,我这么说,你别笑我。我真的为你高兴。一方面,我嫉妒你的勇气,另一方面,我高兴你是我的朋友,这样我可以为什么人骄傲一把。"

"别光看我现在的这一面,时间长着呐,你很快会看见另外的阴暗面。人很难真正地改变,能做点样式的改变已经不容易。"

大丫离开后,丁欣羊想,哪怕只是样式的改变,她仍然不知道,哪些样式真正适合自己。她没有动力。她甚至羡慕大丫曾经经历的剧烈的痛苦,连这么负面的动力她也没有。她的生活既不是水也不是火,是一团说不清楚的模糊。

面对持续一段时间的夫妻冷战,刘岸希望通过时间缓解,进而达到解决的目的。渐渐地,他发现这并不是上策,因为田如既没有冲动也没有愤怒,她每天呈现给他的就是平静冷淡的表情。他开始担心,这将成为他后半生的生活常态。他向田如提议,让保姆带孩子去姥姥家住一段,他们好好谈谈,然后决定分开还是留在一起。

田如没有反对,但提议说,先谈分开还是不分开,然后再谈问题。刘岸听了她的话,觉得很受刺激。做提议的时候,嘴上提到了分开,心里却没想过这种可能。看着田如一天比一天冷静的反应,他意识到事情比自己想的严重。

孩子和保姆刚走,电话就响了。田如听到大丫开始留言时,便抓起了听筒。

她们简短但亲切地聊了几句,田如放下电话后,对刘岸说,大丫通知他们,她演唱会的地点日期。

“谁开演唱会?”刘岸问。

“大丫本人。”田如说话的口吻,惹得刘岸更不高兴。

“我还以为你同意送走孩子,是想跟我好好谈谈呐。”

“我是这么想的。”说完,微笑地看着他。他没说什么,心里不舒服。

“我答应大丫去听她的演唱会。”田如说。

“你们好像很熟了?”他问她。他不喜欢田如跟那些颇有个性女人间的默契,因为这正是他希望跟某些女人建立的东西。

“会很熟的,大丫挺不错的,值得交往。”

“你好像突然很高兴。”

“是啊。”田如坦率地说,“女人间良好的交往可以纠正婚姻的瘸腿。”

“哼!”刘岸并不赏识田如的幽默,但他知道谈话的气氛被破坏了。

“你不高兴吗? 如果我不总赖在你一个人身上,你就会有空间,有时间,有空气啊。”

“我好像已经没权利谈高兴不高兴了,希望你别在岔路上走太远。”

“你是在向我介绍经验吗?”田如的话把刘岸搞得格外恼火。

“我是男人。”

“你想告诉我,只有男人才会玩儿,是吗?”田如尖刻地说。“那些被女人玩得乱转的男人我也见过。”

“我好像不认识你了。”

"说对了。人都是可以变的。当我发现你并不认可我的时候，我干吗还像从前那么认可你。谁都不是无懈可击的，爱护是互相的。在你指责我之前，看看你自己的所作所为。"

　　刘岸吃惊地看着田如，说不出话。田如从他的眼神里看到了悔意：如果他早知道她是这样的女人，绝不会结婚的。她把这句话留在了肚子里，不想在互相伤害的时候走太远。她的信条是，伤害别人也是伤害自己。

　　"看我干吗?"田如想结束吵架。

　　"你让我觉得陌生。"刘岸说。

　　"可惜，陌生得不够。"田如不想吵架，但嘴上还刹不住车。

　　刘岸摔门离开了家。

　　田如一个人站在镜子前，眼泪流了下来。她心疼刘岸，后悔那样伤害他。她问镜子里的自己，能否决定重新开始时，恐惧露出狰狞的面孔。争吵前的冷静重新罩住她。

　　刘岸开车在街上瞎逛，一时没有去处。新近的这次外遇，连他自己都说不清为什么。田如发现后，他认真地想过动机原因等等，结果是哪种原因都缺乏说服力，包括对他自己，听上去都像是借口。

　　"也许我就是个坏东西吧。"他曾经这么想过，最后也没得到认可。他不想伤害田如，甚至丁欣羊；他更不想为外遇付任何代价，但每当他看到可能性的时候，便身不由己。他停车，顺着一条小街走了一段，觉得很冷，便又返回车里。他想跟丁欣羊聊聊，但立刻打消了念头，提醒自己，前妻只是一个称谓，不能这样利用，否则总有一天吃不了兜着走。他扭头看车窗外的幼儿园，孩子们都被接走了，幼儿园里的秋千滑梯闲在那里，很像他眼前的心情。有一天，粘粘也得上幼儿园，那时，我快五十岁了。他又想起回来后见到丁欣羊的那个晚上。那时，他经历的所有的折腾,感情上的,工作上的,耗尽了精力体力,只想安顿下来,所以他向丁欣羊提出复婚的要求。老天送来的是田如,对此,他一点抱怨都没有。田如让他安顿下来让他平静下来,给他们的生活带来了温馨。结婚时他发誓,绝不伤害她,跟她好好生活,白头偕老。但生活和一天天过日子似乎是两码事……他打断自己的思路,不想再给自己理由。他决定挽回局面,保住老婆儿子,他不想让自己的后半生在悔恨中度过。

他用手机拨了一个号码,对方马上接了电话。

"是你,怎么这么久没给我打电话?"

"对不起了,恐怕这也是最后一次给你打电话了。"刘岸想把话说得很清楚很决绝,但还是带出"恐怕"的字眼儿。

"懂了。你老婆发现了?"他突然反感她说话的态度,心想,就是田如不原谅他,离开他,他也不想再跟这个女人有任何瓜葛。

"我不想谈这些。我们做个了结,你看是见个面,吃个饭,还是电话里谈?"

"你来我家吧。"

"我不去。"他不含糊了。

"明白了,你是个胆小鬼,不配做男人的。老天爷搞错了,让你占了便宜。"

"谢谢你的帮忙。"

"去死吧。"

"好的。"刘岸收起手机,忽然觉得死可能比活着好,不用经常这么尴尬。他忘了自己经历了多少次相似的窘境,每次过后,心里清楚得很,他不想这样做,他也不要这样做,但没妨碍下一次再做。这么想的时候,他厌恶自己。

"去死吧!"他对自己说,像自慰。

第三十四章

　　难过的事情发生之后，有人从此跌倒，倒霉的话再也找不到爬起来的机会。而幸运的不仅可以重新站起来，还可以飞跃。后者喜欢宣布懂生活了，可惜，常见的是他们比从前懂得更少了。

　　丁欣羊的状态介于两者之间，常常是刚有爬起来的感觉，很快被对自己的新了解击倒。她最大的变化就是对一件事不再那么有把握：自己是什么样的人。

　　时间减弱了难过的质感，但她想得更多，好在她没有目的，不是必须想清楚哪件事，就是瞎想。瞎想造成的结果是无论她跟什么人谈话，很快就能进入归纳阶段。前不久，一个多年不见的大学同学打电话约她见面叙旧。她们的话题刚展开没多久，就扯到了女人的身上。那女人说：

　　"真正强大的女人对男人说，哦，亲爱的，没有你我什么都干不了，没有你我怎么活啊？"

　　"现在还有女人这么说话吗？ 不丢面子吗？"丁欣羊发现她的这位大学同学比她见识多。

　　"表达方式可能有些变化，不过，换汤不换药。"

　　"你还是那么爽朗。"丁欣羊感慨地说，她的同学说，也许就剩爽朗了。

　　"那不是挺好吗？"

　　"好什么啊，你要是离了两次婚，就知道是怎么回事了。"她说完问丁欣羊怎么样,"我出差前看大学时的照片,就想找到你,看看当年沉默不语的丁欣羊如今过的如何。"

"很失败。"丁欣羊老实地说了自己的现状,说了丁冰的事,对方劝她别那么难过。

"凡事往开处想,这差不多是惟一的办法了。"

"听起来挺无奈的。"丁欣羊说。

"总比生气得癌强啊。"她说,"我一个女朋友,丈夫有了外遇,她气得要死,发誓不离婚。但那个情人比她高明多了,跟她丈夫说,我爱你,没你我活不了,如果你不离婚,我就自杀。"说到这里她拉拉丁欣羊的手,凑近说,"结果,离婚了。那男的告诉我女朋友,他不想离婚,但他不想背条人命过日子。离婚半天,我女朋友查出子宫癌,全摘除了。"

类似的故事,丁欣羊听过很多次,今天却像第一次听说。她离开同学,回想她最后说的话,相信我的判断,这样的女人永远都不会自杀,她们都是赢家。

丁冰却自杀了,同样是个女人,她甚至输掉了性命。丁欣羊回家的路上因为想到了丁冰,想顺路去看看白中。

再次看到白中,她觉得他一下老了很多。

"你还好吧?"她问。

他无所谓地笑笑。两个人坐了一会儿,都不知道该说什么。

"蒙蒙临走时让我给你捎个话儿,她说,那天她太难过,说话没多加考虑。"白中为女儿解释得很诚恳,可丁欣羊并不相信这是蒙蒙要说的话。

"好在她独立了,不然……"白中继续说着。丁欣羊发现自己没听见他接下来说的话,思路还停在刚才的话题上,她给自己提出了问题:为什么我不相信姐夫的话? 她抬头看着姐夫,他还在说着关于蒙蒙的话。

"她在那边也不容易,不过,学出来以后就好了,至少能找到个好工作。"他像睡着了一样安宁。

"依我对蒙蒙的了解，她不会让你替她解释。"丁欣羊突然打断白中的话，直接说出了心里的想法。白中愣了一下，很快便发现自己失态，慌忙中用个苦笑掩饰起来。

"看你说的，看来你被她伤得不轻。"白中说话时，眼睛没看丁欣羊，虽然话是针对她说的。丁欣羊胡乱说个理由告辞出来。大街上，她心慌得很，一种强烈确切的感觉控制了她：白中撒谎。

她路过丁冰家附近的台湾快餐店时，想起他们曾经一起在这里喝过豆浆，便走了进去。店里热烘烘的让她感觉好些，她要了豆浆和油条，在靠近窗口的地方坐下了。看着眼前的东西，却一口都吃不下。她拼命回忆跟姐夫交往过程中值得怀疑的细节，发现他们的交往少得可怜。几乎每次见到他，都是跟家庭在一起，她也从没想过要观察他。丁冰过去的生活在她眼前变得雾蒙蒙的，已经出现的预感再也没离开她。她买了几本涉及自杀的心理学书，看到一个说法：多次尝试自杀的人，杀死自己的危险并不比其他人大，尝试自杀只是他们想引起别人注意得到帮助的信号。这时，她突然想起一个细节：在她和朱大者帮助白中整理遗物时，电话响了几次，白中都没接。

那之后，丁欣羊除了工作，就是翻来覆去想这件事，想的越多怀疑越多，最后，她觉得自己必须做点什么，哪怕仅仅为了消除怀疑！于是，连着两个周末，她想办法跟踪了白中。当她打车第二次跟踪他到城南一片新开发的住宅小区时，她被不好的预感攫住了。

白中因为妻子去世，无法一个人排解难过，去看过去的好朋友……各种可能性不停地涌进她的脑海，停留下的只有一个：白中拜访的是个女人，一个无论她还是丁冰都不知道的女人。

接下来，她需要做的就是去证实。但她害怕证实。她考虑过，是不是给大丫或者朱大者打电话，但她都没做。她觉得自己被一个秘密紧紧缠住了,一睁开眼睛,脑子里不停出现新想法,然后再由她去否定它们。一天下午,她离开办公室,决定查实这件事。

丁欣羊坐在车里,看窗外的景象,想起小时候学的成语——熙熙攘攘。它那么具体同时又那么抽象,每个行人都是有名有姓的,但对擦肩而过的彼此,没人是具体的。匆匆把生活变得简单,有一天,人们也许会取消固定的关系,于是每个陌生的人又都是熟悉的,就像反过来一样。如果真的这样了,痛苦会少些吧?这么想想,缓解了她的紧张。

她来到那片住宅区,每幢楼都是六层四个门,除了颜色不同一切都相同。两排楼之间是花坛和刚刚种下的小树,冬天,它们完全失去了装饰意义。但还是有几个老太太站在那里聊天,晒太阳。她还记得,那天她们也在,白中经过时,并没有引起她们特别的注意。对丁欣羊来说,这说明他常来这里。她当时记下了楼号,也从远处看见白中进的楼门。她走近老太太们,跟她们搭话。经过一番询问,丁欣羊搞清楚了基本情况,这里虽然是新区,但有几幢楼住的都是动迁户,邻里间都很熟。白中进去的那幢楼就是其中的一幢。丁欣羊还想提问题时,却被一个老太太问住了:

"姑娘,你在这儿打听半天了,你是干啥的?"

丁欣羊在心里笑自己忘了老太太们的警惕性,而这是警察们保持一定破案率的保证。她想了想,从包里拿出白中和丁冰的照片。

"这是我姐和我姐夫。"她指给老太太看照片,然后说,"可惜,我姐前段时间自杀了。"老太太们唏嘘一片,立刻开始议论自杀。

"我想各位大娘帮忙,告诉我,我姐夫来这里去谁家?"丁欣羊说着指指旁边的一幢黄楼说,"我知道他经常去这楼三单元。"

"老张太太,你住这楼,见过他吗?"一个老太太对另一个说。

老张太太没否认,看看丁欣羊,也没说话。

"你要是见过这个男的,就告诉这姑娘,还瞒啥。说不定,这姑娘的姐姐就是被这男的害死的呐,现在这男的,什么坏招儿都能往老婆身上使。"

"好像是去四楼左手那家儿。"老张太太小声说。"别说我说的,大家抬头不见低头见的,传出去不好。"

"大娘,你放心,我不说。"丁欣羊说完,向老太太们表示谢意,告别。

"是白中让我来的。"丁欣羊按了门铃,里面传出询问时,毫不犹豫地撒了谎。

一个四十岁左右的女人打开门,丁欣羊对她点点头,径直走进客厅,在沙发上坐下。女人慌乱地跟进来,同样慌乱地向丁欣羊提了几个问题,你是谁,你想干吗等等。丁欣羊没有回答,四周打量屋子的摆设,最基本最便宜的家具,风格就是简陋。

"我是丁冰的妹妹。"丁欣羊停顿之后慢慢地对那个女人说。"即使你没见过我姐,也应该知道这个名字。"丁欣羊说完,那个女人安静下来,缓缓地坐到对面的一把木椅上。椅子是配角落里餐桌的,临时被挪过来。

"我见过一次你姐。"她低声说,神情有些沮丧,但没有恐惧。丁欣羊在她低头沉默时,仔细打量了她。她的体态微微有些发福,面目端庄,是个曾经美丽过的女人。从她粗糙的手上,丁欣羊能想象出她的生活,或许很艰辛,但她仍然保持了几分优雅。

"我姐死了。我想知道我姐不知道的事情。"丁欣羊说完,这个被秘密围绕的女人,居然感激地看了丁欣羊一眼,好像这一直是她盼望的机会。

"我只有一个要求,"她说。"请你相信我的话。我不会隐瞒什么的，丁冰已经死了，而我也算是个死过的人，我知道人不想活时的感受。"她停下看看丁欣羊的反应，后者只是静静地看着她。"这些年，我从没有倾诉的机会。因为不知道该怎么说，好像也没有什么值得说的。不管怎样，我会都告诉你的。"她再次看看丁欣羊，然后说，"我经常做一个梦，梦见我跟丁冰讲这些，就像我现在要跟你讲一样。奇怪的是，她死了以后，我还做过这个梦。我很信命的。"

"我还是先告诉你我的名字吧，我叫陈新。"陈新说。

第三十五章

爱情在上
我们在下

　　大丫开演唱会的前三天,丁欣羊怎样都联系不上她。她估计大丫通知了所有他们认识的人,虽然她没这样说过,但丁欣羊觉得大丫此次唱歌的目的只是为了一个观众,那就是大牛。除了大丫,丁欣羊还不认识别的中年女人,为了一个目标或者一个爱好改变生活,投入能投入的一切。在这个堕落已经变得不显眼的时代,保有已经有的,争取更多的,已经是很多人的共识,为此变得钻营些苟且些,大家见怪不怪。丁欣羊曾经跟大丫谈过养老的事,大丫对自己的现状——无固定职业无大笔存款,并不是十分担忧。她喜欢说,车到山前必有路,所以她敢走不同的路,哪怕最后什么都得不到,也没损失。丁欣羊羡慕大丫的理解,自己却在不停地打消各种发疯的念头,老老实实地上班,一个地方不行再换个地方,留在原来的路上。冒险,不顾一切,意外收获诸如此类的可能,在丁欣羊的人生手册里都被取消了。她已经被驯服,又不想放弃理想,于是,总是被痛苦抓住。时间和痛苦携手,在改变她脸上青春的纹路时,也彻底吞噬了她的勇气。丁欣羊有时从镜子里仔细看自己的时候,脸上的无奈像泡了很久的面包,轻轻动一动都会导致无法收拾的残破。除了保有眼前这份生活,她已经没有别的可能,因为青春不再。

在大丫演唱会之前，丁欣羊想见几个人。首先想到的是朱大者和谭定鱼。她给马副经理打电话，询问谭定鱼的新电话。马副经理说，她是第二个朝她要谭定鱼新电话号码的人。丁欣羊说，第一个肯定是于水波。

"没错，但我向你保证，他们没戏。"马副经理诡秘地说。

"你怎么知道？"

"感觉。"

"你好像变了。"丁欣羊很想知道她的状态。

"也许吧，我现在感觉挺好的。"

"重新认识你丈夫了？"

"还用重新认识啊，他还不是那德行，他还能变呐?!"马副经理变得女人味了，话语中不仅有满意还有得意。

"多好，最终还是有个人死心塌地地爱你，认可你。"

"看你说的，他那样也找不到别人，只好认可我了。"马副经理的话可以被任何人听成另外的意思：就是，我很幸运，他认可我啊。

丁欣羊给谭定鱼打电话，第一句话就是，想隐身，还得换号码。

"如今女的都具备去安全局应聘的能力。"谭定鱼说话比从前多了几分玩世不恭。

"我不是做过你手下吗，总有点老关系的。"

"你什么时候有时间，我很想跟过去的老部下见见面！"

"我听说，你好像不愿意见人。"

"你不同。"

"多谢夸奖。"丁欣羊高兴跟他如此调侃，尤其是在经历这一切之后。"有时间我给你打电话。"丁欣羊考虑一下，然后问他，"你真的不干了？"

　　"真的。"他说。

"那你干什么啊?"

"见面再说吧。"他的话给丁欣羊的感觉是,他在酝酿更大的计划,在自己跌倒的地方重新爬起来。只要这样,这世界对她来说就还正常。

朱大者邀请丁欣羊去他家看张画,她立刻答应了,因为她也很想跟他聊聊丁冰的事,好像他们是这世界上最后关心丁冰的人。同时她感到吃惊,认识朱大者时,就知道他是个画家,但他的画丁欣羊从没见过一幅。对他有了了解之后,她更愿意把他理解成行为者,在画一幅永远画不完的画儿。当朱大者把她领到一幅油画前时,她呆住了,忘了脱下大衣,任凭上面的浮雪慢慢融化。

昨天夜里开始下雪,今天,雪花继续飘着。一路上,丁欣羊的心情被雪花搅得起起落落,软弱地颤动,思绪也乱了。好在是周末的上午,不用带着这样的心情去工作。

他们终于坐在朱大者的火炉前喝茶时,看窗外,雪停了。

"这该死的雪终于停了。"朱大者说,"突然就下雪了,像跟谁较劲似的。"

他们仍然没有马上谈起那幅画儿。丁欣羊觉得口渴得要命,便连着喝了三杯茶,然后又回到那幅还绷着的画前,再看的时候,仍有震惊。

粗糙的油彩,被切得狂野,布满了整个画面。这是她对这幅画最开始的技术感觉。因为她也学过一点,便不再是一般的观看者。虽然这是很可惜的事,但她无能为力。她问他是不是很快就画出来了。他说,是。

"但这幅画一直缠磨我,白天夜里,有时一连几天,差点把我的头疼爆了。"他说完,拉了把椅子,坐到画前,仔细看起来。

画的底色是发淡的血色,缺乏血红素的血水的颜色,稀释得近于水,却带着明显血的质感,很黏,至少看上去是这样。三个裸体,两个女人,一个男人。其中一个女人躺着,头画得很小,脸是苍白的平面,有丁冰的脸型特征。她向上举起的两个细长的比例失调的手臂,在流血……血流满了整个画面,变成了画的底色。她身前是个无脸的男人,他侧身单跪在她叉开的双腿间,低头,仿佛正在摆弄自己的下体。在男人身体和女人身体之间,是她被极端(从造型和色彩两方面)夸张的下体:比例大过头颅的红色和黑色组合,一个在流血的阴部。在他们的上方,是一个像日本人那样跪坐的女人,侧面,没有双臂。整个画面取消了透视关系,仿佛每个部分都是画家想强调的,没有了主次,让看的人感到窒息般的压迫。所有裸体的肌肉都是不丰满的,包括男人的。不丰满身体被强调出病态的意味,让丁欣羊想起弗洛伊德笔下的人体。如果说后者的人体表现了从肉体到灵魂的过程,这里呈现的是相反的过程,灵魂无法掌控肉体,但不想放弃主宰地位,因此进行搏斗。所以这些静态的肉体充满了躁动。躺着的女人体比例被抽长了,但去掉了美感,可怜兮兮的样子。肉体的颜色几乎白色,在浅淡的血色映衬下,阴部的黑色像刀子一样锐利……

"这就是你一直不喜欢白中的原因?"丁欣羊说完,朱大者立刻否认画的是白中。

"那你画的什么?"

"一个噩梦。我做了几次,每次都不太一样,但总是三个人,两个女的,一个男的。"

"你从来都没跟我说过。"她说。

"我没这习惯。"

"丁冰一直在里面?"

"对。"朱大者说,"我们不谈这些了。画完这幅画,梦也彻底做完了。我也许可以睡几个好觉了。"

"好吧,但我想告诉你另外一件事。"她看看他,希望能从他脸上找到好奇的表情。他也看着她,仿佛看透了她的心思。"我找到了白中的女朋友。"

朱大者发出一个奇怪的声音,既不是惊呼也不是哀嚎,而是介于两者之间。

"她给我讲了一个长故事,但没有性。"

"丁冰用停止自己的办法停止怀疑,太惨了。"朱大者好像没听见她的话,在另一个思路上。

"我现在不再觉得活着那么吸引人,丁冰死后,我理解她忽然容易一点了。"

"人最容易做到的一件事,就是失望。"他说完,起身拿起画架旁边的刮刀,把面前的油画用十字切开了。

"你干什么?"

"这就是你有吃饭钱的好处,不用卖所有的。"听完他的话,突然间,她觉得再次爱上了他。

"是个什么样的女人?"他问白中的女朋友。

"挺好的一个女人。四十多岁,端庄大方,是白中初恋的对象。他们相处了不到两年,因为女方家里的原因分手了。后来她跟另一个男人结婚又离婚了。之后,她领孩子换了一个工作,搬到这个城市。没多久,小孩儿大约五岁的时候,她得了子宫癌,几乎都切除了。一个偶然的机会她听说,白中也在这个城市,就想办法联系上了。"

"大约什么时候?"

"有七八年了吧。"

"他们刚有联系的时候,她说,他们来往不多,偶尔通个电话,见面很少。后来,她单位黄了,她不停地变工作,生活开始出现困难的时候,他们的联系多起来。白中帮助一个单身母亲,一直到现在。她说他们从没有性关系。"

"白中经常去了?"

"是的,需要帮忙的时候。"

"这东西很上瘾的。"

"你是说我姐夫?"

"就是,男人很愿意充当这样的角色,况且对方还是他初恋的情人。"

"为什么这样?"她低声无力地说,好像这只是提给自己的问题。

"你跟她说什么了?"

"我问她有什么打算,她说她听白中的,因为她觉得自己不过是个废人。因为这个理由,我觉得啊,她觉得自己是无辜的。"

"看着丁冰的结果,完全无动于衷,恐怕她也做不到吧。"朱大者说。

"她道过歉,但马上又说,自己不知道该说什么。"丁欣羊边说边回忆她道歉时的表情和神态。"其实,她是不是道歉对我姐来说,是无所谓的事。对她自己的意义可能更大一些。"

"她道歉缺乏诚意,我能理解。女人的占有意识其实比男人更强。"

"你是说,我姐夫对她的帮助让她有错觉了?"

"应该是吧。她强调他们没有性,是想把自己从麻烦中脱出来。白中对她日积月累的帮助,不可能没有感情倾向。她不敢像其他情人那样理直气壮,就是因为没有性。而这也是白中觉得他们关系正常的理由。"

"正常干吗不让我姐知道?!"

"因为过去的背景?"朱大者说的不肯定。

"都是自己骗自己。"丁欣羊气愤地说。

"但各有所得。他们都得到了自己需要的。"

"丁冰得到了什么?"

"安宁。"

那之后,他们都没再说话,默默地坐在被划破的油画前,各想各的心事,直到天暗下来,朱大者开着破吉普,在雪后湿滑的路面上,朱大者小心地开着借来的破吉普,送丁欣羊进城,回家。

一路上,他们偶尔说点闲话,仿佛再也没有值得认真谈论的话题。家门口分手时,丁欣羊说,再见;朱大者说,别多想了,好好睡一觉:

"所有的事,老天都管。"

大丫演唱会之前,丁欣羊收到一封老牧的来信。之后,她很想跟大丫聊聊,大丫说,她不能定时间,丁欣羊说,演唱会完了之后再好好聊吧。

"你说演唱会,我觉得挺别扭的,我居然还开上演唱会了。"

"那有什么呀?你唱歌,有人弹吉他,这不就是演唱会吗!"丁欣羊开玩笑说。

"行,就算演唱会吧。其实,我不是有歌要唱,而是有话要说。"

"对大牛?"丁欣羊低声问。

这还是她们第一次提起这个名字。

"不完全是吧,也许,这之后,我好像就可以开始新生活了。"

"我还以为你现在过的就是新生活呐。"

"这么说也行,可能我需要一个形式,无论结束还是开始,都弄得是那么回事。"大丫想了想说,"惟一的一次,虽然短暂,却拯救了我。"

"你真的这么想?"

"真的。我离开以后最大的收获就是发现这个。通过他的感情,我才有机会看见自己从前的生活,不然,到死,也不会有什么改变了。"

"大丫,你真的是个好姑娘。"丁欣羊动情地说。"你想过有一天,你们会在一起生活吗?"

"能不想吗?!但我不敢多想。"

电话旁边放着老牧的来信,丁欣羊恍惚中看到一群告别了青春的人们,每个人在自己的轨迹上,顺着命运的牵引,进入了新的人生阶段。青春的昂扬坚定甚至是想当然的自信都模糊了,于是,人到了中年。大家通过反省和经验重新把握一切审视一切,把模糊的一起重新变成清晰。她想到一句老话,物以类聚,人以群分,不由得为自己身边的人自豪。无论他们最终归宿怎样不同,都是性格使然,而非人生态度。

想到这里,她把老牧的信带到卧室,想睡觉前,再看一遍。

欣羊,你好,

一直都没联系过,说抱歉也没用。你知道我不是疏虞往来的人,但是没有心境。现在我接触的人,不管跟他们怎么熟悉,陌生感一直都在,感觉上,是永远都无法消除的。如果我不永远跟他们来往,我们彼此可以马上变成路人。就像我们多长时间不来往,有多么大的误解也成不了陌生人一样。

老朋友就是老朋友。

这大概就是我离开以后的生活。如果我天生就是一个"同志",现在就算找到组织了。在组织中,我结婚的消息估计在你们那里已经传开了。人一有不同寻常的事,世界就变小,即使在最不可能的地方,你也能碰到熟人。听到我结婚的消息之后,希望你还是我的朋友。开玩笑。我知道,我们永远都是朋友。

我碰到的这个人感情很炙热,我先是从他身上看到我没有的热情和勇气,而我和大姜的悲剧就是我性格中缺乏这些。也许应该说是大姜的悲剧,现在承受后果的只有他一个人。他心里一定苦得要命,这些念头常常像破布一样塞在我心里,把一切都堵得死死的。大姜家里出事后,我从没摆脱过这样的心境,除了喝多以后,那些日子就是这么混过来的。好处是我瘦了十公斤,体重跟上中学时一样。

他叫安得亚斯,他性格方面对我是个补充,有时,我有这样的感觉,他是另一个大姜,而我和大姜的事已经变成一个阴魂住进了我体内。这些差不多就是结婚的心境。昨天,我跟安去看一个有关同性恋的展览,有一组照片是一对共同生活十几年的伴侣,其中一个感染了艾滋病,另一个决定保持他们原有的生活方式,听凭自己被感染。三年后第一个感染者死了,死者的同伴整理了他们的书信照片和录像,不久前第二个感染者也死了。

现在我仍然觉得他们的故事很动人,一种很彻底的状态,淋漓畅快。但是,看完展览我和安去饭店吃饭时,他问我的话,把我弄"翻"了。安问我,如果他感染了,我能不能陪他。我想了半天说了我能。他很高兴,我们又去一家酒吧接着喝酒,在酒吧里我突然晕倒了。当我醒过来的时候,安说他差点打电话叫救护车。我们一起开车回家,这个晚上,我好像从一个漫长得可以用年计算的长眠中醒过来,第一次看见老牧这个人。

我跟安说分开,很坚决。这也是我第一次这么果断决定一件大事,尽管我还不知道下一步去哪儿。安也是一个很好的人,当他问我能不能陪他去死而我说能的时候,我才发现我有多糟糕。我嘴上说能的时候,脑袋里想的却不是他。我脑海里想的也不是大姜,是谁?我能为谁去死?我自己都不知道。也许那时刻脑海里出现的只是一个幻影。

现在我一口气给你写了这么多，你过去那么多年里认识的老牧可能就是一片从羽绒服里钻出来的羽毛，不停地附着到什么东西上面，近朱则赤，近墨则黑。欣羊，我从大姜那儿逃跑后，你们一定蔑视我恨我，说心里话，我现在对自己的感觉就是这样。

没有什么好说的了，除了真心地问候你！你经历的事情我都听说了，但我相信你能走过去。

读完老牧的信，丁欣羊有了睡意。老牧的信像一阵带着蒙蒙细雨的风，在她心里从上至下掠过，她不但完全理解老牧的心路历程，让她感到安慰，不管老牧是怎样的男人，能这样理解自己，便不再是可笑的。

明白的时候意味着不再年轻，这至少也是晚年的保障，做一个可爱的老人，而不是可笑的。她闭上眼睛之前，最后消失在她脑海深处的一句话是，可笑比可恨更可恨。

这天夜里大约三点钟左右，大丫忙完了该忙的事，一个人来到大街上散步，脚步稳健，边走边吸烟，像在下午三点。如果不是她敞开的大衣暴露了她丰满的胸部，她比男人还男人的发型，她脚步的力度和行走时的无所畏惧的姿态，很容易被看成男人。和一年前比起来，她瘦了很多，尽管这样她还是比一般女人丰满。街道明亮的灯光下，她脸上的皱纹清晰可见。有一天，懂相面的人会说，她老了以后，脸上的这些皱纹将会变得更深，她将有一张特殊的面孔，一张无论男人还是女人都会感到亲切的面孔。

她翻墙来到丁欣羊的楼前，按门铃时，她想这些所谓高尚社区的保安都是聋子的耳朵。她再次按铃，过一会儿传出丁欣羊的警惕的声音。

"谁?"

"我,大丫。"

她们在门厅昏暗的灯光下,互相看了几秒钟,大丫打趣地说:

"验证过了,没错吧,大丫本人。"

"你臭得像个烟鬼。"

"多亏了抽烟,我才把所有的事都干完了。"

"这样下去,你活不到演唱会了。"

"我洗个热水澡,然后在沙发上睡,明天下午四点以前你不用叫醒我。"大丫说完去洗澡。丁欣羊在自己的床上给大丫准备了铺盖,然后拿着干净毛巾和睡衣进到浴室。大丫拉开淋浴间的门,裸体地站在丁欣羊面前擦干。她看着大丫穿上睡衣,只说了一句,你瘦了。

"但还是比你肉多。"大丫漫不经心地说着。蒸汽中穿白色浴袍睡眼蒙眬的丁欣羊像仙女一样妩媚,但她必须一个人在睡得下两个人的大床上从漫漫黑夜中醒来。大丫觉得生活太忽视这些女人。

"你按门铃前,我正做梦。"她们并排躺在床上,被单清洁的味道,在温暖的灯光下,带给人们舒适的感觉。

"现在接着做吧。"大丫说。

"你紧张吗?"丁欣羊问。

"奇怪的是我一点也不紧张。"

"跟你合作的那个搭档不错吧?"

"挺好的人,有点像村上春树写的那个弹吉他的瘦女人。"大丫说,"我跟你说过,她叫艾录,等完了,我给你们介绍认识。"

"你是说,她会留下来?"

"不可能,她很喜欢那些学生,但她想在这里呆几天,玩玩。

反正她没结婚,也没牵挂。"

"看来你也找到同志了。"

"刺激我?"大丫笑着说,"那我先找你了。哎,你是不是好久没照镜子了,你漂亮了。"

"我听人说过,忧伤的女人都好看。"

"对了,老牧来信了。如果我让你看看,他肯定高兴。"

"行,等你睡着,我看。"大丫说,丁欣羊把信递给大丫。

"你刚才梦见什么了?"大丫转了话题。

"一个奇怪的梦,很乱,好像是在一个 party 上,我和车展不知为什么一起到外面去了。他站在我对面,离我很近。我忽然那么渴望他拥抱我,他也这么做了。我感觉很好,很安逸。我想,如果他紧紧地拥抱我,我们就能结婚,把过去的一切都忘记。但他没有紧紧地拥抱我。我问他为什么不能紧紧地拥抱我。他很生气,他说,我紧紧地拥抱你了。我说,你没有。他说,他有。我离开了他的怀抱,我们互相盯着对方看,我觉得他是个不可思议的人,但心里却很难过。我告诉自己不要流泪,但眼泪还是流了下来。这时候,你就敲门了。"

"希望这不是你们的结尾。假如我是你,见到他的时候,亲口告诉他这个梦,也许会有启示。"

"我只希望我们别太尴尬。"丁欣羊说。

"睡吧,我们就到了知天命的年龄了。"

第三十六章

　　白中坐在陈新对面,已经半天没说话了。他有时看看屋子里的摆设,有时看看对面的女人,所看到的都没有变化,却让他觉得别扭。如果那个不爱说话的孩子现在也在家,即使在自己的房间里弄出些响动,对他来说,都比眼前的静默好忍受些。他不想这样坐着,但是,听她讲完事情的经过,他找不到可说的话,仿佛事情已经到了最后一步,再也不用说什么了。

　　两个人呆呆地坐着,既像揣测对方的心事,又像在想自己的心事。她保持沉默,因为她一直顺从,总是等待白中拿主意。

　　白中突然没了主意。他曾经生活在两个女人的静默中。丁冰活着的时候,她的沉默给他压力。每当看到丁冰那样坐着的时候,他立刻想到的就是,是不是自己做错了什么事惹得丁冰不高兴。但他一次也没问过丁冰,为什么这样。他提出过的问题是另外的,怎么样,没事?丁冰的回答总是,没事。他从不追问,也许是因为自己害怕追问出什么。现在,丁冰不在了,他才敢想,如果他追问,会怎样?丁冰今天或许还活着。在这样的时刻里,他常有冲动。只要他把丁冰带到床上,压在身下,很肆虐地过一场性事,他心里所有隐隐的,不清不楚的感觉都会消失。第二天,丁冰的情绪也会好些。

　　他抬眼看对面的女人。他曾经无数次坐在这里听她讲自己的困难和处境,讲她身边的琐事。现在他突然问自己,到底是什么构成了对他的吸引?

415

陈新被白中看得有些不舒服，便低下眼，摆弄着自己的手指。顺从，无论生活怎样，她身上天然般的顺从都没消失。顺从和过去他们恋爱时建立的亲密感，给了白中心安理得的享乐！只有在她面前，他能把家里的复杂，单位的芜杂净化。在她面前，他觉得自己对什么都是有把握的，她永远不会提出他无法解决的问题，所以帮助她对他来说也不是什么难事，相反充满乐趣的同时，鼓励他肯定自己作为一个男人的价值。

这就是我希望的？白中再次向自己提问时，临近崩溃状态。答案，是否定的。如果这就是他要的生活，当年她家里反对的时候，他也不是完全没有机会。只要他坚决一点点，她就会跟着他，而不是做一个听话的女儿。即使在回忆中，白中也承认，他其实利用了她家里的阻力，因为那时，他并不觉得跟这个女人建立一个平常的生活能拴住他的心。很快，他认识丁冰以后，两个人共同拓展的精神空间，完全征服了他，甚至颠覆了他。跟丁冰结婚，他从没后悔过，现在也没有。

想到这里，白中满眼泪水。

"你怎么了？"她终于说话了。

"别管我。"白中做了一个手势阻止她接近自己。

"我很抱歉。"她低声说。

"你有什么好抱歉的?!"白中不友好地说。

"是啊，我是没有权利抱歉的。"她委屈的样子，让白中更生气。

"你到底怎么了？"

"我不知道。"她说，"丁冰不在了，你打算怎么办啊？"

"你什么意思？"白中愤怒地责问，好像她的问题伤害了他。

"我知道，我现在不该这么问你。但她妹妹知道了我们的事，这样……"

"她知道了我们的事？我们什么事？我们有什么事？"

"我现在懂了。"

"你懂什么了?"他毫不示弱。

"你后悔碰到我了。"她的委屈变成了受伤。

"谁对你这么说的?"

"你脸上写着。"她小声说。

"你还学会相面了。"白中站起来,忍住没把心里的另一句话说出来:讨厌,你离我远点儿。为了控制自己不继续说类似伤害的话,他差不多在命令自己离开。

男人不应该欺负女人。这仍然是他的信条。

他离开她的家,再也不想踏进这个门。发火以后,他觉得胸口的压力减少了一点,至少不那么气闷,尽管他没理由发火。

陈新一个人安静地坐了一会儿,看看墙上的钟,离儿子放学还有一段时间,但不值得再跑回单位。她很快平静下来,找出丁欣羊留给她的手机号码,拨通了。

"你姐夫这几年一直照顾我们,你肯定想知道为什么吧。"听到对方的肯定回答之后,陈新说,"因为,他瞧不起我,所以同情我。"

自从谭定鱼从家里正式搬出来,曲今从没来看过他,也没让女儿来过。除了派公司的司机定期来问问需求,也没提离婚的事。有一次,谭定鱼对那司机说,下次领到这样的任务就上大街转一个小时,或者去会会女朋友。但是,司机颇不识相,居然问过去的领导想不想知道公司现在的事。谭定鱼摇头否定之后,他又问:

"你不想女儿?"

"你很幸运,我当头儿的时候,你还在别的地方做梦呐。"谭定鱼认真地说。那以后司机不来了。

他去学校从远处看过两次谭谈,渐渐地,与女儿分离的疼痛不那么剧烈了,他想,女儿早晚有一天要走自己的路,独立生活。他的日子也就这样慢慢安顿下来。每天很晚起床,然后去吃最后一轮早点。回来的路上买报纸看看,下午出去吃饭,饭后步行走回家,小睡一会儿,然后看《中国通史》,计划一年之内全部通读完。晚上他只喝啤酒就花生米,看电视。电视看烦了,他去附近的老年活动室,看人家打牌或者打麻将。一段时间后,惟一变化的是,他不再出去吃饭,从街道请了一个钟点工,在他出去吃早点的时候来给他做饭,下午他饿的时候,自己热热吃。

"就这样慢慢老死,也没什么不好。"有一天,他放下手里书,把曹操这个人物从脑海里推出去,想到自己的现状,很知足。另外让他感到满意的是,最后一次带感情的性活动被定为强奸,虽然讽刺,但还特别。而且他由此获得了一份崭新的生活。

知足。丁欣羊打电话约他见面时,谭定鱼的心情可以用这两个字形容。但他的样子还是让她吃惊:

"你怎么突然胖得这么厉害?!"她想忍住不说,但在她看来这是不可思议的事情,谭定鱼由一个偏瘦干练的男人变成了一个白胖男人。

"什么叫突然,我们最少有几个月没见面了。"在他们曾经见过面的那家茶馆里,他替她拉出椅子,轻描淡写地说:

"再说,男人一退休就这样。"

丁欣羊笑了,喝了几口茶又笑。对她来说,过去他是个多少有点幽默的人,现在幽默得很彻底。

"你把过去的老部下都接见了一遍?"她想讽刺他。

"谁都没见。"他很委屈。

"不会吧?"

"她跑来见我的。"

"估计也是,比我主动。不过,过去她官儿也比我大,责任感强。"谭定鱼地位的变化,让丁欣羊觉得很爽,谈笑风生。

"说心里话,我很想跟你聊聊。一是过去就有理解,二是你我都算经历了大事。但是,也没什么非得认真聊的,瞎扯也行,见个面,也算告个别。"

"告别,你要去哪儿?"

"哪儿也不去,原地不动。所以才要告别。你们年轻人不是得往前走吗?!"

"我不觉得我还年轻。"她说,"招聘的年龄都过了。"

他说能理解。他们就这样认真地聊了起来,好像刚刚相识,因为许多理解都是崭新的;又像是最后的交谈,说出了各自思考过程中的疑虑,谈话因此显得过于庄严。

"男人有很多对付女人的办法,施加压力争取同情,往崇高上靠拢,唤起女人的自我牺牲精神或者刺激她们的物质占有欲等等。"谭定鱼说,"从前这些对我都是朦胧的。在看守所里我一下子就想明白了。而我这个人有毛病,什么事一明白,就必须看,它还值不值得去做。"

"值得吗?"她好奇地问。

"估计值得,但我被出局了。"

"为什么?"

"因为强奸。"这个词第一次从他自己嘴里说出来,说出来之后,才觉得别扭。丁欣羊笑了,像是明白了他的意思,又像是因为强奸这个词被作为某种理由强调很滑稽。

"即使这样,想赢得一个女人的爱情,对你来说还是很容易的。比如,女人很容易因为感恩而爱上一个男人。一个有钱的男人在失业率居高不下的今天,让一个女人产生类似的感情真的没有难度。"丁欣羊这么说的时候心里感受很复杂,一时搞不清楚,是在嘲讽这现实,还是只是陈述了它。

"即使我承认你说的是对的,我也出局了。因为钱我也没有了。"

"你好像突然把脑子洗了。"

"不是自愿的。"

"婚姻也看透了?"

"曲今肯定离婚。我觉得正好。难过或者不难过,最后,都得过去。嗨,婚姻都一样,你不觉得吗?"

"你忘了,我比你出局得更早。"她说,"可是婚姻还是比一般关系存在得长久。"

"怕老了孤独,年轻时都忍着。"

"工作呐?"

"你上班为了什么?"

"有饭吃。"

"这就对了,我虽然没钱了,但把饭还安排好了。没负担,所以也不用'忍'工作了。"

"天呐,你自由了!"丁欣羊几乎是喊出了这句话。

"谁知道。"他想了想又说,"好像是吧?!"

"你用这自由干吗?"

"打发这自由。"他说。

"看来我想错了。我以为你迟早会东山再起,干点什么,再爬起来。"

"是啊,趴着生活不太方便。"

"也许马副经理早就看到了你这方面的潜质,所以一直对你倾心不已。"

"她好像是这些女人中运气最好的一个,你说呐?"谭定鱼的口气既认真又没认真。

离开谭定鱼,丁欣羊觉得自己比两个小时前成熟了一大截儿,像夜里蹿起来的玉米,很快就会被时间带来的果实压弯腰。

第三十七章

妈妈,你教了我太多做人的道理

　　忘了告诉我爱情是什么

妈妈,现在爱情已经无所谓

　　我不再有永恒的感觉

妈妈,你没有告诉我爱情是什么

　　因为你也不知道爱情是什么?

妈妈,哪一天我真正离开了你

　　那天里开始了我的孤独

妈妈,我再也找不到一个人

　　那人像你,带给我永恒的感觉

妈妈,我走在路上,再也不能回到你身边

　　长大像强盗,回忆像稻草

　　活着,偶尔这样,偶尔那样

妈妈,我好久才想念你一次,知道你不会怪我

　　可这些都不是我要说的,妈妈

妈妈,你没告诉我爱情是什么

妈妈,当我拥有爱情时,我不知道爱情是什么

妈妈,当我安宁的时候,我失去了爱情

妈妈,你知道我不是责备你

妈妈,这是只能跟你说的话

妈妈，我明白得太早

路还很长……时常这样，时常那样

大丫唱完这首歌的时候，"升起"酒吧里的几十号人没发出一点声音。抱着吉他的大丫坐着，看着她的前面，眼神虚无。艾录在她旁边，吉他横在腿上，目光里没有含义。刚才的歌声平静，绝望，动人的原因是产生这两者之间的无所谓。掌声疏落响起，接着热烈，然后持续。中间地带的掌声格外响亮，那里坐着丁欣羊、朱大者、大牛、刘岸、田如、车展、大姜、白中。惟一收到邀请没来的是谭定鱼，惟一收到邀请来不了的是丁冰。丁欣羊把一份精美的请柬在中午阳光尚好的时候，放到了丁冰的墓碑前。

艾录是个瘦小的女人，估计四十多岁。掌声停止后，她低头开始演奏一段和缓接近忧伤的曲子，之后大丫说：

"感谢我旁边艾录女士的鼓励和合作，让今天变成现实。对我来说，这不是什么演出或者演唱会，我需要的也许就是这样的形式，来的都是老朋友，大家像聊天一样坐在一起。该说的都说了以后，就不再有那么多负担。如果必须说，这是一场演出，那我希望它是最后一场。写歌词跟说话一样，好话不用说第二遍。"大丫说到这里有些哽咽，她调整了一下，转换成轻松的语调接着说：

"我曾经怀疑人只能爱一次的说法。现在我只想这么认为。幸运的是，我经历了这一次，虽然短暂得令人绝望。"大丫说到这里，眼睛往上看，轻轻地说，"我想你也会同意我的说法，我们真正明白对方明白我们之间发生的爱情明白我们再也不会伤害彼此明白怎样让彼此幸福明白一切时，已经迟了。"

丁欣羊用余光瞥了瞥大牛，他笔直地坐着，仿佛已经石化了。

"我还是唱歌吧。"大丫说完，开始弹吉他。

没有爱情的时候
我活着
得到爱情又失去
我活着像死去一样

我困了，却不愿睡下
睡下不会再醒来
你要告诉我理由
为什么活着像死去一样

这样的生活，积蓄着敌意
你尊严的代价是我的堕落
你的爱情不过是随心所欲
爱情像无底的深渊
深渊是无底的

让我的仇恨毁灭你
让我在地狱路上和你相遇
没有履行相爱的契约的人都活着
死去的只是爱情
假如你死了，爱情便永远生效了
你活着，亲爱的，就像我也活着一样

我希望毁灭自己，为了让你难过
你伤了我，伤到永远好不了的分上

你的拒绝不可原谅,我永远不会去祝福
你让我看不见自己,看不见美丽
难过变成了我永远的底色

我爱你,你却说,你不愿意
我说,我爱你,你说,你不愿意
让我跟你约好再见的时候
在某一天里,在某一个世界里
难道你仍然不愿意?

　　大丫一首接着一首唱了下去,曲调低沉和缓,淡淡恬然之下到处埋伏着撕裂肺腑的难过。丁欣羊想起当年流行的《草帽歌》,想起迷失,想起孩子,想起妈妈,最后想起爱情……歌声掌声交替,大丫的歌声把朋友心底隐埋的东西搅动起来。他们的确是大丫最好的观众,因为她歌唱的是绝望,她的歌在这或多或少绝望的人群中,连成了一片伤感的河流。河水流淌着,如果说绝望是难过的终点,大丫的歌声便像融化,融化了绝望的坚冰,即使只剩伤感,最后仍然让大家心里出现了一种娇嫩的感觉:想珍惜点什么,想宽容点什么,想爱点什么,想憧憬点什么……

　　什么?!?!?!

　　最后一首歌唱完的时候,大家站起来叫喊着。丁欣羊走到前面久久地拥抱了大丫。大家热烈地鼓掌,田如轻轻地转身,拥抱了身边的刘岸。

　　"我决定了。"她在他耳旁说。

　　"我也决定了。"刘岸激动地抱紧自己的妻子,仿佛在拥抱自己接下来几十年的安宁和幸福。

424　　朱大者看着这对夫妻,心灵好久以来第一次被安慰。这时,他看见了坐在轮椅上的大牛,对身边的大姜耳语了几句,后者立刻起身,推起大牛的轮椅往外走。朱大者看看前面被人群围拢起来的大丫,便跟着他们离开了喧闹的酒吧。大牛知道朱大者跟着他,但没有回头。大姜不安地看看朱大者,朱大者对他点点头,然后走到大牛前面。

"你不走不行吗?"

"照你这么说,我连走的权利都没有了?"大牛愤怒地说。

"她就是为你唱的,这个不用我说吧?"

"我什么都不想说了。"大牛看见一辆出租车,便招手让它停了下来。大姜连忙跑到近前跟司机道歉,说搞错了。

"你怎么了?"大牛生气地对大姜说。大姜解释说自己开车来的。

"那你把车开过来,我想回家。"大牛说完,大姜掏出车钥匙离开了。

"走吧。"朱大者突然理解了一切,除了劝大牛走,再也没话了。他们一言不发地等着大姜,大姜好像把车停到了世界的边缘,总是不出现。朱大者轻轻拍拍大牛的肩膀,大牛说:

"如果大丫现在求我跟她一起生活,像在医院时那样,我会答应的。"他平静得像另外一个人。"因为我一无所有了,包括我的骄傲。可是,她一旦发现这个就不会再爱我了。"大牛的话像一只用力抛过来的球猛击在朱大者的胸口上。"对我来说,再也没有一件事是不可笑的了。"大牛最后一句话被夜里的寒冷冻僵在空气中,朱大者仿佛看到生活残酷的另一面:倒霉的人居然也躲不开可笑的宿命。

大姜终于开着他的面包车出现了。

大牛在朱大者和大姜的帮助下坐进车里,离开了。汽车启动后的尾气,冲进朱大者的鼻子,进入了他的脑子。他脚步迟缓地回到酒吧,开始认真考虑把烟戒掉,不是为了健康,而是突然觉得烟很臭。

酒吧里的气氛因为大牛的离开发生了变化。大丫坐在唱歌的地方,抱着吉他一句话不说。艾录挡着那些想跟她说话的人,不停地俯身对大丫说点什么,大丫的样子好像什么都听不见了。朱大者走近丁欣羊,她立刻低声问他,大牛为什么走了。他反问了一句,难道他不该走吗?说完,他走到前面,对大家说:

"就这样结束吧。认识的人去离这儿不远的红旗饭店,喝点酒庆祝庆祝,管他庆祝什么呐。出门往左走五百米,再往左,走两步就是了。不认识的人就回家吧,或者自由活动。"他说完,有笑声,还有个人问,什么叫认识的人,认识谁算认识啊?朱大者说,认识自己算认识。从刚才提问的方向传来鼓掌声。

大家陆续离开,去红旗饭店或者回家。丁欣羊看着朱大者蹲到大丫身边对她低声说话,感受很复杂。刚才一直无动于衷的大丫开始认真听他的话,很快他们一同站起来。大丫把自己的吉他交给艾录,她拍拍大丫的胳膊,和另一个女人带着两个吉他离开了。丁欣羊一个人离开,直接去红旗饭店。路上,纷乱的情绪像缠藤一样绕住了她。她想知道朱大者对自己是否仍然有特殊意义;她想知道自己最好女朋友此时的感受;她想知道自己对车展说点什么,才能概括他们的感情……如果说大丫的歌声在她心里唤醒了什么,现在她忍受的就是清醒之后的再次失落。

车展悄悄地跟在她身后。当他看见丁欣羊一次又一次裹紧大衣时,便快走几步赶上她。她站住,没说话,他解开自己的大衣,却不敢邀请她投入自己的怀抱。他想了想,脱下大衣,被丁欣羊拦住。她走进他的大衣,他紧紧拥抱她。温暖的幻觉变成今夜的一种感情,丁欣羊觉得他们凭这个可以对付整个世界,共度余生。她在大衣下面用双臂环住他,像孩子抱着一棵树。

"别放开我。"她喃喃地说。

他更加用力地拥抱她,好像这就是回答。

"我们就这样,不改变了,永远在一起,行吗?"她又说。

他没有再次更加用力地拥抱她。她也感觉到了。

"一直到死,就这样,不行吗？我们订一个契约,不用了解,不用理解,什么都不用,就是在一起,在一起,两个人在一起。"她说得那么坚决,像遗言。

"好的,好的。"他说着像哄小孩儿一样晃动她。"但是,了解也很重要,两个人必须互相理解才能永远在一起。"

"你说的对啊!"她挣开他的拥抱,再次裹紧自己的大衣。"我还没喝酒就醉了,居然把理解这个永恒的真理给忘了。哎,你别介意我这么马虎,不过我知道,理解万岁。"她忽然出现的高昂的情绪,使得车展一时懵懂:他隐约觉得自己做错了什么,但又不知道错在哪里。

丁欣羊拉起他的手,大声说,现在该去喝酒了。车展说好,他们手拉手奔向红旗饭店。

车展永远是心安理得的,因为他负责任。爱情的世界对他构成巨大的吸引,但是,无论他喝醉多少次,也不会想到,爱情需要责任,但同时也排斥责任,因为爱情需要自由。

红旗饭店是个怀旧风格的饭店,"文革"时的装饰渲染出的"政治"气氛并没影响人们的胃口,七层客满。墙上的干大葱假大蒜,"文革"的标语口号,居然增添了几分热闹气氛。服务员把角落的桌子拼起来,最后在红旗饭店落座的是余下的几个人。朱大者和大丫坐在桌子的一侧;车展和丁欣羊坐在另一侧;田如和刘岸的对面,是空出的两把椅子,堆着大家的衣服。

"白中回去了。"田如说。

"我甚至没想到他会来。"车展说。

"我们不提谁来了谁走了,喝酒吧。"大丫提议。

每个人手边都有一个温在热水里的小酒壶,大丫提议后大家分别给自己斟酒。捏在手里的小酒杯被举到高处以后,大家异口同声地说,干杯!

选择这里吃饭是因为饭菜可口,看着摆在桌子中央丰盛的冷盘热菜,大家才发现,自己都没胃口。冷盘看上去更冷了。

"你们不吃点什么吗?"朱大者给自己夹了一块熏鱼。大家附和地夹东西给自己。

"大家心情都不好。"朱大者第二次去夹吃的,但没人响应了。

"但是大丫,你唱的非常好。"田如真诚地说。

"同意田如的看法。该说的不该说的都被你给说了,你把我们打击到底了。"朱大者调侃地说。

"看来今晚喝醉的可能是没有了。"大丫说完,看看大家,气氛被压抑着。她轻声哼唱:

老朋友怎能忘记掉
不时刻记心上
老朋友怎能忘记掉
那过去的好时光

大家随着唱了起来,一遍又一遍。最后,临近桌的人也跟着唱了起来。当歌声停下来的时候,酒和菜一样凉了。服务员过来问,要不要再温酒,大家几乎同时说不。

"不管怎么说,我们保住了友情。"朱大者点上一支烟。"今晚不适合喝酒,改天再喝吧。"他说完,大家都沉默着。

"你们干吗不唱了?"刚才跟着他们一起唱歌的一个中年男

人带着醉意问。他旁边的女朋友扯着他的衣角,拉他坐下。

"接着唱呗。"他说,"唱一宿,我买单。"

"你喝多了。"男人的女朋友说,她看上去比他年轻很多。

"你别管我。"男人的醉意更浓。"你们看我都被她折磨成什么样了。"男人半开玩笑地说。朱大者和丁欣羊笑了,其他人也随着笑了。

"你疯了?"女朋友突然变得严厉。

"我肯定疯了。"男人不屑地说。

"你喝多了。"他女朋友回身拿起自己的包,好像在下最后通牒。

"肯定喝多了,但不是现在。"男人说完对大家讨好地笑笑,提议唱歌。

　　太阳最红
　　毛主席最亲……

朱大者唱了一句,男人立刻接着唱了下去。他女朋友转身离开了,大家和他一起唱起来。

歌唱完之后,男人看着女朋友离开的方向,凄哀地说了一句:

"酷!"

大家无语。

"再唱吧。"他像可怜的小男孩儿,差不多在恳求。没人响应,他便自己唱了起来。

　　我的家在东北松花江上
　　那里有森林煤矿
　　还有那满山遍野的大豆高粱

429

我的家在东北松花江上

那里有……

男人唱到这里,服务员跑过来劝阻。他问为什么不让唱,服务员说,老板娘怕别的顾客再受传染,把饭店变成歌厅生意就不好做了。

"哥们儿,出去看看你老婆去吧。"刘岸说。"老婆跑了就什么都完了。"

"她要是我老婆,我就不用去看了。"男人沮丧地抓起自己挂在椅背上的包,站起来,但还不想马上往外走。"唱这些歌真过瘾。"他恋恋不舍,"到我这个岁数你们感受就深了,过去的,失去的,无论好的,坏的,都不再来了。时光就这么无情,真的,哥们儿,我说的是心里话。"他对着朱大者说,好像他看见后者对他的怀疑。"现在生气都不会了,也不激动,那股劲泄了。最可怕的还不是这个,是你居然不知道那股劲是什么时候泄的,怎么泄的。哎呀呀,我喝多了,话也说多了,都是唱歌闹的。"

"你还不快去看看你女朋友?"丁欣羊被他的话击中,想把他尽快打发走,让自己平静些。

"放心,我知道怎么摆弄她。"

"你怎么这么说话啊?"田如不满地说。

"不尊重妇女是不?"没人接话儿,他又说,"我都不尊重自己了,所以还可以原谅是不?"他说着眼睛发潮。"我这个岁数还找个小丫环奴役我,就是贱,你说呐?"他最后冲着田如问。

"你这人怎么这样啊?你女朋友要是聪明就趁早离开你。"

"她聪明着呐,所以才不离开我,因为我有她需要的东西。"男人渐渐失控,索性坐下来,想长谈。朱大者走过去拉起他,把他推到门外。

"我倒觉得他说的挺实在的。"丁欣羊在朱大者重新回到座位之后,对他说,说完不由自主地瞟了一眼车展,车展也在看。

　　"我们这么干坐着,太可怕了,说点儿什么轻松的,要不接着唱歌?"大丫试着调节气氛。

　　"一个拒绝轻松活着的姐们儿这么说了,我们得照办,你们说呐?"朱大者对大家说。

　　"你这么说对吗?"丁欣羊烦乱地说。

　　"欣羊,你情绪好像不对?"朱大者说完看看车展,车展微笑着扭头看丁欣羊,大家看这三个人。

　　"我有种感觉,大家以后不会常见面了。"田如说,"欣羊,你要是心里有话,不妨就直说,这里的人不管以后是不是有联系,都还是曾经的朋友,你不用……"

　　"这话你不说也罢。"丁欣羊不友好地顶了田如一句,因为田如说出了她内心的一部分感受,但忽视了另一部分:她想对朱大者说点什么,哪怕只是关于过去的;她也想对车展说点什么,无论是关于过去的还是关于未来的;她也想对自己说点什么……她希望说点什么,把所有朦胧的都变得清晰。但是,这点什么,她说不出来,朱大者和车展像作用力和反作用力,把她夹在中间,她说什么,对其中的一方都是不妥的。对自己,她更是无话可说,过去的生活像一块无法辨认的化石,只剩下时间的意义。

　　"只有成功和幸运的人才愿意聚会。"朱大者说。

　　"还是喝酒吧。"刘岸说着举杯。

　　只有车展响应着举起杯子,但看看其他人的反应,又放下了自己的杯子。这一切被丁欣羊看在眼里,她想,这就是车展的性格,他太在乎周围的看法,太在乎自己是不是正常,是不是合体。

　　刘岸一个人干了自己的杯中酒。

　　"我想回去了,明天还得上班。"她说。

　　"那就让我告完别再走吧。"朱大者掐灭烟,"也许你们以后

431

还会经常聚会,吃饭聊天,为什么不呐。我参加不了了,我要搬走了。"

"你去哪里?"大丫问。

"我有个朋友在青海当校长,师范学院。他让我去当老师,我接受了。"

"那里有很多鸟儿。"丁欣羊嘴上这么说着,心里却觉得他这是逃避,而且觉得他无处可逃。

"这也许是我愿意去的原因。跟人相处我有障碍,基本没及格。"朱大者笑着看看大家,"如果我能好点儿,我们过去的好时光可能也会好点儿,对此,我请大家包涵我。过去所发生的伤害,无论有意无意,我都觉得很抱歉。我常常不知道自己要什么,这很糟糕。到新的地方,我准备改过自新,首先把烟戒了,让鸟们好过些。"

丁欣羊觉得朱大者的话是针对她说的。这歉意像刀一样划开了过去朦胧的面纱,让她觉得羞愧:即使他在逃避,也跟我没关系了。他用这样的方式松开了我。她这么想的时候,眼泪流了出来。她自己也没想到,她对朱大者的依恋竟然如此这般。丁欣羊的眼泪把饭桌的气氛搞得紧张,大丫走到她旁边,车展识相地把自己的位置让出来,坐到朱大者旁边。大丫安慰丁欣羊,后者突然笑了,说大家肯定误会她了。

"我是想起发生的这些事,觉得人生无常才流泪的。"她说完转了话题,"青海风景肯定很好。"她说完举杯,"来,为朱大者的新生活干杯。"所有人都端起杯,为即将远行的朱大者干了杯中酒。

"谢谢你给过我的帮助。"丁欣羊坐下后,对朱大者说。

"我很高兴你刚才的眼泪不是为我而流,不然,我会觉得自己罪加一等。"朱大者调侃地说。丁欣羊看见车展目光中嘲讽的神情。田如对朱大者说:

"有一天,你会为你的玩世不恭后悔的。"

"我玩世但没有不恭吧?"朱大者小心地跟田如开着玩笑。

"大者,田如说的对,你该安定下来了。"大丫说。

"你呐,亲爱的大丫同志?"朱大者说。"欣羊说的对,明天还得上班,我也该走了。"车展说完站了起来,气氛又变了。

"我送送你。"丁欣羊站起来。

"不用了。"车展声音听上去不那么自然,好像在控制自己的某种情感。

"我有话对你说。"

"以后。"车展坚定地说,"以后我们还会再见面。"他的第二句话多少缓和些。丁欣羊愣在那里,直到车展对她发出一个真诚的微笑,她才缓过来。大丫走到他们中间对大家说:

"我们一起撤吧。"她的建议得到了一致的认可。

丁欣羊觉得在这一刻里,她失去了车展,尽管他的微笑给了她一个关于未来的暗示。与车展分离的疼痛虽然不那么强烈,但它仿佛会滞留下来,变成隐痛,在她今后不如意的日子里泛起。

"经常打打电话。"车展走近她,小声说。她认真地点头,心里感谢他的安慰,同时知道自己无力再为他们的未来努力。她的心情写到了脸上,因为她看见车展看她的表情发生了变化。她对车展发出一个微笑,像句号那么圆润,那么清楚。

"你好像选择了他。"车展友好地说。

"可他选择了鸟。"她笑着说。

"我知道了。欣羊,我现在理解你的意思了。"

"那太好了。"

"可我还想说句话。"他接着说,"我这人太理智,所以什么事我考虑得比你多一点,这些东西传达给你,都变成消化不了的东西。但是,我想提醒你,现实也有现实的力量,命运仍然是最大的悬念。"他停顿一下接着说,"让你失望我也不好过,但估计我改变不了。我的犹豫迟疑怀疑也许跟某些事情的表面状态有关,也许跟我的性格有关,但是,跟我对你的感情没关。不管怎样,我希望你幸福,因为你是个好女人。"

大丫走过来,把丁欣羊的大衣扔给她。她说,我们走吧。丁欣羊点头。大丫对大家说:

"再见了,哥们儿。"说完带走了丁欣羊。

她们走了,像她们进入故事时一样形单影只,也许回家去了,也许挽着手在夜里散步去了。

"我送你回家吧?"车展对朱大者说。

"不用了,你先走吧。"

"那我先走了,再见。"车展把再见说得没有任何感情色彩,仿佛再也没有哪个词值得动感情说。

"我们送你吧?"刘岸说。

朱大者摇摇头。

刘岸和田如拉着手走出他的视野,作为这群人最后的画像,朱大者想,他不该祈求更好的了。

在门口,田如对刘岸说:

"以后,我们不谈爱情了,行吗?"

"那谈什么?"

"谈点日常的,鸡毛蒜皮的,互相怜悯点儿,互相宽容点儿。"

刘岸点头,这也许是他第一次算数的点头。

朱大者听见了他们的对话,嘴角现出一丝嘲讽的笑意。他好像终于看清了一件事,至于是哪件事,实在是太无所谓了。这时,他对服务员说:

"买单!"

尾 声

> 和你在路上，
> 和你手连着手，
> 我在慢慢远离你，
> 穿过我心灵的话语消失了含义，
> 在皮肤上留下花的斑纹。

  过去白中常和丁冰星期天晚上来这里吃饭，因为人少。只要靠窗的这个位置空着，他们就坐在这里，渐渐地成了习惯，就像今天，他又坐在这里一样。

  他一个人吃过饭，算账前，看着窗外肮脏的积雪，不止一次想到"习惯"这个词。心情被这个词拖来拖去，弄得很复杂。一晃，冬天快过去了，寒冷也不那么尖利了，但是外面仍然没有任何暖意，春天还在路上。

  一个和妈妈对面坐的小姑娘，几次趁妈妈低头吃东西时，盯着白中看，好像他身上有很多值得她怀疑的东西。白中不由得想到蒙蒙小时候的样子。有时，他也跟小姑娘对视一会儿，很快发现小姑娘的目光极端固执，似乎总在问一个相同的问题：你怎么这样？

  忽然，白中想起蒙蒙小时候常用类似的目光看丁冰。在他的记忆中，女儿不明白的是妈妈，而对他一直抱有天然般的理解。这么想的时候，他难过得不行。无论跟丁冰还是跟女儿，共同生活的可能永远消失了。丁冰因为死亡离开了，女儿因为长大离开了……他满眼泪水离开了饭店，走到饭店窗下时，小姑娘紧皱眉头的目光还跟着他，似乎很不情愿丢掉这个值得她怀疑的目标。

不是每个人都是值得怀疑的。

白中拖着酒后发沉的身子，用钥匙打开房门，接着又打开门厅的灯，同时习惯地回身去接丁冰的大衣或外套，什么都没拿到。他扶住墙壁，然后走进客厅，只开了角落里的地灯，便把自己扔进沙发，坐到丁冰常坐的位置上，但没有像往常那样随手打开电视。昏暗的光线下，他恍惚看见丁冰走过来，在向他要回自己的位置。平时，她总是坐在这里，沉静或者有点难过。

电话响了，几声震铃之后，有人留言，是陈新。

"没什么事，只想知道你怎么样了。有什么事一定给我打电话，我很担心你，也想帮助你。"

这个柔软的女声第一次让白中反感，它通过温柔表达出的胜利者的口吻提醒了他：一个多年受到他莫名照顾的女人，也许很想回报他，在丁冰不在的前提下，跟他一起考虑一个共同的未来，无论对谁听上去都是合情合理的。

他心里翻滚着厌烦，一动不动地坐在那里。这时电话又响了。他等着，丁欣羊开始留言：

"我不知道是不是恨你，因为我不知道丁冰到底是因为什么走上绝路的。她肯定有自己的问题，但她从没抱怨过你，我只好信命了。跟陈新见过面之后，我心情很混乱，给你打电话我也不知道该说什么。我想，你和陈新或迟或早要考虑共同生活，我姐反正也不在了，你该干什么就干什么吧。这也许不是我要说的，无所谓了，对你我反正没什么好说的了，我再也不会给你打电话了。从这个意义上说，我们也不再是亲戚了。"

在白中的嗓子眼里哽着一声怒吼，他想把它喊出来，对某个人说不,甚至对所有人说不。但这个"不"字被厌恶压在最下面,他越是喊不出越厌恶。他厌恶所有把他和陈新连在一起的想法。也许只有跟这个女人共同生活是不可能的时候,她对他才有意义?!

白中,这个似乎憨厚,其实也不邪恶的男人,闭上眼睛,想起妻子,想起那个忧伤,脸色惨白的妻子,想起了她皮肤滑腻的质感,想起自己身体跟她融合时的感觉,想起她安静的模样,想起自己面对她的困境时的无奈,想起她自杀的企图带给他的折磨,想起他几乎是本能般的担心和恐惧……想起他为丁冰承受这一切时的心情……现在他想的是,无论怎样,他愿意这样的生活继续,在那样的生活消失之后。

这是我的命?他在心里问自己。

他蜷在沙发里,用小男孩儿向母亲承认错误般的语气,反复说了下面这句话,尽管屋子里空无一人,尽管对自己不必说了一遍又一遍,他还是说了。

丁冰,我没有不爱你。我一直都是爱你的。

白中顺其自然地跟陈新搬到了一起。因为蒙蒙的原因,他不想结婚,这样他和陈新也没有财产问题。丁冰活着的时候,通过鉴定文物还是赚了一些钱。好在陈新不是蛮横的女人,什么条件都没提就温顺地跟白中开始了共同生活。这生活当年如果不是她父母反对,应该早二十年开始。

二十年的确不是一天两天,一年两年,是实实在在的二十年,八千来天。白中下班后回陈新家(他们把白中的住房短期出租了),常觉得丁冰在身前身后,喊出她名字的事情经常发生。陈新甚至也不去纠正,因为她能理解还很善良。

有一天,白中又做了那个同样的梦:丁冰在夜里割开手腕,然后一下一下推他,让他醒来。他从另一个梦境中惊醒,确定丁冰又自杀了,气得浑身发抖,觉得整个人都要瘫下去了。他冲下床,抱起丁冰使劲摇晃,不停地问她同样一个问题——你为什么要这样折磨我????

丁冰闭上了眼睛,他摇晃得更厉害。他必须知道为什么,为什么,到底为什么?! 因为他觉得自己承受不了。

为什么,为什么,为什么!

丁冰不再有任何反应,任凭他怎样摇晃……他心不跳了,憋得喘不过气来,一下子从当下的梦中惊醒。

他从床上坐起来,想起大夫说过的丁冰死于流血过多,心凉了,像身上的冷汗。

"是我杀了丁冰。"他说。

一只温热的手轻轻地捂住了他的嘴。

"尽管这样,我也爱你。"这话从另一张未被捂住的嘴里说出来。

"为什么?"因为白中嘴被捂着,声音受到阻碍变得喑哑。

"因为你感动了我。"陈新说。

作为作者,终于无话可说,终于可以退出这个故事。

2002 年动笔,2005 年完稿。

后　记

　　作为作者惟一还想补充的是：写这本书像一次艰难的旅行，为了到达终点我尽了全力。途中的种种遗憾和不足，我已无力弥补，因为在完成这本书的同时，我必须战胜生活中其他的困难，身心皆惫。对我来说，这是一段黑暗的时光，也许因为这个，我无法给这本书更多的光亮，因为我也没有。

　　感谢德国学术交流中心柏林艺术项目给我提供的为期一年的安静的创作时间，这也是这部长篇能在当下完成的主要原因。多谢。

　　同时，由衷地感谢我所有的朋友，在这段特殊的写作、生活阶段给我的帮助和温暖。他们帮助我保留了脸上的微笑。

2005 年 5 月